余英時政論集 上

余英時文集——26

余英時——著

余英時文集編輯序言

聯經出版公司編輯部

余英時先生是當代最重要的中國史學者，也是對於華人世界思想與文化影響深遠的知識人。

余先生一生著作無數，研究範圍縱橫三千年中國思想與文化史，對中國史學研究有極為開創性的貢獻，作品每每別開生面，引發廣泛的迴響與討論。除了學術論著外，他更撰寫大量文章，針對當代政治、社會與文化議題發表意見。

一九七六年九月，聯經出版了余先生的《歷史與思想》，這是余先生在台灣出版的第一本著作，也開啟了余先生與聯經此後深厚的關係。往後四十多年間，從《歷史與思想》到他的最後一本學術專書《論天人之際》，余先生在聯經一共出版了十二部作品。

余先生過世之後，聯經開始著手規劃「余英時文集」出版事宜，將余先生過去在台灣尚未集結出版的文章，編成十六種書目，再加上原本的十二部作品，總計共二十八種，總字數超過四百五十萬字。這個數字展現了余先生旺盛的創作力，從中也可看見余先生一生思想發展的軌跡，以及他開闊的視野、精深的學問，與多面向的關懷。

文集中的書目分為四大類。第一類是余先生的**學術論著**，除了過去在聯經出版的十二部作品外，此次新增兩冊《中國歷史研究的反思》古代史篇與現代史篇，收錄了余先生尚未集結出版之單篇論文，包括不同時期發表之中英文文章，以及應邀為辛亥革命、戊戌變法、五四運動等重要歷史議題撰寫的反思或訪談。《我的治學經驗》則是余先生畢生讀書、治學的經驗談。

其次，則是余先生的**社會關懷**，包括他多年來撰寫的時事評論（《時論集》），以及他擔任自由亞洲電台評論員期間，對於華人世界政治局勢所做的評析（《政論集》）。其中，他針對當代中國的政治及其領導人多有鍼砭，對於香港與台灣的情勢以及民主政治的未來，也提出其觀察與見解。

余先生除了是位知識淵博的學者，同時也是位溫暖而慷慨的友人和長者。文集中也反映余先生**生活交遊**的一面。如《書信選》與《詩存》呈現余先生與師長、友朋的魚雁往返、詩文唱和，從中既展現了他的人格本色，也可看出其思想脈絡。《序文集》是他應各方請託而完成的作品，《雜文集》則蒐羅不少余先生為同輩學人撰寫的追憶文章，也記錄他與文化和出版界的交往。

文集的另一重點，是收錄了余先生二十多歲，居住於**香港期間**的著作，包括六冊專書，以及發表於報章雜誌上的各類文章（《余英時政論集》）。這七冊文集的寫作年代集中於一九五〇年代前半，見證了一位自由主義者的青年時代，也是余先生一生澎湃思想的起點。

本次文集的編輯過程，獲得許多專家學者的協助，其中，中央研究院王汎森院士與中央警察大學李顯裕教授，分別提供手中蒐集的大量相關資料，為文集的成形奠定重要基礎。

最後，本次文集的出版，要特別感謝余夫人陳淑平女士的支持，她並慨然捐出余先生所有在聯經出版著作的版稅，委由聯經成立「余英時人文著作出版獎助基金」，用於獎助出版人文領域之學術論著，代表了余英時、陳淑平夫婦期勉下一代學人的美意，也期待能夠延續余先生對於人文學術研究的偉大貢獻。

編輯說明

一、本書收入作者於二〇〇一年至二〇一七年，在自由亞洲電台發表之政治評論。本書收錄文章根據錄音整理，未經作者審校。內容由編輯按照主題分為九輯。

二、本書部分文章，於自由亞洲電台網站上，有余英時先生的錄音原檔；凡有錄音檔的文章，皆有於文末附上 QR code，供有興趣之讀者參考。

目次

上冊

輯一 中國共產黨

輯二　中共領導人習近平

下冊

輯五　台灣與香港

輯六　民主與異議

輯七　中國與世界

輯八　學術與文化

輯九　歷史的再思考

輯一

中國共產黨

全球化的中國貪汙文化　誰在背後撐腰？

二〇〇九年八月十二日錄音
二〇〇九年八月二十六日刊登

今年七月五日，中國宣布抓了澳洲鋼鐵礦業公司力拓（Rio Tinto）員工。這是世界三大鋼鐵礦業公司之一。這個公司跟中共的關係是一直很密切的，就是二〇〇八年，中國想在這個公司投資，這個生意沒做成，引起中國的憤怒，我想，抓這四個人，這種報復心理一直是一個背景。

另外，中國是鐵礦最大的一個國家，它想壓迫世界三大公司，這些公司都在和中國談判。今年國際經濟情況不好，中國人認為有機可乘，就想把這些公司的價錢壓低到百分之四十五以下。但這點沒有成功，因為所有三大公司，包括力拓在內，對於中國內部的鋼鐵工業情況都弄得非常清楚，收到的商業消息極為準確。中國缺少什麼、需要什麼、誰要誰不要、現有存鋼存鐵多少、需要量有多大，它們都弄得一清二楚。這就是中國為何最初想要用國家機密法整治力拓公司的原因，因為力拓就是不接受中國壓價。

簡單說，中國有一個鋼鐵工業協會，這是一個國家機構，底下控制著七十多家大型鋼鐵公司，多數是國營的。但民間另外還有許多中小型鋼鐵企業，它們也需要鐵、需要原料。但是它們從中國的鋼鐵協會裡得不到好處，就根據市場需要向外國購買，誰便宜我就向誰購買。重要的原因在於它們已經購買了，這樣一來，中國內部就無法控制，就不能把價錢壓低到百分之四十五以下。這也是中國非常憤怒的原因之一，又加上投資不成，所以現在就想辦法來下手整治。

這件案子引起了全世界的注意。澳洲的力拓公司不光是澳洲人的，英國人也參與其中。這是一個不得了的大型運作，如果中國可以這樣隨便抓人，抓這樣的高階經理人，而且是澳洲公民（雖然是華裔），這也是極不尋常的事。

所以這一個月來的磋商，大概背地裡一定有許多討價還價，因為這件事情引起了中國跟澳洲的極大矛盾與衝突。

這個案子的關鍵是中國的貪汙，要不是中國的貪汙，就不會有商業行賄的事情。事實上，不行賄在中國做生意根本是做不通的。

另外一個案子是個小案子，但這個案子也弄得很嚴重。南非旁邊有個國家叫納米比亞，納米比亞是個小國，但現在有許多建設正在進行，建設中的全部機場要用各種各樣的檢查機器，這些機器向中國購買，價錢比別的國家都高。這項交易就是五千五百萬美元，現在確實知道，這裡面的中國人與納米比亞負責公司用非法手段私下拿回扣，給了中國四百二十萬美元回扣。這個拿回扣的中國人叫楊帆，現在已經被抓住了，還抓了兩個納米比亞公司的人。雖然現在保釋，正準備受審，但問題很嚴重。

更複雜的是，這個公司原來的董事長，就是胡錦濤的兒子胡海峰。那就必然到北京找胡海峰，即使他不是嫌疑犯，但還是希望讓他作證，因為他當時是公司的董事長。胡海峰現在升任黨委書記了，但案子發生在他的董事長任內。

另外一個案子的關係更大。納米比亞要建造一條三十八英里的鐵路，這條鐵路要連接其他各種火車，經費來自中國提供的長期貸款一億美元，由此說明了建造鐵路時要購買中國公司的產品。

結果這件事又落在中國人手上，中國人當時要求三十八英里鐵路的造價是一億四千四百萬美元，而其他國家說，我們只要四分之一價錢就可以了。中方最後大概討價還價，降到六千一百萬美元，但仍然比其他國家高。其中原因也是因為收回扣，回扣的數目非常之大，照這裡說的，有在中間起作用的中國人楊帆，他一個人就拿到二百一十萬美元回扣，還有其他納米比亞公司的人，雙方都有貪汙的人，所以這個案子還沒結束。

頭一個案子是中國要抓別人，第二個案子是納米比亞要抓中國人跟它自己公司貪汙的人。這兩個案子都起於中國，原因也都在於中國是一個最大的貪汙文化大本營。從前，共產黨把國民黨搞垮，原因就是說國民黨貪汙。國民黨貪汙是有之，但絕不可能到這樣一個地步。現在貪汙成這樣，而且影響全世界，就是把中國的貪汙文化全球化了，其後果不堪想像。

中國的集權秩序在國內外均面臨挑戰

二〇〇九年八月十九日錄音
二〇〇九年九月二日刊登

我剛剛得到一個消息，聯合國的世界貿易組織，八月初接受了美國的一項抱怨（也就是控訴），說中共違反了國際規則，不讓外國的某些進口商品自由發展，施加太多限制。首先是在書籍、唱片和電影上，這些屬於智慧財產的商品，在中國都得不到發展，受到各種嚴格限制。中國不但對美國如此，對歐洲也是一樣，所以歐美都同樣抱怨。這件事情如今由美國出面正式提出控訴，並得到世界貿易組織正式答覆，表示中共確實違反了國際規則，若不再尊重國際規則，就有可能在其他方面受到報復，不知道美國現在應該採取什麼態度了。

所以這是一個很重要的挑戰。原因就是中共對於電影、書籍、唱片等種種產品在中國的營銷，都由它限定經銷人員，而這些人都受黨控制。美國公司能接觸的範圍，就僅限於中共指定的這一兩家，其他的人就接觸不到。所以外國的影片、書籍永遠找不到更大市場，永遠不能跟中國的市場直接往來，不能直接達到老百姓的手上，完全由官方操縱。

而以電影來說，每年允許進口的外國電影只限二十部，非常少，更是無利可圖。所以長期這樣下來，各種媒體、智慧財產公司到現在為止都在忍耐，都想著：中國市場那麼大，十幾億人，遲早都會得到好處的，我們耐心等待。等待又等待，等了十幾二十年了，到現在一點進展都沒有，忍無可忍之下，就開始訴諸世界貿易組織調停。

但貿易組織並沒有絕對權威，中共有各種方法抵抗，上訴就是一個，中共已經上訴了，但被駁回。這樣看來，共產黨並不情願在這方面有所改善，不改善的話，就進入商業戰爭狀態了。美國可能跟其他國家或日本聯手對付中國，你要禁我的產品，不讓它自由進入中國，我也可以用其他方法抵制你的貨物。如果真是這樣，那就相當不幸了，不光是美國，中國也要受到很大損失。

像是美國的媒體，當時的大型新聞媒體都寄望於中國十幾億人口，尤其梅鐸（Rupert Murdoch）。梅鐸在中國拚命想開展，還在香港設立了中文電視台《鳳凰衛視》，但後來發現《鳳凰衛視》只能在中國很大的城市裡面，國際飯店、涉外旅館的外國人才收聽得到，一般老百姓還是收聽不到。就是它的中文台，在廣州也是很有限的人才能聽到。所以在這種情況下，梅鐸的公司也不得不慢慢地收縮。這一切到了忍無可忍的時候，就會有一個挑戰起來。這個國際挑戰我覺得是很值得重視的。

而在這個挑戰同時，我們已經發現國際媒體（尤其美國）慢慢轉向印度了。因為印度人口也不少，而他們發現，印度政府沒有什麼限制或限制極少，最近一個例子就是我們在五月間已經知道，美國發現了印度是個好市場，而且比中國好得多。在這個情況下，中國在國際貿易上，尤其與媒體有關的貿易活動方面，恐怕要落居下風了。

中國要怎樣對付這個問題，我們不知道。不過可以看出來，中共在某種情況下也不得不妥協。我們掌握的證據之一，就是最近澳洲鋼鐵公司力拓的例子，中國本來要指控力拓四名員工違反中國的國家機密法，現在改成貪汙，貪汙這個罪就小得多了，這也是中共不得已的一種妥協。

從這裡可以看出，國外挑戰與國內經濟也有密切關係。尤其最近一年多來，鋼鐵公司不賺錢，中國大陸許多的國營鋼鐵公司都要賣給私人。最近發生兩件案子，一件大約在六、七月間，吉林有一家非常重要的國營公司，幾千名員工有許多人反對把公司賣給私人。因為賣給私人之後，這些工人就沒有保障了，會逐漸被淘汰。所以工人激憤之下，數千人集合起來，打死了私人公司來談判的經理。打死人以後非常嚴重，但共產黨現在也不敢採取強硬手段或過分對付工人，於是目前先表示妥協，準備暫時不賣，即使要賣，也會取得工會同意，這是一件。

第二件案子是在河南安陽。河南安陽也有一家鋼鐵公司，工人三千人以上，最近也要賣給另一家私人公司。而且都談妥了七千萬成交，已經支付二千六百多萬，馬上就要轉手。工人在這種情況下聽到消息，馬上聯合組織大規模抗議，在抗議中間把一名官方人員抓起來當人質，問題到現在還沒解決。報導是最近八月初到現在的事情，詳細情形我們還不清楚，但這些事情千真萬確，都發生過，受到官方《新華社》的報導，美國《紐約時報》也有專題研究，有人員參加。所以這些報導是很可信的。

所以從這種情況看來，如果共產黨不改弦易轍，工人恐怕沒有那麼容易聽話。而且共產黨打的是無產階級專政的口號，到現在還沒有改變，儘管已經轉為資本主義國家，但它在體制上還需要掛在無產階級專政下。所以對幾千工人採取的暴力行動，包括打死一名經理、扣押一名官員，都沒有鎮壓，如果是一般老百姓，甚至於普通農民，那都要受到嚴厲懲處的。

現在共產黨在工人面前，就不得不退卻了。因此可以看出，國際退卻和國內退卻都發生了。退卻發生以後，有什麼新的秩序來取代，我們不知道。但我們可以確定的是，共產黨的集權秩序從前是一切唯我獨尊，不管外國人還是中國人，只要和共產黨打交道，好處永遠是共產黨的，而壞處和一切責任都要向外推，這就是共產黨過去集權政治的基本運作原則。

但這個基本運作原則，今天經過幾十年的新發展，經過國際上積累的經驗，慢慢也引起反抗了。所以美國向世界貿易組織控訴共產黨違法，世界貿易組織也受理美國抗議，並規定中共要遵守國際法，也都慢慢出現了。這種情況出現之後，完全置之不理是不可能的，一味上訴也上訴不到哪兒去，則某些東西也就非改不可了。

共產黨肯不肯改，我們不知道。如果不肯改，那就是另一回事、另一個遊戲，恐怕國際上就有新的規則了。所以種種情況看來，我覺得這是個很值得注意的現象。關於這幾個不同的案子，按照發生的次序來看，國內、國外是相關的，國外的秩序不能維持，是因為國內秩序也發生動搖，尤其這一年來的經濟不景氣，對中共秩序帶來一項威脅。所以怎樣對付國內外的秩序，是共產黨面臨的一大問題。

中共一貫是「順我者昌，逆我者亡」

二〇一一年七月二十一日錄音
二〇一一年八月二日刊登

共產黨成立的時候，對任何反對它革命、阻礙它革命的，它都要消滅，而且用暴力消滅。到延安以後，慢慢發展起來，更厲害了，在毛澤東統治時期達到最高峰，尤其是文革。那時候沒有別的手段控制，就是赤裸裸的暴力，集中把毛變成神的一種精神力量，當時幫助共產黨推動「順我者昌，逆我者亡」的方法。結果「逆」的人愈來愈多，包括國民黨，後來又變成民主人士，後來又變成一般知識分子，後來又變成黨內的右派種種。到最後黨內高級幹部都是「逆我者亡」了，包括鄧小平、劉少奇，所以共產黨第一個階段就垮掉了。

等到鄧小平上台以後，照說應該好一點，開始時候好像是要容忍一點、開放一點。可是慢慢地，一黨專政性質不會改變，它愈來愈覺得跟它衝突的東西太多，都是要亡它的黨的，所以就要嚴格加以打擊。共產黨做出拆民房之類的錯誤行動，只要你一抗議，你就變成「逆我者」。所以「逆我者」的範圍就愈來愈大，不但是在漢族本身，就是在少數民族中間，也是愈來愈多。比如說西藏、新疆，再加上內蒙古，都出了問題。尤其新疆最近又鬧出很大的事，抗議共產黨警察局亂抓人而占領警察局，這件事引起衝突，共產黨軍警開槍，殺了很多人。而且維吾爾族人也起來反抗，不過按照在德國維吾爾族人的宣稱，這完全是他們被壓迫所致，並不是暴力行動，也不是恐怖分子。

「維穩」就是維持穩定，這是共產黨花了很多錢、投資很多人力要做的事情。可是它現在自己也檢討發生了方向性的錯誤，把一切社會矛盾，對不公平的抗議種種，都看成反黨，也就是「逆我者亡」。所以在這個方向下，就採取了不妥當的鎮壓。老百姓到處去抗爭，而且武力抗爭，有些地方鬧的事情就很大。比如說廣東增城四川人與本地人的衝突，也是共產黨在後面搞起來的；又加上潮州，也是四川人被本地人欺負、被老闆欺負，並且把手腳筋都掐斷了，所以引起大抗議、大衝突、大流血。

像這種星星之火，隨時都有可能燎原的。個別的例子來講，比如說艾未未事件，尤其明顯。艾未未是一個藝術家，雖然批評共產黨，他也沒有惡意；他父親（艾青）還是擁護共產黨的詩人，雖然也對共產黨愈來愈失望，晚年已經異化了，但是並沒有要推翻共產黨的意思。艾未未也不是要推翻共產黨，他只是路見不平、拔刀相助，對一切被迫害的人起來說幾句話，藝術家的一種怪僻在那裡，這個如果容忍他，沒有什麼問題。

問題是最近把他關起來八十一天，沒有任何罪名，放出來以後，就說他逃漏稅，說他從二〇〇〇年就逃稅，所以現在也要罰款，一共達二百萬美元之多，實在是很荒唐。造證據來陷害他，那是很容易的事情。

所以從這地方看，共產黨繼續不公平對待「逆我者」，要「逆我者」亡，這就是艾未未的待遇。艾未未的待遇所引起的後果，對共產黨可說是十分不利的。無論是從個別的例子來看，或是從整體來看，「逆我者亡」這個政策，也就是周永康檢討的維穩政策失利、方向性錯誤，共產黨也已經開始認識了。但是它沒辦法逃脫這個圈套，最後還是要一步步在「逆我者亡」上做工作。

當然有「順我者昌」的，也有很多人是因為與共產黨沆瀣一氣，或者只是他們家裡的親戚、朋友、種種故舊，跟著發財的、跟著賺錢的，在腐敗集團中洋洋得意的，也一大批人。有些人被收買的，可能讓成千上萬的人願意跟它走。可是反抗的人是愈來愈多，我們可以看到這一點。這兩邊最後是不成比例的，沉默的大眾只是在等待時機。但沉默大眾在被壓迫、反抗的人這一面，是沒有問題的。如果共產黨把不公平繼續保持下去，而且毫不在乎，認為自己大權在握、錢很多，不能用權力鎮壓的，就用錢來收買，以為這兩種方式可以把它的黨特權永遠維持下去，我想它就大錯特錯了。

所以在這種情況下，「逆我者亡」政策愈來愈威脅到它的生存；而「順我者昌」的那些人並不能真正讓它的黨健旺、復興起來，只有愈來愈拖垮它的黨。這種「順我者昌」的人愈多，也就是腐敗、貪汙、沒有原則的人占了社會上風，社會上一點正義感都沒有、一點道德意識也沒有，這樣的社會是維持不下去的，到最後一定變成毫無秩序。

所以我想，「順我者昌，逆我者亡」是共產黨的特色，可是在這個情況下，它的前途是很值得擔心的。

中國ＳＡＲＳ疫情讓人擔憂

二〇〇三年五月十二日

現在全世界的目光都盯著北京，但即使是這樣，它的「開放誠實」到底有多大程度是真的，還是完全不知道。就上海的情況說，上海也有相當多人感染ＳＡＲＳ，但因為江澤民現在就住在上海，為了保住上海，就必須把病人送走。上海報導的數字是否確實，很成問題。

我們還注意到廣東。廣東是禍根。但我看到香港的中文報導，廣東的感染人數，實際上超過萬人。廣東省的省委書記張德江是江澤民很欣賞的人，他從頭到尾主張隱瞞，誰要報導他就封殺誰，像《南方週末》已經被封掉了。他當時打壓任何報導ＳＡＲＳ疫情的媒體。後來公開以後，張德江居然無事。廣東到底有多少人感染ＳＡＲＳ，死亡率多少，誰也不知道。

我們如果相信香港的報導，最近有個報導比較可信，據說死亡率不是外面所說的百分之四或百分之六，事實上已經高達百分之二十，其中老人或某些有病歷的人死亡率更高，年輕人、小孩子似乎好一點，無論如何，香港的病人數量很多。所以報導百分之二十的數字是相當可信的，如果是這樣，可以想像中國的整個局面。

現在我們看到北京差不多上百萬的人都往外跑，民工回鄉去了，學生也回家去了。SARS非但不能控制，恐怕還要流傳到鄉下去。流傳到鄉下去，那就相當麻煩了，將來可能就只有幾個大城市受到控制，鄉村變得愈來愈氾濫。如果是這樣，那正如當年毛澤東打游擊戰所說的「農村包圍城市」，那將是長期困境了。

共產黨如何能夠徹底脫離SARS，現在還看不出來。尤其可怕的是，這個疫情顯然引起了黨內鬥爭。江派人在那裡冷眼旁觀，準備隱瞞疫情的以江派為主。像廣東省委書記張德江，就是江所信任的人，他堅決主張隱瞞、少報，因此張德江到現在為止還沒有受到任何處罰。犧牲的只是北京的兩個人，一個是衛生部部長，一個是北京市長。北京市長才上任兩個月就撤掉了，其實可以說，這個市長是完全無辜的。由此可見，趁著這個危機，黨內鬥爭又在進一步醞釀發展。江系的一些人物，像中央的曾慶紅、黃菊等人，以及有勢力的政治局委員都不說話，只有胡錦濤和溫家寶到處奔走，一副惶惶然的樣子。從這點可以看到，引起的層層問題可說一時無法清理，整個局面也還看不清楚。

尤其讓我們擔心的是經濟也不好，疫情長期來說也控制不住，特別是在鄉村氾濫，那樣一來，社會動盪就無法避免。如果社會動盪引發其他更大的事件，那就不知會怎樣了結了。

所以這使得我們這些關懷中國能有良好秩序的海外華人特別感到憂心。我們並不希望這個疫情把共產黨的社會弄得大亂，如果中國真的一亂而控制不住，那不只是中國人的不幸，而是全世界的禍害。

（本篇網路無錄音檔）

從動車事故處理方式看中共集權統治

二〇一一年八月四日錄音
二〇一一年八月九日刊登

我現在要講這個溫州動車追尾事故，不是講這個事情本身。這個所謂動車追尾事故，是共產黨體制的一個直接反映、一種體現。事故都會有的，撞車全世界都有，我要說的是，為何會有這樣的撞車，則是共產黨體制的一個直接反映。

我們知道，現在的歐洲和日本，最早有這樣的子彈快車。這種子彈快車在日本運行五十年以上了，五十年來日本絕沒有一個快車事故導致死亡，所以這是非常安全的。共產黨事實上是盜用了日本和德國技術，火車頭要趕快埋起來，原因就是怕日本記者發現原來是偷了日本的，它不肯公開承認。

所以這是一個很大的問題，也引起大家懷疑它不只是科技偷了別人的問題，還有可能隱藏了事故出現的原因。

以為把火車頭藏起來，人家就不知道是什麼原因了；你說是閃電的結果，那別人也只有接受了。所以共產黨這個體制裡面造成的這個災害，可不是普普通通的火車災害；我要把這件事情跟毛澤東的好大喜功，特別是一九五八年大躍進，餓死全國三、四千萬人這件事情聯繫起來。

毛澤東當時也就是要造成全世界最大、最快的一種方式，讓中國從一個很落後的社會，一下子跳到比蘇聯還要先進的共產主義社會，所以人民公社就是從那時候開始的。

當時有一個民主評論家張奚若，就批評共產黨好大喜功；毛澤東不但承認，還引以為驕傲，說「我們這是好社會主義之功」。所以好大喜功是在共產黨以為它一黨專政，可以為所欲為，不受任何限制的這種情況下發生。

現在溫州動車追尾事故也是一樣的，它要在短短幾年之內造成全世界最大的快車系統，引以為驕傲，共產黨的光榮之一。共產黨一向是以「偉、光、正」，就是「偉大、光榮、正確」自吹自擂的，現在剛好可以證明。

結果發生這樣的事情，這件事也可以說有其必然性。因為事件本身就是共產黨一黨專制之下，它的鐵道部運行這個東西，就有許多欺騙在裡面，等於濫用權力，搞得民窮財盡一樣。

它這個辦法就是，它的鐵道部長劉志軍已經被解職，他把幾百億的錢都分給朋友去接管這些建築計畫，所以造得非常粗糙，火車停駛幾小時，在鐵道上停著不能動，那是常常發生的，在北京、上海之間也常常發生；窗戶也打不開，悶得不得了，所以大家對這個已經忍無可忍、怨聲載道，再加上這次事件，那真是震動全國。

這件事情引起的後果，也是非常之大。災難發生以後，共產黨的信用可以說已經一無所有了，老百姓完全不相信為什麼會有這樣的事故發生，而且他們不知道為什麼對事故沒有交代。

因為共產黨也照大躍進的方法，餓死幾千萬人是「三年自然災害」，反正往老天那裡去推託；這次就是推託給閃電打雷把它的信號系統搞壞了，我在報上看到，外國專家、新加坡的專家，都認為是不可能的事情。

孔子所謂「民無信不立」，這個「信」字，共產黨在中國老百姓面前是全部失去了。這是無可追回的一種最大的損失，共產黨再想有信用，那是很難的了。

現在它只能用暴力。這個事情發生以後，有一個很奇怪的現象，全國都在報導，包括中央電視台都有過報導、評論、批評，各個報紙更是勇往直前。直到四、五天後，中宣部才下令禁止。

但就是在下令禁止以後，許多記者還是不顧一切，最後是萬萬不得已，是寫的東西登不出來。《南方都市報》有個記者就說，今天晚上是幾千萬人寫的報導，都在報上出不來了。

從這種種可以看出，共產黨除了用暴力禁止報導以外，沒有別的辦法可以讓老百姓相信。所以老百姓現在也並不相信，你可以在報紙上禁止，可是網路上太多了，多到你已經沒有這麼多人能應付的程度。所以最近對共產黨的批評是最嚴厲、最可怕的，弄得不好就變成一個導火線，也就是第二次天安門事件的這種趨勢。

所以共產黨非常緊張，要維持一黨專政，唯一的辦法就是謊言。而一些內部的權力鬥爭也在這裡發生，所以溫家寶最早就表示要公開、要透明化，在（七月）二十八日到了溫州開記者招待會，我們在電視上都看到了，也特別強調一定要調查到底、一定要讓人民相信為止。

可是溫家寶的這番談話，在共產黨的報紙上，尤其電視上，根本沒有出現過。報導溫家寶在溫州講話的，是香港的電視台，也就是香港的外國電視台，而不是中共的電視台。可見溫家寶這個聲音，也就等於六四時代趙紫陽的聲音一樣，體制內有一大批人是抵制的。

所以我們知道，這是共產黨體制逼成的這樣一種事件，以及處理事情的方式。這不是說任何一個人為的小錯誤，發生了事故，然後我們就賴在共產黨身上，不是如此。我們經過分析就可以看得出來，特別是高速度的東西，更是要非常小心。所以共產黨的制度、體制沒有變化，集權統治依然如故，在這件事情上完全顯露了出來。

駱家輝平民化到京引討論

二〇一一年九月十五日錄音
二〇一一年九月二十六日刊登

美國最新的駐華大使駱家輝（Gary Faye Locke），因為他是華裔第二代，父母大概是來自台灣的移民，但他跟中國、台灣也沒有什麼關係，完全是在美國長大的，文化上、血統上有中國的根柢，但基本上是一個美國人。所以他到中國去，在洛杉磯機場到食品店買漢堡吃，被一個中國記者拍了照，然後這個記者又一路跟蹤到北京，大使一家四口自己拿包袱，非常平民化地到了北京。

這件事被渲染以後，在網上就引起各種討論，沒有想到一個駐華大使居然沒有一點架子之類，隨便自己買東西吃等等，很多人在網上都看到了，都認為他是很少有的平民作風，沒見過。其實這在美國是很平常的一件事。

緊接著就是美國副總統拜登（Joe Biden）訪華，他帶著孫女兒去，也非常平民化。有一天他到北京的一個中國小館子，吃了一碗炸醬麵，大概花了七十九塊人民幣，他也沒有要收條，就這樣自己付了。

這件事情引起更強烈的反響，網民更是一傳十、十傳百，報紙、雜誌也紛紛登載，說這樣的副總統，他不要接受共產黨的招待，表現得那樣平民化，那更是不可思議了。所以網民就說，資本主義副總統跟大使是這樣平民化，而社會主義，只要你做了官、做了大老爺，出門一定是警車開道，老百姓不堪其擾。到底哪個主義好呢？所以這也引起媒體的轟動。

這個轟動對於中宣部非常敏感，中宣部最後不得不下令，說拜登吃麵的事不能再報導，網上也不能瘋登亂傳，說是這兩件事被借題發揮來罵中國；特別是有些網民提到，溫州撞車之後，有個北京調查小組跑到溫州調查，可是它的飲食起居待遇好得不得了，報紙上也報導了。拿這個跟拜登做比較，那就不堪入目了。

想不到《光明日報》還正式發表文章，說駱家輝這種輕車簡從的背後，是資本主義和西方價值觀在中國滲透，這代表美國的新殖民主義，這話不知道從何說起；「這裡可以看到帝國主義亡我之心不死」，這類話更是可笑了。別人日常生活常態，在中國被解釋為來顛覆中國社會、中國原有秩序了，這是不可想像的事。

所以這件事情鬧出這麼大風波，可以看出兩個社會完全不同。因為在美國，做官根本不是高人一等的事情，往往只要一有機會就自己退出，做自己的事，所以絕不會有官高人一等，可以擺擺威風這種想法。但這跟中國完全不同，在西方，如果你看到總統、副總統或國務卿，在某些公共場合有安全人員保護，那也是不著痕跡、看不見的；基本上都是老百姓把你選出來的，你要給老百姓負責任，你絕不會高於老百姓。總之，你是國家領導人很重要，那是老百姓要你重要，你才重要的，老百姓不要你、不選你，你就沒有重要性了。

共產主義本來是追求公平，為平民、無產階級、窮人伸張正義的，可是變成一個制度以後，尤其變成共產黨這個制度以後，中共比蘇聯情況還嚴重；這種情況下，一個集權社會墮落到完全拋棄了原來為工農爭取利益的團體，它變成了利益團體，只想做官，黨員自己用他的權力換取金錢，然後騎在人民的頭上。像這樣的社會，我想是共產黨一個很大的引誘，而且我可以說，中國多方面的民變也都是這個原因。

縣一級的官僚，甚至於村長，如果他是一個非常官僚化的人，大家都不能接受，因為一切都掌握在他們手上，常常跟國營企業的發展勾結起來，把百姓土地、房屋變賣種種，這些壓迫都是從官本位來的，都是從一種中國式的、特別是共產黨式的官僚主義發起、開始的。

所以毛澤東在一九五六、一九五七年就開始要批判官僚主義，引起很多人同情，甚至反官僚主義在文革時候還有很大的號召力，都是因為這個原因。並不是毛澤東的指示有什麼正確，毛澤東的動機也不在此，他是要藉此機會把權力掌握在自己手上。不過他找到了一個很好的題目，這個題目就是要打倒官僚主義。

這個反官僚主義大概從一九五六、一九五七年就開始了，一直貫徹到文化革命的後期，然後再把這些參加的紅衛兵慢慢趕盡。這是毛澤東的手法，他並不是真的要取消官僚主義，而是個人奪權。

不過他們對於打倒官僚主義這一點，還是相當同情的，所以到今天還有人被毛澤東所騙，以為官僚主義是可以打倒的、打倒官僚主義這一點毛澤東是對的。總而言之，這是共產黨一個病，這個病也有傳統的根據，但最主要的還是在一個集權體制之下發展出來的情況。所以這是值得大家好好想想的問題。

談學雷鋒運動

二〇〇三年三月十九日

今天我想講的是國內最近又發起的學雷鋒運動。我不是講雷鋒這件事本身，而是想通過具體的例子，來講講道德的力量，以及現代社會應該怎麼建立的問題。

中共新的政治領導集團出現以後，許多觀察家在看他們有什麼新作為，中國大陸內部的許多人，可能也有所期待。我們現在還看不出到底是怎樣一個走向，目前我們所看到的，是兩個很值得注意的現象：

第一是胡錦濤好像要發起學習雷鋒的新運動。雷鋒是個年輕人，到底他的道德操守怎麼樣？我們並不知道。所以說雷鋒是一種神化。雖然「雷鋒精神」也不能說毫無事實，少數人也可能做得到，但多數人能不能學習雷鋒？在今天也是很難說。

第二個值得注意的現象，就是曾慶紅一再強調，要學習毛澤東時代的那種樸實，即所謂艱苦作風。所以這兩位新的領導人上台以後，好像到處奔走，訪貧問苦，表現一種親民作風。這些作風事實上都是表面工作，這些都表示中共現在想激發一種新的道德力量，讓社會改良。這想法本身無所謂好壞，可是道德這個問題很難說。在上位者勸底下的人做好人，底下的人就可以做好人了嗎？

事實上我們在學習雷鋒碰到的問題，就是政治與道德的關係。這在中國歷史上非常明顯。中國過去的王朝想要建立一個穩定秩序，都需要提倡某種道德，不過這種道德是在民間發動的，基本上通過老師來傳播——中國人一向尊重老師，天地君親師，師是最高的榜樣，也就是精神領袖。所以這就是中國傳統說的君師，就是那些讀「五經」的老師要做他人的榜樣，中國人一向如此。

但這基本上是在社會層面，要是在政治上運用，那就變成矯揉造作、非常虛偽的情況了，不但無效，反而會起反作用。我們可以舉毛澤東崇拜的明太祖為例。明太祖一上台，因為他是中國最專制的皇帝，就希望別人聽他的話，他怕人民造反，所以就設下一種新的制度，就是到處去叫老百姓寫《教民榜文》，其實就是今天的大字報之類；同時也在各鄉找出一些有道德的老人去幫他宣傳，還有皇帝的「六諭」，像毛澤東的語錄一樣。毛澤東是學語錄的一個專家，利用紅衛兵來發動，跟明太祖當初讓太學生成千上萬下鄉是一樣的。這就表示中共的政治從毛澤東時代開始，也沒有脫離傳統的型態，沒有走上現代化。現代化的道德教育決不是由政府提倡，政府提倡事實上是適得其反的。一九三〇年代，國民黨蔣介石在南京發起的「新生活運動」也是這一套，叫人遵守「禮、義、廉、恥」之類。這些都是空洞的口號，從來沒有真正發生過作用。

今天想發動學雷鋒運動，要看對象是誰。對於還沒有工作的年輕人（在學的年輕人），我想那作用是很小的。年輕人是看現在的社會上什麼人成功，他就願意學習什麼人；使人欽佩的人，應該讓人自發地去學習他，這就是民選模範人物。雷鋒是共產黨宣傳的一個模範人物，但這個人物本身在大陸引起許多質疑。他到底屬於什麼樣的情況？他的日記可不可靠？是不是製造出來的？還有沒有其他的人可以學？如果共產黨統治了五十多年，只有一個雷鋒值得學習，那本身就很令人悲哀。今天中共面臨的許多問題，都是社會體制、政治體制的問題。

（本篇網路無錄音檔）

共產黨大力宣傳學雷鋒　目的何在？

二〇一二年三月八日錄音
二〇一二年三月十九日刊登

一九六三年三月五日訂為「學雷鋒紀念日」，這個五十周年紀念剛過，在中國大陸搞成很大的宣傳。這個宣傳之重要，連美國記者都感到詫異。《紐約時報》也有關於雷鋒的報導，報導說中國讚揚雷鋒那種英雄主義的宣傳，受到普遍地冷嘲熱諷，引起讀者負面的反應。為什麼共產黨要在這個時候學雷鋒？共產黨利用他的日記做宣傳，共產黨為什麼要做宣傳、要叫大家學雷鋒？雷鋒現象用一句話就可以表達出來——做一個共產黨馴服工具。雷鋒在日記裡也提過，做一個永遠不會生鏽的螺絲釘，黨要我做什麼我就做什麼。我做螺絲釘，沒有大腦，也沒有自己想法，黨叫我做什麼我就做什麼。這就是雷鋒精神。共產黨今天想恢復的，就是希望全國公民都能做雷鋒，所以這就引起了極大的反感。

我們知道，從魯迅開始介紹尼采（Friedrich Nietzsche）到中國來，尼采最要緊的一個觀點，就是把過去西方基督教所講的道德，攻擊為一種奴隸道德。這個奴隸道德支配著西方，所以魯迅就特別欣賞這一點。我們知道，現在的共產黨當了權，一黨專政了，現在一黨專政的問題是大家都不一定聽話了，好像黨的話沒有那麼大的權威，事實上是完全破產了。我們知道，中國已經到了一種程度，一個兩歲小女孩被車壓死在廣州，十七、八個人經過，看都不看，這樣一個社會，要談到學雷鋒，可以說是相當大的諷刺。但是對共產黨來講，它是非常有必要的。

所以，雷鋒在撫順死掉以後，他在撫順有很大的墓，今年因為是五十周年，所以大肆紀念，把他的許多遺物都展覽，包括幾百條日記等等，就是希望全國能再次興起學雷鋒運動。但是大陸許多網民，尤其在微博上，有許多很強烈的反應。其中年輕的人說，我們覺得學雷鋒的應該是共產黨幹部，我們老百姓用不著學雷鋒，我們本來就是好人。比如說你們共產黨的高幹，把自己的兒女都送到外國去了，還要我們在這裡學雷鋒？這是年輕人的反應。另外一個年輕人說，我吃了毒奶、共產黨國營企業的毒奶，得了癌症，你還要我學雷鋒？

共產黨現在也提倡儒家，它不是提倡儒家的一種批判精神，而是把儒家制度化以後，變成馴服工具的那一部分，這是儒家也有的，包括所謂犯上作亂的事，如果不忠不孝，就一定會犯上作亂。所以也提倡儒家。

提倡儒家當然跟馬克思（Karl Marx）的合法性有衝突，所以又不敢明目張膽，把孔子像偷偷豎立在天安門一、兩個月，受到黨內左派反對，又趕快取消。現在不得已到今年三月，又開始宣傳雷鋒了，因為雷鋒是可以跟儒家沒有關係的，完全可以解釋為無產階級道德精神，或是馬克思主義、馬列主義訓練出來的道德精神。

在這個情況下，共產黨可以說一直是用雷鋒來打人的。比如說在一九六三年，那時候是剛剛大躍進、三年饑荒，所謂三年饑荒是共產黨造出來的，餓死了幾千萬人的那一場大悲劇，共產黨就希望把人從那個記憶中扭轉過來，就提倡學習雷鋒。

第二次在一九六〇年代末期，就是文化大革命開始的時候，要打擊周恩來，也提倡學習雷鋒，因為雷鋒是超乎一般共產黨所謂的那種辦事精神，而是要做到人所做不到的事，所以它造這個形象，就是在一個除夕夜裡，雷鋒一個人晚上到街上去，收集了三百斤牛糞，這根本是不可能的事，但這就是共產黨的宣傳。

第三次大提倡學雷鋒是「四人幫」時期，也就是一九七六年，那時候又遇到政治危機，又要用雷鋒來打人，如果人不照雷鋒的道德標準，那就被罵為不革命或反革命。

所以照這樣的說法，共產黨用雷鋒是剛好來針對現在的意識。現在我們要民主、要自由、要什麼，是為自己爭取人應該有的基本權利，但在所謂雷鋒精神之下，就是完全犧牲個人，個人絕對不存在，個人存在只是為了一個集體，而這個集體是由共產黨領導的。

所以我們從這些地方可以看出來，共產黨目前的精神危機非常大，它引起的反應四面八方而來，我們剛剛看到了年輕人說話，戴晴也發表了意見，認為這根本是共產黨欺騙的手段，我們根本不需要共產黨，他們都是有錢有勢的。就是剛才那個年輕人說的，兒子、女兒，甚至於太太，都送到外國去了。所以在這種情況之下，要叫人家做雷鋒、受苦受難，我想是非常荒唐的，其結果可想而知。

中國當局的侵犯人權問題和共產黨的無恥文化

二〇一二年十二月十三日錄音
二〇一三年一月二日刊登

中國的人權問題跟「恥」的觀念，因為「恥」是中國文化很重要的觀念。我最近有一個比較重要的新發現：中國共產黨之所以不能不去侵犯人權來保持它的政權，基本上的原因之一（不是唯一的原因）是它沒有「恥」的觀念，這是很嚴重的問題。為什麼有這樣一個問題呢？因為十二月十日就是國際人權日，在這個人權日，紐約有一群中國的異議分子，逃出中國的人，要紀念這件事情，特別要為劉曉波和劉霞的人權說話。

這裡面劉霞的問題尤其嚴重，因為最近美國一個通訊社，突然之間闖到劉霞的公寓去了，在她的住處見到她。劉霞痛哭流涕地講述她人權受侵害的情況。這是一種很意外的新發展，也許是共產黨故意安排，那就不管它；要緊的是劉霞的人權被侵犯，可以說到了不能想像的地步。照她最近說的話，這幾年來，劉曉波入獄兩三年來，特別是在劉曉波獲得諾貝爾獎以後，她完全被禁止在北京這個小小的公寓裡面。不能有網路、也沒有電話，買菜也要共產黨陪她一塊兒，除了探望父母以外，離開家一步都不行。這等於她整個人被軟禁在家裡面，等於關在監牢裡面一樣。換句話說，劉曉波三年在監牢，那還是因為至少表面上他們還判他刑，判他十一年徒刑；劉霞根本完全無罪，何以三年來同樣受到人權的侵犯，把家裡當監獄給她關起來？這是不可想像的事情。這在任何一個外面的人來看，都是非常羞恥的事情，一個國家對一個孤苦無靠的女人、一個犯人的妻子，採取這樣嚴厲的手段侵犯她的人權，很可恥的，但是共產黨沒有這種感覺。

我們同樣可以想到，前不久放出來、逃出來的陳光誠，他是一個盲人律師，因為他為人權說話、打貪腐，就變成共產黨的敵人。除了關監獄之外，後來放回家以後，還用幾百人一個單位看著他，不准任何人採訪他，這都是見諸報紙的，包括美國人去看他都挨打。像這種情況，可以是說用全國之力去對付一個盲人律師，而且是在一個很窮的小地方、小村子裡面，這也是非常不要臉的舉動，這是我們想像不通的。所以這也是缺乏恥的觀念。同樣，我們也可以推想到其他任何方面，包括共產黨的貪腐。這個貪腐已經公開化了，連習近平最近剛剛上台，也要拿貪腐做為他的第一目標。其中貪財幾乎是所有幹部都犯的錯誤。其實在過去有很多人也在偷偷摸摸地幹，但總覺得還是不能見人，頗引以為恥。現在不然，共產黨內如果因為貪汙被指責或被處罰，那就覺得是自己倒楣，並不覺得是自己做錯了。這件事可說是無恥觀念普遍在共產黨裡面流行，包括給共產黨做御用文人的一些所謂學者（包括清華大學或其他大學的教授）抄書，抄外文的書、抄歷史的書抄錯了，被人指責出來，不但不以為恥，還洋洋得意，覺得我雖然是抄的，但在中文裡面那還是第一次出現，好像還有原創性。這也說明無恥到極點了。所以在這些觀念之下，因為沒有恥辱的觀念，對侵犯別人的人權就毫不在意了，就不覺得可恥了。這是一個很嚴重的問題。

中國人也有罪惡感。但恥辱是相當重要的一部分，所以你看，無論是孔子還是孟子，在裡面講恥還是很多的。我舉一個簡單的例子：比如孔子說「巧言、令色、足恭」，就是說你花言巧語，面上裝著諂媚的樣子。共產黨在這方面可以說是做到十足的花言巧語，騙人的時候，尤其是對它有好處的人，那他見了面以後是恭敬到極點，說話都漂亮極了，而且都是假話，完全不在意的。「巧言、令色、足恭」這些孔子引以為恥的東西，在共產黨裡面是很普遍的。實際上它是靠這個起家的。另外孔子還有一句話說，「匿怨而友其人」，就是心裡對某人怨恨，而表面上好像還跟他是很好的朋友，孔子對這個也引以為恥，說「左丘明恥之，丘亦恥之」。這件事情在共產黨政治上也是非常明顯的表現。

我們說中國文化有各種各樣的成分，但「恥」是一個很重要的成分。十七世紀的顧炎武有一句話說「行己有恥」，這是儒家從孔子、孟子以來最重要的一個觀念，就是自己做事的時候要有恥辱感，覺得哪件事情不應該做。如果沒有這一點的話，那這個社會就不成其為社會了。而共產黨所犯的，主要就是「行己有恥」這一點做不到。因為做不到這點，所以他們做任何壞事都是洋洋得意、視為當然，從中國人觀點來說，就是完全沒有「恥」的觀念了。

沒有「恥」的觀念可以說是共產黨的一個基本特質，因為這個特質，所以它對別人的人權不會有任何顧忌。因為人權的觀念必須對人人有尊嚴。如果你對別人根本感覺不到尊嚴，就可以把任何人踐踏在腳下，為自己保持權力，從權力裡面得到各種貪汙的機會。這就是共產黨的政權今天演變成的局面，這個局面不是今天才開始的，可以說是從共產黨最早奪政權的時候就開始了，沒有「恥」的觀念，那時可說已經是很重要的因素了。

我想，如果共產黨想要不下台的話，必須從自己有「恥」開始，自己覺得自己那些事情要做出來是很恥辱的。如果這個觀念根本不存在的話，那我想，在共產黨底下，人權就沒有恢復的一天。

「從思想解放中統一思想」：中共的又一個奇談怪論

二〇〇一年十二月八日

一個星期以前，北京的《人民日報》發表了一篇社論，社論的題目是：〈從思想解放中統一思想〉。這是很有趣的題目，據說這代表江澤民最近的意思，是在尋找一種新的思想基礎或意識型態。在這篇社論裡，中共承認社會主義現在到處都受到挫折，它認為只是挫折。事實上我們知道，從俄國到東歐已經沒有什麼社會主義國家了；換句話說，原來那套偉大的社會主義實驗完全失敗了，馬克思主義、列寧主義作為政治上的計畫已經破產。但中共還不敢承認這點，只能說有些挫折，因為在這挫折中，他們才能調整思想，因此才有這樣的題目。

解放思想和統一思想，本來是兩個完全相反的東西。你不可能一方面解放，一方面又統一，因為解放就是相對於統一而言。解放出來再統一，這是一個很難圓通的說法。但我們現在不去批評字面上的矛盾，我們要看看社論代表什麼資訊。這個資訊當然就是對於當前世界和中國國內的新情況，要進行思想上的調整。這個調整不是從現在才開始。在一、兩個月或更早以前，我們已經看到報導，有些黨內老馬克思主義者，像是鄧立群所領導的那一群，對江澤民「三個代表」一說提出質疑，指它違背了馬列主義、違背了馬克思基本原理。這個批判非常強烈，因此他們的兩個刊物《真理》、《探求》都被封閉了，這是共產黨第一次封閉所謂極左派的刊物。過去封閉的都是代表自由趨向的刊物，因為自由主義趨向不符合他們的四個堅持。現在封閉的力量轉向左派，就表示共產黨遇到了很大的麻煩：要怎樣解釋自己一方面還是共產黨，還是相信馬列主義、毛澤東思想，另一方面又要進入世貿，又要取消一些國營事業，走上市場制度。同時，在社會生活各方面，十年來也出現了一些民間的空間。這個空間就是在私有財產出現以後，私人可以用他的財力，做從前所不能做到的事情。換句話說，整個社會資源已經不是控制在一黨手中了。社會變動期間也是一個轉型期，如何調整思想，就成為共產黨首先不能不解決的問題，我想這個資訊就是《人民日報》社論所代表的意見。

從好的方面講，這篇社論也有正面的意思，從前的四個堅持，至少現在說得更含糊一些了。當然不能放棄共產黨的領導，共產黨政權不能丟掉，基本上還是這個堅持最要緊：共產黨領導不能被剝奪，換句話說，這就把馬列主義的份量減得比較輕、位置放得比較偏遠了。

從反面看，這個社論代表了它是一種思想矛盾：不敢面對現實，說一方面要解放思想，一方面又要統一思想。你用什麼來統一？還是用馬列主義來統一的話，那不就等於沒有解放嗎？所以這很顯然不能自圓其說，我想它的意思就是說，要慢慢從馬克思主義中解放出來。不過因為政權的合法性建立在馬克思主義上，這句話不能明說，其中的潛台詞就是思想要開始解放了。但能不能真正解放，還要看實踐，共產黨敢不敢把一個完全封閉的社會、封閉的心靈，建成開放的社會、開放的心靈，這是考驗共產黨有沒有智慧的關鍵。共產黨不願意丟掉政權，我想這是必然的。可是過去的王朝歷史告訴我們，王朝要想長期存在，必須根據新的現實，在內部不斷調整政策，這樣才能滿足人民希望、滿足人民起碼的要求，政權才能維持下去，共產黨也必須了解這點。我想它現在還是不很了解，如果馬克思這個招牌不能變動的話，它轉彎的餘地是非常有限的。

（本篇網路無錄音檔）

一朝讚一朝貶，政治含義非淺

——談新電影《英雄》

二〇〇三年二月三日

最近中國大陸拍了一部很轟動的電影，這部電影也很有可能在國際影展中得到很高的評價，甚至可以得到奧斯卡外語片獎。我並沒有看過這部影片，不過我看過很多的描述，《紐約時報》關於這部電影內容有很長的報導。片名叫《英雄》，這個英雄是指秦始皇，大概故事是從荊軻去咸陽刺殺秦始皇開始的。當然用的名字變了，不是荊軻、秦始皇等等，是另一些名字。刺殺秦始皇不成，反而讓秦始皇找出一個理由，說他統一天下是當務之急，其他一切都是次要的。這樣一來，劍客也就心動了，讓他一馬，放他一條命。但他馬上一揮手，又萬箭穿心，把這個刺客殺掉了。

這部電影本身無所謂，但它的政治含義非常深厚。《紐約時報》已經特別強調了這一點，電影在人民大會堂試映，中共領袖看了個個叫好，都認為這是以統一天下為主題，襯托秦始皇的偉大、英勇。談到秦始皇，我們就想到中共對秦始皇的歷史評價幾十年前後的變遷，這是特別值得注意的。

我們知道，毛澤東最喜歡秦始皇，一九五八年在共產黨八大二次會議上，毛澤東就說，秦始皇焚書坑儒不算什麼，焚書我們焚的更多，坑儒照歷史記載，他才坑了四百多個，而我們現在殺掉的反革命知識分子至少有一百倍，所以說那不算什麼。從這裡可以看出，毛澤東的心態是認同秦始皇的，他認同的其中一人就是秦始皇。

另一個認同的人當然就是明太祖，也是以殺知識分子而著名的，這並不稀奇。但我們想到共產黨幾十年來對秦始皇評價的變化，到底是怎麼回事。我還記得在一九四〇年代的抗戰時期，郭沫若寫了大量文章和著作，批評古代社會人物。其中有一篇就是〈秦王政批判〉，那是痛罵秦始皇的。他在後記裡特別講秦始皇是一個專制魔王、最壞的壞蛋，那時並沒有稱讚他統一天下的功勞，而且認為他心理不正常。事實上我們都知道，他那時用秦始皇來影射蔣介石，所以拚命罵，而這個批判是共產黨左派在一九四〇年代當時最稱讚的，毛澤東也稱讚過這本書，可見那時毛澤東還不敢以秦始皇自居。但到了一九五八、一九五九年以後，他就罵郭沫諾批評秦始皇的文章，批示說反對秦始皇是錯誤的，逼得郭沫若趕快表態。

今天，共產黨為什麼又來稱讚秦始皇？第一個基調就是上面所說的要統一天下。換句話說，要把台灣拿下來，這將是中共最大的成就，因為這是毛澤東和鄧小平所做不到的，江澤民也沒有做成，看看新一代的領袖能不能做到。最重要的還是他們對皇帝的嚮往、對皇帝的認同。我們記得早在幾年以前，已經有一連串描寫清朝皇帝的影片，康熙、雍正、乾隆都有，都是歌頌滿清皇帝。

共產黨現在在意識型態破產以後，就是希望拉著各種皇帝能夠統一中國，維持秩序，實現它最大的嚮往。至於老百姓的感受，老百姓所受的壓迫和種種痛苦，完全拋諸腦後了。

共產黨高級領導人在北京人民大會堂看秦始皇興高采烈，由此已經可見，中共現在思想上的貧困可憐到了一種什麼程度。這個時候還需要用過去罵得最厲害的封建帝王做他們的模範表率，可以說是荒唐到極點，可以說文化程度降低到了不堪設想，這是中國人民很大的悲哀。中共現在真正需要有一點文化，然後才能真正配合上所謂經濟發展，否則形勢是相當可憐的。

（本篇網路無錄音檔）

談胡錦濤紀念毛澤東講話

二〇〇四年二月十八日

事實上，我認為胡錦濤這篇講話，並沒有任何政策上的意義，只表示了共產黨內部的許多困難。我相信胡錦濤也不見得心悅誠服地那樣歌頌毛澤東，不過我想，黨內的壓力很大，要是用一個王朝的說法，就是共產黨這個紅色王朝是毛澤東創建的，毛澤東等於太祖高皇帝，你背棄了高皇帝的話，你接下來的合法性全都沒有了。所以在這個意義上，想在共產黨執政而不捧毛澤東出來，是不可能的事，就像蘇聯如果把列寧拋棄了，那整個共產主義就崩潰了一樣。

當初一九五六年赫魯雪夫（Nikita Khrushchev）可以批評史達林（Joseph Stalin），因為史達林到底是第二代了，蘇聯的太祖高皇帝是列寧（Vladimir Lenin），而不是史達林。你可以批評史達林，同時仍然高舉共產黨的旗幟；但在毛澤東的時代只有一個毛澤東，早期創黨的陳獨秀等人早已被打成托派了。毛澤東確實是為共產黨建立了政權，沒有毛澤東，我相信不會有共產黨政權，這是真的。至於說沒有毛澤東就沒有新中國，那是很荒唐的話，因為毛澤東並沒有建國，只是奪取了國民黨的政權，把中華民國的名稱改成中華人民共和國。

這都不是真正的理由，真正的理由是胡錦濤權力還是非常有限，承受的壓力非常大，在這種情況下，他不得不這樣做。但就是在他這樣做的時候，我們也知道，萬里、喬石等七十多個老同志，都不願意參加紀念會，有很多人請假。共產黨想找民主黨派參加歌頌，民主黨派有五個，包括民盟、九三學社等，這些本來都是花瓶黨，但這五個所謂民主黨派這次也都拒絕了。我們由此可見，毛澤東今天在中國人心裡，是不可能有什麼偉大形象的。沒有偉大形象的原因，可能是繼續倚靠共產黨政權好處的人少之又少，就連這些人也違背了毛主席。毛澤東思想最基本的理念，就是要在一窮二白的基礎上，建立一個完全無私、完全沒有私有財產的社會，所以才弄出大躍進種種荒唐至極的事情，就是不許私人有任何利益發展。完全無私是根本做不到的事情，實際管經濟的領導幹部，包括周恩來、陳雲等在內，都知道行不通，可是沒有辦法，毛已經變成神了，他說的話非遵循不可，所以才有包括文革在內的種種大災難。

今天共產黨所走的路線，百分之百違背了毛澤東的指示，但胡錦濤今天講話的時候還要說：「在任何時候、任何情況下，我們都要始終高舉毛澤東思想的偉大旗幟。」這是很荒謬、不真實的一句假話、敷衍話，這種話說出來，對他個人傷害很大，表示他完全沒有獨立思考的能力。「兩個任何」，就跟當初一九七六年毛死後，華國鋒搞的「兩個凡是」（即：「凡是毛主席做出的決策，我們都堅決維護；凡是毛主席的指示，我們都始終不渝地遵循」）差不多的一種口號。「兩個凡是」與「兩個任何」——現在許多人已經把它們等同起來了。

從這裡可以看出，從共產黨內的高階老同志，一直到民間，都一致批評、一致撻伐毛澤東，而胡錦濤之所以非如此稱頌毛不可，主要是受黨內的壓力，尤其是江澤民的壓力。在江澤民心中，共產黨有三個偉大領袖：毛澤東以外，當然就是鄧小平，鄧小平以後就是他。所以現在江澤民既然繼承了正統——太祖高皇帝毛澤東的正統，就不許別人鞭笞毛澤東。這恐怕也是胡錦濤不能不這樣做的一個原因，他同時也要給自己尋求合法的地位。可以說，胡錦濤絕不可能做戈巴契夫那樣的人，因為戈巴契夫（Mikhail Gorbachev）可以不提列寧、不提史達林，搞開放、搞某種程度的民主，這樣蘇聯共產黨才崩潰了。中共對蘇聯崩潰一事是銘記在心的，因為他們就怕失去政權。

（本篇網路無錄音檔）

當今中國黨天下

二〇一二年十一月十五日錄音
二〇一三年一月二十三日刊登

中國政治造成一種新的形式，造成共產黨統治成為一種王朝式的統治，但這個王朝也不是普通的，一個王一路傳下來的，中國叫做家天下的那種。

這個題目為什麼有趣？因為十幾年前，一九九八年我在香港的《明報月刊》發表過一篇文章，這篇文章當時叫做〈家天下、族天下、黨天下〉，我說的「家天下」就是中國的傳統王朝，像漢朝、唐朝這種，一家傳下來傳幾百年；另外一個「族天下」我講的是滿洲，當然也包括蒙古人的元朝，他們一族征服中國，然後用這個族來統治中國，這是族天下；到了民國以後，從國民黨統一到共產黨推翻國民黨政權，變成黨的天下，但是國民黨的黨天下是無效的，因為它這個黨沒有能力把所有財產集中在手上為所欲為。只有到了共產黨時代，黨的天下才完整。這個「黨天下」一詞，國民黨時代形容過國民黨，後來就用在共產黨身上，這主要是新聞記者儲安平的貢獻。他最早在反右時期就提出過黨天下的問題，後來他因此被打成右派，最後大概自殺了，不知下落。黨天下當時是形容共產黨的。

《紐約時報》的報導就把這個問題推進了一步。《紐約時報》根據十八大的政治取向指出，現在中國有一個新的貴族階級興起，這個貴族階級就包括十幾個、上百個共產黨領導階層的人。比如說習近平的爸爸習仲勛，就是黨非常重要的革命家和領導人，一直做到副總理、省書記、大軍區政委，都是領導家庭。他們的後代現在突然團結起來，這些人最近可以左右十八大政治，這是一個新階層，跟從前江、胡時代也不一樣。江澤民因為六四的關係，一時無人可找就找到他，他的父親並不是有名的黨領導人，胡錦濤也不能算，他是因為鄧小平特別看重他用武力鎮壓西藏老百姓，覺得他可以用強烈的高壓手段，制伏反對中國共產黨的人。

所以江、胡兩人在位時還沒到太子黨時代，因為太子黨時代的人，多半出生在一九五〇年代、一九六〇年代。這批人大都經過了大躍進的饑荒，也經過了文革的暴力革命，所以這些人都有一個共同點，就是不相信別人，只相信家裡人可以保護他們，這些人現在同時興起了。去年一年有許多太子黨活動，據說有葉劍英的後代，因為葉劍英是打垮四人幫武力政變的人，他對改革開放的新政權是有很大貢獻的，所以他的子女一直都很有勢。在這個會議中間，他們也分成兩派，一派例如胡耀邦的兒子胡德平，大家都知道，因為他父親的關係，他比較傾向於改革；另一些是黨內傾向於自由主義的，人們比較相信傾向於自由的，也認為應該黨政分開，同時也不要捲入企業，現在的國營企業主要在黨的手上。

國營企業是造成他們勢力龐大的重要原因。現在胡耀邦的兒子胡德平跟他的同道人，都主張黨與政分開，要走他父親的路線，要走趙紫陽時代的路線，但是這些人恐怕勢力還是很小，不一定能超越葉家同道。葉家的子孫是相反的，葉劍英認為黨要嚴格控制中國，不能從政治上撤退、更不能從企業上撤退。所以這裡形成兩派，不過雖然形成兩派，他們彼此還是互相支持，在大的方面還是互相支援。所以在這裡，我們就可以看出一個新的情況，中國現在是由一群貴族家庭統治，這些貴族家庭就是黨高階領導人的兒孫，現在是兒子輩、孫子輩在這裡面起最大的作用。

這些兒孫們形成了一個新的階級，這個階級只能說是代替黨來控制中國，但也不是普通的黨，而是黨內少數所謂貴族家庭，就是領導人的家庭，所以黨跟家是分不開的，它不是單純的家天下。如果毛澤東的兒子毛岸英沒有死，它可能跟北韓一樣變成家天下，由毛岸英接任最高領導人；可是毛岸英死了，毛澤東第二個兒子毛岸青是一個精神分裂的人，沒有辦法繼承。所以到晚年只能找他的侄子（毛遠新），找他的夫人江青來玩家天下的手段，但也沒有成功。

現在變成另外一種局面，這個局面也是世襲制，但不是一代代明目張膽地世襲，而是集體世襲制。所以從這裡可以看出中國的前途是怎樣一個情況。這些太子黨有共同的經歷，有的是經過大躍進，餓過肚子的，境遇很慘；有的是在文革時期受過毛澤東、受過所謂四人幫迫害的，他們都有一個共同利益和出發點，習近平在他們之中占有特殊地位。

我們知道最初選習近平和李克強的時候，胡錦濤是偏向李克強的。因為胡錦濤本身不能算是貴族，不算共產黨這個領導階層的貴族，但他是團派出身，希望在團裡面找一個人接手他的總書記，這個人就是李克強。可是這兩個人提出來以後，黨內領導階層占上風，就是過去領導人的太子黨，以及與領導人有關的元老是占上風的。所以最後胡錦濤也不得不讓步，在這種情況下，只能把位子讓給習近平。可見太子黨的勢力是非常強大的。所以最後怎麼演變，我們要看新階層興起，看看這個階層的動作到底是要走向何處？

談中央編譯局局長和女博士後的情色交易

二〇一三年一月二十五日錄音
二〇一三年二月十八日刊登

衣俊卿地位相當重要，因為他是中央編譯局的局長，副部長級的一個職位。雖然不是很高，但相當重要，他的重要性是因為他負責馬列主義的各種翻譯。最大的任務就是要提倡左派的這種清教徒式的道德，包括毛澤東的道德言論與其他共產黨要人的道德關懷。所以從這方面講，他是負責共產黨道德精神或精神文化的。

這樣一個人突然之間，有一名女子出來控告他，就是他的女朋友。這個人也不是一個普通人，是山西大學的一個教授，叫常艷。最近兩個多月來，她在網上寫了一篇十二萬字的紀實文字，用兩句詩意的話做標題：〈一朝忽覺京夢醒，半世浮沉雨打萍〉，講的是她和衣俊卿的實錄，放在網上，所有人的名字都是真的，而且還牽涉到中央一些政要的名字，並配上兩個主角的照片。這個女的才三十四歲，局長今年已經五十四歲，相差二十歲。兩人的關係是常艷忽然想從山西到北京來發展，所以就看上了中央編譯局，因為中央編譯局可以指導博士學位，衣俊卿就是博士生導師之一。所以她的意思是想來跟他，跟他的意思就是希望能調到中央編譯局工作。編譯局有三百個位子，是一個相當龐大的機構，如果被選上了，就是個很好的職位，有很高的待遇和地位，所以這名女子當然就準備或者給錢或者給色兩樣代價，取得衣俊卿的好感和支持。結果她做到了，大概也給了錢，兩人發生關係十七次之多——在常艷的日記跟十二萬字的報導中都寫出來了，他們稱之為臥談會。用這樣一個名稱，因為她不但拿不到衣俊卿的錢，反而要給衣俊卿好幾萬元。在這種情況下，她就希望衣俊卿能把她調到中央編譯局。結果衣俊卿不但讓她失望，拿了錢、得到人了，對她的願望卻完全沒有照顧，還有別的女朋友被她知道了，所以常艷非常憤怒，憤怒之下寫了十二萬字放到網上，全國傳遍。其中報導了衣俊卿是怎樣想往上爬，還自稱有才華，已經得到習近平賞識，尤其李長春、劉雲山兩人對他最欣賞，他總希望調到中央，來做中宣部的副部長之類，但是他覺得還沒有人在上面給他提拔，所以就想通過常艷，接觸山西大學令計劃的一個哥哥、山西政協的副主席令政策。令政策如果能幫他說話，也能使他調到中宣部做副部長。總而言之，這兩人各有打算，最後不成功。這名女子就把事情整個暴露了，而且要求拿回衣俊卿跟她拿去的多少錢來等等不堪入目的事情。

我們知道，中共最近多少年來，特別希望以大國崛起的身分，向全世界推銷它特有的文化、特有的精神遺產，所以在全世界（特別在美國）有大批的孔子學院，多達幾百家了。另外，共產黨最近特別在中央廣播電台開了一個新的節目，叫做《中華之光》，其中有許多宣揚中國文化的事情，而且最近剛選完了一個年度的代表人物。這些代表人物在中共眼裡，當然都是代表中國精神文明最高成就的人。總而言之，這些努力都是要給外界一個很明顯的意向，就是中共現在不只靠物質、不只靠市場能夠籠罩全世界，它的文化現在馬上也要出爐了，至少可以靠文化在世界上占有一席之地，最後甚至取世界文化而代之，這是它野心勃勃一再說的話。可是現在中央編譯局的局長，負責共產黨內部黨員道德水準的機構，出現如此不堪入目的事情。在大陸網上炒了幾個月之後，共產黨最近把他解職，解職理由只有一句話「他的生活作風有問題」，《新華社》報導時還特別提到他貪一時之欲，要後悔終身的。這件事特別顯示出共產黨道德破產的一種新表現，這是表現在文化界，不是表現在一般貪官汙吏，而且做這種事的人雖然不是最高的大官，也已經是中央編譯局局長，還有可能轉為中宣部副部長之類。所以這種情況可以看出，共產黨貪腐實在是到了深入骨髓的地步，習近平他們現在也不能不採取某種行動來解決某些問題。可是這和貪腐來講到底還是小巫，大巫到處都是，到底能不能碰，是很大的問題。共產黨早就宣傳，包括做大官的人在內，黨內人人都要宣布私有財產數額。這件事建議以後始終不能實行、不敢實行。黨內一再提到這個問題，但當局的人也很清醒，認為這個問題如果真正實行起來，就會引起更大的問題，畢竟他們的財產多到一種讓老百姓簡直不敢相信的程度。所以這種原因就使得共產黨永遠不會有透明度，沒有透明度就是現在中國最大的問題。一方面上面想要反貪腐，一方面又只能打一些中下層的小官，而且是剛好比較倒楣的人，真正的大貪汙又不敢動他。在這種情況下，共產黨的透明度是不可能真正實行的。

從中國人大政協代表的財富看中國政權性質

二〇一五年三月十八日刊登

中共政權號稱還是無產階級的代表，而事實上，我們過去也已經指出，它在任何地方，從中國本身、中央一直到各地方，甚至於到香港，都有一個很明顯的特色，那就是大資產階級、最有錢的人專政，這個大家都知道。

現在正在開會的所謂兩會，有人民代表大會和政治協商會議，它們沒有實際作用，只是給中共政權撐一個面子，好像是有立法的基礎，事實上一切都是一黨決定的，這個大家都知道，不必說。可是既然有了這兩個組織，那麼人代跟政協多少會起一點作用。所以構成兩會的是什麼樣的人？這樣我們就可以看出中共政權真正的性質是什麼。不用說，基本上兩會加起來大概有五千二百人，數目非常大，可是絕大多數大概都是共產黨的領導幹部。很明顯的現象就是人大和政協中間有二百零三位最有錢的人，或者是人代，或者是政協，就是參加了他們共產黨表面的立法機構。共產黨現在用的人，除了它自己信任的地方和中央各種幹部、知識界領袖，此外就是最有錢的人。

實際上這二百零三個人代或政協並不完整，因為中國的地產是最大的一個財富來源，而這個財富是不公開的，所以我們並不知道，這些人代和政協當中，到底有多少大富人，甚至有多少位不在這二百零三人之下？所以換句話說，如果在人代和政協委員中間，找出房地產擁有者的真實數目，我想這個數目遠遠超過二百零三人，這是應該指出來的。這二百零三個所謂最富的人有多少錢呢？根據報告說，平均數目是二十三億美元，這個數目可以說大得驚人。美國國會中間也有二十幾人是最有錢的，可是他們每個人的錢，平均數目加起來也不過是一億二千四百萬，跟二十三億比起來相差二十倍左右。可見中國的富人在兩會代表的數字是很驚人的。

中國有錢的大資產階級專政，並不是普通大資產階級。我們普通想到的西方市場大資產階級，都是以平民個人身分，沒有政治身分，沒有特殊的政治特權。可是這二百零三位代表中間，有許多（可以說百分之九十九）都是有政治特權的人，都是黨絕對信任的人。這些人的作用非常大。換句話說，立法機構要通過法律，他們每年要通過幾百種法律，雖然不一定施行，但通過這些法律還是沒有問題。通過的法律中間有些會傷害大企業，這些大企業就會在裡面想辦法阻止這種事情發生。如果政權本身跟他的企業、公司、機構起了衝突，他也有辦法，因為既然有人大代表和政協委員的身分，就可以想辦法溝通，使他們不受影響。換句話說，中國的大資產階級專政，不是單純大資產階級，而是趙紫陽所謂的權貴資本家。這個權貴資本家事實上還是太空泛，更具體講的話，就是黨支持的，或者直接從黨內產生的資本家。所以換句話說，共產黨自從改革開放以來，已經從所謂無產階級代表的共產黨人，變成了中國所有資源都由他們掌握在手上的大資本家，黨的大資本家專政可說是共產黨政權的一種性質。

在這種性質之下，我們可以討論一下所謂反貪汙的問題。現在反貪汙是習近平很好的武器，這個武器給他建立起很大的聲譽，好像他要把貪汙的現狀從中國抹掉，但是他能不能抹得掉？能不能做到徹底解決貪汙問題？事實上恰恰相反。我所得到的報告，這兩年來，至少是二〇一四年，官員中間貪汙受到懲罰的，大概是七萬二千人。這七萬二千人有些是極有錢的，但也有些是普通貪官，這些貪官現在也已經受到嚴懲。這些人到底是什麼人？有一個很明顯的趨向，國內跟海外的人都研究過，國內的人像是作家慕容雪村，他的文章翻譯成英文，刊登在《紐約時報》上，他就指出跟習近平有關的人，極少受到反貪的影響。被雙規的習近平支持者幾乎不存在，有也是很輕微地解決。什麼人支持習近平呢？他指出，首先就是紅二代。

換句話說，共產黨政權從它的中央掌權情況來看，已經變成一種世襲制度，這種世襲制度就是集體的世襲制度，不是像北韓那樣從一個皇帝傳到第二個，但它是集體的，就是主要的權力都要通過黨來掌握，而這個黨必須留在第一代的後代手上。這個最早是陳雲向鄧小平提出的：唯一能相信的就是黨員。所以我們從這兩方面看來，可以看到中共的政權是怎麼一回事，不用多說了。

中國政權進入一個全新的階段

二〇一五年九月三日刊登

二〇一二年習近平上台以後，已經把共產黨的極權制度推到了一個新階段，這個新階段一直都是我們看得到的：抓了許多人，不准任何人說話，言論自由也沒有，思想自由也沒有，新聞自由也沒有，而且還強迫各種大學有名的學者表態，表示支持中共和黨的一切決定。

換句話說，習近平上台以後有一個重大的目標，用共產黨的話說，就是要把輿論統一，只有一種聲音，這種聲音就是代表黨的聲音。任何跟黨的聲音相反或者不合拍的，都要加以鎮壓，甚至於抓人。當然這一直在進行中，我們還看不出來。但最近，特別是七月初，共產黨通過了它的《國家安全法》，這個《國家安全法》給警察很大的權力，隨時可以抓人。換句話說，習近平對於社會的穩定是完全沒有信心的，他認為唯一的辦法是用強制的力量把它封閉起來，讓人不能說一句與官方、與黨不相容的話，這就是我說的他有一個傾向。這個傾向表現最清楚的是在上個月月尾，大陸突然大規模逮捕維權律師，甚至於婦女抗議性騷擾也被認為是尋釁滋事，有五個當時的領袖在廣州、常州、北京都被抓起來了，最後雖然不得不放，但也是警告。

換句話說，中共對於自己的統治實在是一點信心都沒有。我們現在不是拿美國的標準、西方的標準，我們是拿中國原有的標準。中國最早，你要讀《史記》、《左傳》，你就知道先秦時代就有一個說法，老百姓的抱怨我們應該知道。所以就要有「采風」，官方要派人到各地去聽老百姓不滿政府的話，然後收集起來，根據種種不滿，加以改進、改良。所以言論自由某種意義上在中國也是存在的，雖然跟西方的方式不一樣。可見對政府不滿、有不同意見，政府是希望你說出來的。

所以，中共這個做法不但是違背了二十世紀全球化的新價值系統，也根本違背了中國原有的文化和基本精神，這是很可悲的事情。但這個發展是非常不幸的，這個新發展是習近平有意造成的。之所以造成，就是要通過一個新的方式，提供一個法律根據。它唱的口號是「依法治國」，但它這個法不是老百姓接受的法，是一個黨片面施加給中國老百姓的法，其實還不依據自己的法來執行，對它不利的時候，照樣違反它自己的法。所以法治在中國是離題萬里，這是非常可怕的現象。從這裡可以看出，這是現代文化的一個新趨勢，也是中國歷史文化的一種結晶，但習近平採取的方式，就是通過他的《國安法》，再加上後來還要發表的公安法，讓警察可以隨時抓人，任何人只要稍微不滿意就可以抓起來。

我們知道，中國律師行業人並不是很多，只有二十七萬人左右，維權律師在這中間占很小人數，這些人都或者在外國受過教育，或者受到傳統法律尊嚴的影響，要說出正義來，不能說假話，因此就是願意為人民說話。共產黨現在糟蹋維權律師，說他們只是為了賺錢，實際上大家都知道，維權律師幫忙的都是非常可憐的人，哪裡出得起錢，甚至還要貼錢。但人是很奇怪的，並不是說有利益所在就都去，任何道義都可以不顧。人最後還是總該有點道義，這就是最基本的人性。這個基本的人性是一時改不了的，就是在專制的社會，雖然習近平把中共的專制極權推到一個全新階段，可是這個新階段中也會有新力量出現，這個新力量來自社會各方面的力量，防不勝防，沒有辦法把它完全封閉起來。

所以，我們雖然認為在習近平統治之下，中國的政治是愈來愈糟，可是也不必因此就悲觀，認為中國完全沒有希望了。受訪的中國律師中間就有人認為，中國遲早應該走上一個合理的法治社會，他們之中甚至有高級人員或做過人民代表的人。我想，這點值得提出來讓大家注意。

評北京大閱兵

二〇一五年九月九日刊登

二〇一五年九月三日，在天安門舉行了閱兵示威，慶祝所謂二戰終結七十周年，基本上是一種反日的活動。我覺得這件事情本身是很奇怪的，因為既不是日本投降的日子，也不是任何正式承認的一天。為什麼這個時候忽然慶祝勝利七十周年？而這個勝利跟共產黨毫無關係。

嚴格地講，抗戰是從一九三一年瀋陽被占領，到一九三七年盧溝橋事變，一直到八年抗戰，前後有十幾年，從一九三一到一九四五年，差不多十四年中間，跟日本人對抗的是國民黨。國民黨當時當然力量不足，可是它在不斷地對抗，上海就打了三個月，把主要的精華部隊都打光了，還有後來的台兒莊等種種勝利，拖住至少一百萬日本軍在中國，不能到別的地方去打仗。所以就憑這一點，國民黨抗戰的功勞是無法否認的。

我們知道，抗戰開始的時候，差不多一九三七年，共產黨就剩了一、二萬人，林彪所說的「紅旗能打多久」都不知道，那時候還在延安。國民黨是要靠抗日才能起來的，所以才全力以赴地提倡抗日。同時蘇聯怕日軍攻擊它，也希望日軍侵略中國，在中國被擋住，所以它也鼓勵中國抗戰。在這個情況下，西安事變後，毛澤東要殺害蔣介石，但被蘇聯史達林要求非放不可，這樣子國民黨才能抗日，國民黨能抗日才能減輕蘇聯的負擔。所以這種種複雜的因素都說明：我們要慶祝打倒日本，我們都知道日本的投降是因為美國的原子彈，但中國在這十幾年中拖住日本，使日本不能全力以赴地在太平洋作戰，也還是有很大的貢獻。無論如何，這件事情嚴格說來跟共產黨沒有關係，所以今天這個慶祝勝利七十周年是很荒謬的。

無論如何，這是共產黨的一個表演，這個表演有它的意義。就是習近平現在號稱要「富國強兵」，中國現在已經富起來了，除了美國之外，它就是最重要的經濟力量了。富國已經做到，現在它要看到強兵，強兵就是對日本的示威。所以這次在天安門，一萬多解放軍雪亮的刺刀、耀眼的軍靴，都可以讓老百姓看到，可以鎮壓老百姓，也可以嚇唬老百姓，使老百姓不敢動任何意念，只有跟隨共產黨走，同時也藉此機會發展它的民族主義。共產黨現在發展民族主義已經到了相當可怕的程度，但這股力量是危險的。

其次我要講另外一個危險力量，這股危險力量最近受到國外很大的注意，《紐約時報》甚至都有專門的社論批評。這個批評是什麼？就是共產黨現在突然之間利用特務的力量，用各種隨便及造謠的罪名，抓捕所有說話跟共產黨調子不合的人。

這裡面有好幾個問題。第一個問題就是關於股票，股票最近下跌，當然許多中國投資者很擔心這件事情，難免在網路上有所批評、指責，甚至有所推測。這些推測和指責當然對共產黨都不利，他們認為這個就是造謠，這個會危害到整個共產黨的政權，而且損害整個社會的利益，跟維穩相反，所以它要制止，就以造謠為名，要把所有說話跟自己不合的人都抓起來，就連共產黨所說的「依法治國」也完全做不到，不用說我們一般所說的「法治」這兩個字了。所以第三個問題就是現在所謂的造謠，光造謠就抓了一百九十七個人，數目可以說是愈來愈多。這個力量就是共產黨用它的暴力（表面上是公安局，實際上是特務），沒問任何理由就可以把你抓起來，現在抓人很奇怪的。從前抓人還會說在多少小時之內讓律師知道，可以保出來或者正式逮捕，但現在不需要，好像可以抓一個人，以造謠的名義關他六個月，毫無問題。

在這樣的情況下，可以說是人人自危，所以這是另外一個非常可怕的力量。這個可怕的力量是想造成什麼呢？想造成公開輿論消失，任何輿論都必須和共產黨所做的一樣，比西方歐威爾（George Orwell）的小說《一九八四》還要厲害，一切聽黨的，沒有任何意見，這是習近平有意如此做的，大家過去以為習近平可能有一些政治改革，現在完全失望了。事實上習近平想做的是毛澤東，新時代的毛澤東，跟過去的毛澤東又不一樣。他利用兩種力量：一種是民族主義力量抬高自己，說明自己的偉大，說他可以富國強兵，把中國帶到兩大強國之一的位置上，這樣他就可以永遠執政了；另一種就是用暴力特務力量，把所有跟自己意見不合的人全都送到監牢裡面去，或者禁止他們說話。這就是共產黨，也就是習近平跟他的部下一個共同的好夢，這就是他所謂的「中國夢」。

這個中國夢表面上說是富國強兵了，事實上是老百姓變成了完全沒有大腦，受共產黨支配的動物。但是習近平不顧這一切，他為了他個人的地位，為了黨的一黨專政不動搖，會這樣堅持下去。中國的前途我想是不可樂觀的。

中國二〇一七年展望

二〇一七年一月十六日刊登

元旦剛過不久，我講講中國二〇一七年有甚麼樣的發展或動態。這一年對中美關係來講是非常關鍵的一年，因為美國的川普（Donald Trump）馬上要就任總統了。他好像對於如何處理中共採取比較直接和強硬的態度，到底他和習近平能不能發展出互相了解或新的交通方式，這就不知道了。所以這是一個值得注意的關鍵。

第二個就是對於中共來講，二〇一七年也是非常重要。因為二〇一七年是十九大召開的一年，換句話說，習近平已經做了五年的總書記，所有的重要軍事、政治、財政、外交等等，習近平都設立了委員會，主任都是他，換句話說，重大的政策都抓在他自己手上。我們從香港一個雜誌上看到，習近平對於十九大已經有一種設計，這個設計還是不夠詳細，所以我們還不能談這個設計本身，但是我相信，習近平想成為中共的第三個強人，甚至是毛澤東第二，是非常明顯的一個趨向。如果是這樣的話，那他在十九大可能就會提出二十大的領導人是誰了，可能要繼續做下去。我們不敢斷定，但趨向是非常明顯的。

所以在這個情況之下，十九大是特別值得注意的。因為也許從十九大開始，中共要走上另外一個制度。毛澤東時代是一個人的，鄧小平時代也是他一個人當家作主，到了江澤民已經沒有那麼大權威了。從這裡可以看出來，習近平的一切作為都是要走向一人作主、一人專制，反腐就是他專制的一個重要關鍵，他知道只要用反腐這個名稱，老百姓才會覺得他是為人民服務。反腐是不可能的事，這個腐敗是共產黨專政制度本身帶來的，沒辦法消滅，反腐這個字現在實際上在中國已經沒有意義了。

老百姓最初是相信的，久而久之也慢慢不把反腐真正當成一回事了。所以我們看到這些發展，就不能不說二〇一七年會有很重要的發展變化。同時我們還看到，共產黨對於不同言論的容忍度愈來愈小，現在已經完全沒有了。所以我們從這些地方看出，中國學術思想和言論自由被剝奪得一乾二淨。不過到底老百姓能不能永遠承受下去，那就要看將來怎麼發展了。

薄一波逝世有感

二〇〇七年一月三十日

薄一波曾經當過副總理，也當過財政部長。最近去世了，享年九十九歲。他在中國的政治和財政方面，扮演過很重要的角色。他在文革以前是財政方面一位很有勢力的人物，和年齡比他大一些的陳雲互相配合，也是周恩來當時的一位很重要的助手。他的死亡象徵著一個時代的結束。不過他早期代表一種意義：他在毛澤東時代，還是一個有現代頭腦的人，這對財政很重要，他也推動過中共和西方進行貿易。他就因為這個提議，被毛澤東痛斥為右派分子，文革的時候就被打下去了。

陳雲已經逝世了，文革時也受到了很嚴重的迫害。儘管陳雲的經濟是社會主義的鳥籠經濟，但比起毛澤東還是要開放一些。因為他們在經濟方面比較開放，所以跟周恩來合作得比較好。可是周恩來已經被毛澤東看成是一個不可靠的人，甚至說他「離右派只有一步了」。

這就是薄一波在文革時的處境。文革以後，鄧小平又重用他，不但讓他負責財政，還恢復了他國務院副總理的地位，是相當炙手可熱的人物。

六四前後，中共有八位對政治發生很大影響的老人，除了陳雲之外，最重要的就是薄一波了。當時稱為「中共八老」，可以說，這八老是讓中共政權得以轉危為安的關鍵。特別是六四以後，支持鄧小平的人並不多，但有少數人出面支持，認為鎮壓學生是正當的，其中之一就是薄一波。所以薄一波是八老還健在的最後一人，這最後一個有影響的人死去了，也宣告「元老政治」得以終結。共產黨的八老可說是「八老安共」，使共產黨安定下來了。在黨的歷史上可說是功臣，但從中國人的立場上，卻可說是很重大的罪人，就是把中國改革開放、民主化的種種機會都給一筆勾銷了、抹煞了。共產黨到今天變成了一種動彈不得的、僵死的、維持現狀的政權，無法改革體制的原因正在於此。

「黨治」的市場，由黨來控制的市場，與它的政治體制是完全合一的，但這個合一是靠過去共產黨一黨專制的傳統支持的。由於經濟上把人分化了，一黨專制的力量就愈來愈弱，分化了以後，黨內擁有特權的階級也要和比較僵化的中央（例如胡錦濤所代表的勢力）互相矛盾衝突。所以老人政治的過去，表示在生理上跟第一代革命者有關的人慢慢沒有了，剩下來的就是新時代成長的人，或者受外國的影響，或者受新經濟的影響，想法慢慢就會與父親、祖父的世代不同了。

現在是第四代接班人，第五代以後，就會是薄熙來這些人了。薄熙來能不能登上更高的地位，現在大家都在猜測，但他的父親全力以赴地支持他，為他安排出路。但薄熙來的思想和想法，也跟老一代不一樣了。所以這種情況下，共產黨的壽命有一個生理的限制，就是跟革命有關的人士愈來愈少，到最後與革命完全無關了以後，局面就會起變化。

以蘇聯為例，我們可以看出來，到了第五代的戈巴契夫，就不能維持原來共產黨的基本教義了，慢慢就要改變了。改變以後會起變化的。怎麼起變化？我們不知道，共產黨能不能改革？我們也不知道。這就是我們對於薄一波的死，不得不引起的感想。我就把這些事實提出來供大家參考。

（本篇網路無錄音檔）

中共失信於老百姓六十年　何以慶祝？以何輝煌？

二〇〇九年九月二日錄音
二〇〇九年九月十六日刊登

現在是二〇〇九年九月了，很快就要到中共所謂建國六十周年，就是它政權成立已經六十年了。這六十年，現在是準備大大地慶祝一番，要檢閱軍隊，有各種各樣的準備工作都在進行中。天安門廣場也已經重新整理得煥然一新，要在慶祝的那一天，表現全民的歡騰狀態。這個事情之大，恐怕要超過奧運了。

為了要保證慶祝歡樂、和諧，所以一切不入耳的、不中聽的人都不准進去。最近有一個消息，就是兩個美國的記者拍攝了四川地震災民的片子，尤其是小孩被地震壓死那麼多。這個片子的名字叫作《劫後天府淚縱橫》（英文片名「非正常的天災」，*China's Unnatural*

Disaster）。

這個片子拍攝的時候，就在四川受到阻撓。最近拍攝成功了以後，要送到北京去，在國慶期間展覽。這兩個人申請到中國被否決，也沒說明為什麼，就不准他們兩個去了。在美國的中國駐紐約領事不給理由，說我們有權利不給理由。這就表示造成舉國一致歡騰的狀態，沒有任何不入耳之言。所以在這個情況之下，慶祝六十年是使人覺得很可笑的。

但是我想到十年以前，就是中共慶祝五十年那時候，也是非常熱鬧，那是江澤民時代。當時還沒有逝世的李慎之先生、也是我認識的一位朋友，就寫了一篇很有名的文章，叫〈風雨蒼黃五十年〉。因為這五十年，共產黨不但沒有守信、實行民主自由，而且步步倒退，走向一種毫不放鬆的一黨專政狀態。所以他寫了這篇文章抗議，國內當然不能發表，可是在網上廣泛流行，在海外也是廣泛流行，所以這篇文章已經成為歷史上一篇有名的文獻。

在六十年的前夕，我不知道將來還有沒有什麼大文章，不過我看到最近有一篇很重要的文字報導，這篇報導題目是〈執政黨要建立基本的政治倫理〉。這個題目大概是編者加上去的，副標題是「十月一日六十周年前夕，一位老同志的談話」。發表這個談話是有人編輯、整理而成，經過說話的人審查，然後才發表的。

這篇長文登在《新世紀》的網上，由李大同先生提供。李大同我們都知道，過去是很有名的新聞記者，跟黨鬧翻了以後自己工作。這篇談話的「老同志」是誰呢？相信是萬里。因為萬里現在幾乎是當時元老中唯一剩下的人。萬里在「六四」時期也是非常支持趙紫陽的人。後來因為被黨方禁止，沒有辦法發言。那時候他是人大的委員長，正在美國訪問，把他逼回去，叫他在上海待著，不准到北京，也不准他表態。直到把趙紫陽搞下來以後，他才回到北京，也不准發言。所以幾十年來，他悶著一股氣在那裡，可是他心裡始終不服氣。

這篇長文講的就是這六十年的發展。他認為把這六十年稱為「輝煌」的六十年是完全錯誤的、根本沒有根據。他說，像大躍進，餓死那麼多人，總不能說是輝煌吧？再加上文革的十年，也不能算是輝煌吧？所以他說，「輝煌」兩個字是不能用的，他就提出警告，「輝煌」是要重新考慮的。

他所關心的有一點：我們共產黨從前推翻國民黨二十二年的統治，就是因為國民黨壓迫老百姓，不准有自由，不准有民主，不准有議會制度，不准有批評言論，這是我們當時號召全國人民推翻國民黨的基本價值，得到老百姓和知識界的人共同支援，共產黨才能奪得政權。但奪了政權以後，我們這六十年所作所為，不但遠比國民黨不好，而且還差得多、還厲害得多。在這個情況之下，我們有什麼理由來慶祝這六十年？所以在他這篇講話中，就是認為共產黨失信於老百姓已經六十年了，這六十年應該怎麼改正，才能讓共產黨有合法的執政權力？

他的關心還是黨，他並不是要把黨毀滅，所以不是黨的敵人，而可以說是黨的忠臣孝子，他「孝」的方法就是黨要開放、要有容忍異己的力量。要是沒有容忍異己的力量，就沒有人能監督黨；如果沒有人能監督黨，就無所不為了。這是今天的一個局面。共產黨成功和失敗，都跟這次改革有很大的關係。今天全國變成一個腐敗的集團，也是這個原因。所以將來的前途如果沒有民主開放，是不可想像的。

也談中國六十周年國慶大典

二〇〇九年十月七日錄音
二〇〇九年十月十五日刊登

首先，我們看到胡錦濤上台以後，這幾年來強調的就是和諧，中國要和諧。所以他就希望在六十年所謂建國紀念中、慶祝會上表現出這種和諧來。可惜的是，實際狀況跟他的願望正相反。他沒有完成真正的和諧，只有一個表面的平靜無事，是用各種方式壓下去的。

首先我們要注意的，就是早在差不多一年以前，他們就開始注意有哪些人在中國可能造成亂子，反對或影響他們六十年慶祝會。《零八憲章》起草以後，劉曉波被抓。這就是開始防備一年以後、十個月以後，不要有亂子出現。中間還有許多手段，防備底下人造出不和諧的聲音來。例如許多上訪的老百姓，一律都被抓起來，送回原籍，比從前嚴格得多。

第二個我們可以看到的，是抓各種各樣的非政府組織，特別是有抗議性的，比如說律師組成的公盟。許志永就是公盟被抓進去的一個人。七月還有一個大事情，那就是新疆維吾爾族的抗議，就怕在國慶這一天出什麼亂子。七月五號以後，可以說是草木皆兵。

比如說我們偶爾看到《紐約時報》的報導，九月二十一、二十二日，有個講師叫丁小平，也是當初六四運動的一個參加者，很有組織能力，也很有吸引力。原先很喜歡唱，許多學生都是他的「粉絲」。這個時候好像又被共產黨看中，怕他出來鬧事情，就把他抓起來了。抓起來以後，海淀區當時學校的學生就反對、抗議、跟公安局找麻煩。一連搞了兩天，後來下文我並不清楚了。不過可以看出來，共產黨很緊張。

一名天安門母親前兩天給我打電話，她說從九月中以後她就被看起來了。門口總是一堆人，她出門走到哪兒，人家跟到哪兒，人家車子跟到哪兒。她說，我是個七十多歲老太太、我根本什麼事也不能做的，他們居然還怕我，她覺得這個很奇怪。這種四面八方的防範，要說這還是一個和諧的社會，那恐怕是很難叫人信服的。

另一方面，我們又看到這次的集會，跟從前比較一下，發現很不同。從一九四九年十月一日開始，也是共產黨走近群眾。但都是群眾在天安門底下，老百姓可以說是跟共產黨領袖直接打交道的，文革以後更是如此。一直到鄧小平執政期間，有些大的遊行，老百姓跟領袖距離都很近。這次你看他們的領袖，接近的都是男賓、女賓這些人，或者跳舞的、操練的小孩子，防範得很嚴，不會有危險性，跟老百姓隔得很遠。這就表示共產黨是很害怕的，他們對鴿子都防範，因為要放六萬隻鴿子，就怕鴿子腳上有人綁炸彈，這是很荒唐的想法。所以鴿子也要看得很緊，然後什麼時候把它放出來，保證安全無事。這些心理的恐怖緊張，那是一般人不能想像的。

所以如果這樣的聚會，還說是黨跟老百姓打成一片，那誰也不能相信的。而且香港的朋友告訴我，他們看了國宴，當天晚上人人都是疲倦不堪，而且臉上都沒有表情，或者相當痛苦。原因不是別的，就是搞得太累、無聊。這種慶祝會整整齊齊的表演，只有北韓有過，我覺得古巴跟越南，都沒有這種表演了。共產黨現在最一致的，就是政治水準跟北韓可以說是不相上下的。所以這也是一個很叫人啼笑不得的一種情況。

現在我們要講一講它到底慶祝些什麼。剛好《紐約時報》有兩篇評論。一個是從大陸來的、我的一個朋友康正果關於十月一日慶祝的事情；另外是我一個老朋友、哈佛大學的退休教授傅高義（Ezra F. Vogel），他被邀請寫一篇，講同樣的問題。

他們兩人的意見，可以說某一方面是有矛盾的。比如說康正果認為，毛澤東還是他們的黨父，它不靠毛，它的合法性就沒有了，這是事實。另一方面，傅高義就認為慶祝的是鄧小平改革開放以後的三十年，而不是前面的毛澤東，所以這個說法其實也有道理的。

慶祝當然只能慶祝改革開放，所以你看天安門的表演有兩個特色，一個特色就是耀武揚威，飛彈種種；另一個就是打扮得花枝招展，表現它的財富。這兩個都可說是極為庸俗的東西。胡錦濤出來遊行，穿著毛裝，講的居然還是「只有社會主義，才能救中國」，這是非常可笑的。這句話他自己都不會相信的。因為現在救中國的，事實上是一種資本主義，而且還不是正常的資本主義，是一種權貴資本主義。所以這種情況下，還說社會主義救中國，那可說是一個很大的笑話。

中國共產黨所面臨的問題是很嚴重的，所以我想十月一日這場慶祝會，應該可以讓人好好想一想，這個政權到底是一個什麼樣的政權。

對十八大不能抱以任何希望

二〇一二年六月十九日錄音
二〇一二年七月四日刊登

我們知道政治改革在中國是不能談的，網路上、報紙上都不准提的，就連溫家寶要談政治改革都受到限制，甚至於不加以報導，還加以刪改。所以政治改革不准說，是大家知道的。現在有一個新的發現，就是經濟改革也不能再提了。

為什麼經濟改革不能再提呢？這就是《紐約時報》在六月十七日有一個長篇報導，報導的人是很有地位的記者，叫張彥（Ian Johnson），他寫得非常好。他訪問了一些中國的經濟學家，特別是有名的張維迎教授，是北京大學的；他也訪問了政法大學教授，叫做李曙光，也是給張維迎說話的人。

張維迎是個主角，因為他有許多推動改革的意思，年紀還不是很大，大概才五十出頭上下，但他一直信仰美國諾貝爾經濟獎得主傅利曼（Milton Friedman）自由市場的理論，一直是推動這個東西的，鄧小平時代他也推動，甚至在趙紫陽時代他也已經開始推動，所以那時雖然年紀很輕，才二十四、二十五歲，就很受到大家重視。

他推動市場經濟的原因，就是希望在目前這個情況之下，必須把中國的經濟打開。因為現在這個經濟市場，在他看來，完全是國家壟斷的。這個我們從前也說過，中國大企業，大概一百三十多家左右，壟斷了中國所有的利益、利潤。所有這些所謂國營企業，又都在共產黨員直接控制之下。共產黨有地位的子女都占住了這些大企業的董事長、主席，或者是總經理之類，這樣的人很多，而且不只是中央最高層，一層一層到省一級、市一級、縣一級，到鎮一級，到村一級，都是如此，都是共產黨員把中國國家企業、大大小小的抓在手上，就等於中國傳統說的「一人成仙，雞犬升天」。這就是一種很可怕的情況了，國家的利益跟這些黨員的私人利益完全結合在一起了，而且目前這個經濟情況顯然緩下來了，很讓人擔心的。

所以在這個情況之下，張維迎跟其他有關的朋友們，就極力主張要推動經濟改革，就是要把經濟大權還給老百姓。他甚至說，現有美國二萬多億美元的股債在手，他主張把其中一半、一萬億，還給老百姓，讓老百姓持有這個債權，這樣子可能解決中國的危機。

這個意見當然不會被接受，不過無論如何可以看出來，他雖然沒有反對過體制，甚至在體制內說話，可是他基本上是希望走向一個真正自由的，而不是現在所謂的權貴資本主義，是一個開放的、人人都可以參加的一個自由市場，這是他的目標。為這個目標，他是到處說話，但是他的說話，現在已經被禁止了，不准登出來了。

所以我們現在知道，從前經濟改革是開放的，現在經濟改革變成禁忌了。所以政治改革、經濟改革都不能動，因為這都影響到共產黨員的基本利益，而且是個人的、家族的基本利益，這個基本利益不能損害。

在這個條件之下，我相信這是最近的現象。這個現象就表示在十八大的時候，我們不相信有可能鬆動什麼。有人抱以希望，以為政治上也可以鬆動一些，甚至「六四」還有可能平反。現在看來，連經濟改革都不能動的話，那怎麼可能還讓政治改革發生任何作用呢？

所以在這種情況下我們知道，現在除了等待社會自己變動以外，沒有什麼其他的方法。對共產黨本身，以及它未來的十八大，決不能抱以任何希望。

中共十八大面臨種種困難

二〇一二年九月二十七日錄音
二〇一三年一月二十三日刊登

今天我要講的是中共十八大所面臨的困難。我最近看到一些香港出版的刊物，包括《開放》雜誌，包括《動向》、《爭鳴》等等，都有大陸內幕消息出來的報導，比較可靠，這裡面可以看出中共十八大面臨很大的問題。習近平已經出線了。

習近平就算出任下一屆的總書記，國家主席或者軍委會主席也給他，就是三個黨政軍都做到了，他有多大權力能改變中國的現況，這裡面有許多困難，困難可以分成兩種：一種是有形的，一種是無形的。

有形的我先講幾個，第一點我要講的是，從薄熙來案子已經有兩個人審判了，第一個他的夫人谷開來，承認殺人，判刑死緩；第二個是他最得力的助手王立軍，現在已經判了十五年徒刑。這些審判在我們看來都是兒戲一樣，都是政治上已經安排好的。兩個人都接受判刑結果，而且聲明絕不上訴，毫無法律上的根據。

換句話說，中國共產黨還是把法律當作一種隨時應用的手段，沒有任何尊重，所以離法律、法治還非常的遠。現在下一個困難是怎麼對付薄熙來？有個香港雜誌得到的最新的可靠內部消息，是說中央決定把他撤銷黨內外所有職務，但還是保留他的黨籍，免於刑法的處分。因為在王立軍審判的時候，實際上已經提到薄熙來，薄熙來打他的耳光，薄熙來不准他繼續調查他太太。這樣完全不判罪，我覺得不大可能。

無論如何這是一個困難，這個困難反映了為了十八大奪權而發生的鬥爭，這不是唯一的案子。但我相信也有其他的人在競爭這個權力。所以薄案使我們看到共產黨十八大所面臨的困難之一。

第二個困難當然是釣魚台事件，現在弄得非常緊張了，好像非打不可。南海的緊張狀態把美國也捲進去了，因為美國跟日本有防守條約。如果打日本，美國可能參加。所以共產黨就利用民族主義的情緒，發動了一百個城市的人遊行示威種種。但日本的大公司現在已經開始考慮要關門了，或者要搬走了。所以受這個影響，日本當然損失很大。中共恐怕也承擔不起，有極嚴重的後果，經濟代價太大。但是不打的話，不拿下來，民族主義情緒又不能平復，對老百姓沒有辦法交代，所以這也是一個很大的困難；另外一個有形困難就是共產黨對早一點的像廣東的烏坎村，控制不了就妥協。四川的什邡更是如此，稍微遲一點的是江蘇啟東抗議，也是鬧得很大，結果也只有讓步。

最新的消息是山西太原富士康工人罷工，要增加薪水種種，鬧出了大事來，現在情況還不是完全明瞭。不過這次一個幾萬人參加的大抗議。而且造成命案，到底怎麼結束也是很成問題的。所以這裡可以看出來，人民的集體抗議，現在的控制力量愈來愈下降。

再一個有形的就是經濟方面，經濟方面中共的情況也不是很好。據現在我所得到的報告，生產總值第一季、第二季，已經到第三季了，情況非常差，第二季只有百分之七點六，遠遠低於期待，比第一季的百分之八點一還要低。第三季情況還沒有完全清楚，不過也是情況非常不佳。所以共產黨想用種種辦法挽救，其中一項就是大量發行人民幣，結果造成通貨膨脹。所以現在老百姓感覺生活愈來愈困難。而且許多出口的貨賣不掉，都堆在倉裡、堆在店裡，這是另外一個困難，這些都是有形的。

現在再講無形的困難，最大的困難恐怕還是習近平接班的問題，這必須從他失蹤講起，他的失蹤是怎麼來的？為什麼？外面也有各種猜測，到現在為止還是沒有任何可靠的證據，讓我們下確切的結論。

不過我看到的文獻，看到比較可靠的內部消息，大體上有這樣一個說法，我可以介紹出來：胡、溫還有其他的中央政治局常委，以及政治局擴大會議，都跟習近平有點過不去，好像習近平有意要提倡某種改革、某種改變，引起反抗。而且據說是胡錦濤、溫家寶都對他有意見。到底是不是真的，我不敢亂說。

不過傳說是這樣的，八月三十日和八月三十一日這兩天，中央政治局常委會和政治局擴大委員會上，許多人都開始攻擊習近平有改變的想法。常委會裡面賀國強好像是開炮的，還說一切要以胡錦濤為首的集體意志為主，不能隨便偏離，如果偏離怕引起災難。而政治局會議就是第二天八月三十一號，劉淇、俞正聲、張高麗等人先後發炮，他們的說法就是任何修改、變化，改動黨的方針政策、決議，都會造成很大的震盪。所以這也是針對習近平的，據說習近平在會議上已經公開說明，對這些指責、批評他暫時保留，以後再說。同時還擬好一封信要請假，就是九月三日開始要請假兩個星期，同時他表示不想進中共的十八大領導班子，說他身體不好不參加，推薦王岐山、李源潮、李克強這些人擔任。這反而會引起很大的震盪，如果臨時換陣，沒有人當領袖了，變成群龍無首了，那是很大的問題，對外無法交代的。所以中間好像經過元老，像宋平、喬石、萬里勸習近平接受，習近平好像表示勉強承擔，但還沒有明確表示，現在還在質疑的階段。所以這是一個很大的內部困難。但實際情形是不是我剛才所說的那樣，我現在只是把我得到的傳聞，經過我的檢查，覺得可能性很高，所以報告出來，但是不能擔保它的正確性。

無形困難還有一個問題，就是胡錦濤到底是怎樣一個情況？是不是全退呢？還是繼續做軍委會主席呢？兩個說法都有，但現在沒有辦法證實。無論如何有一個說法，就是胡錦濤並不是很得志，他的團派人馬無論如何在下一屆領導層中間好像不占上風，所以他有點失勢的感覺。

另外一方面，又有人提到江澤民在下一屆領導人選中的作用，也有各種各樣的傳說。

總而言之，這種暗鬥現在還在進行中。到底怎麼樣，我們還是要看事態的繼續發展。比如說最後常委是九個人還是七個人？七個人是哪些人呢？這些現在都在種種推測，比如有人說汪洋在裡面，有人說汪洋已經出局了，各種說法都有。所以這也表示傳說越多，它的困難越大。這也是一個相當大的困難問題。

所以這些困難加起來，我們覺得習近平能不能接班是一回事，接了班以後能不能有所作為、堅持改革也是很困難的。但是有一點我可以斷定，就是接班以後新一屆的領導人權力比上屆還要低，控制全國的能力還要下降。所以在這種情況之下，十八大的前途是相當不樂觀的。

十八大的重要意義

二〇一二年十一月十二日錄音
二〇一三年一月二十三日刊登

北京十八大會議是二、三十年來最重要的一次會議，因為這一屆換領導人是非常不尋常的，也可以說充滿了危機的。因為十年一換領導人，大概是從江澤民那時候開始，江澤民是鄧小平一手指派的，胡錦濤也是鄧小平指派的。習近平那時候還很小，他不可能指派任何人，所以習近平沒有被最後強人指派的優勢，許多人都可能躍躍欲試，想跟他競爭。比如說薄熙來可能就因為這個原因想取而代之，最後鬧出很大的事情來。其他人有沒有這樣的想法，我們也不知道。總而言之，這是一個很特殊的換屆。

第二點可以說，社會治安在這一屆換屆的時候非常顯著，尤其是集體抗議的數量大、人又多，而且包括許多年輕人都上街了。據報導，小的不說，從二〇一一年八月到今年二〇一二年十月，我們看到的大事件，就有大連化工廠、浙江嘉興的太陽能化工廠，還有二〇一一年十月廣東的海門煤廠，加上廣東的烏坎，大家都知道也是在同一年的，這四個事件是二〇一一年的。二〇一二年從七月開始有四川的什邡事件，銅廠後來不敢造了，老百姓反對太厲害停產了。今年七月江蘇啟東紙廠也是民眾抗議停產。十月有兩起，一起是浙江寧波，也是化工廠，後來被迫停止，暫時不能動。同一年在海南島有一個煤廠，也是被迫停產。所以這些社會不安跟從前不同，從前這些抗議一點用都沒有，共產黨完全不理會。現在這幾個抗議都讓步了，特別是像四川的什邡、廣東的烏坎，烏坎是汪洋讓老百姓自己選村長的。所以這些可以看出來，社會危機也是現在不得了的一個情況。

第三就是貧富不均，這是大家都知道的。中國的貧富不均在全世界已經到了最前列的幾名了，窮的無立錐之地、富的富可敵國，就是今天的情況。

第四就是貪腐，貪腐已經普遍化了，也不是哪一天這樣，但是愈來愈嚴重。所以在這種情況下換屆，我覺得是特別值得注意的。現在我們看到的就是胡錦濤一篇很長很長的報告，六十四頁，念報告就有一百分鐘，裡面講了很多很多的問題，但是記者只能報導一部分。首先大家注意的，不但是《紐約時報》，其他媒體也注意到的，就是胡錦濤對自己的自吹自擂，誇他十年的政績，他提倡了「科學發展觀」，有許多成就，這十年來健康的經濟成長，健康的經濟成長造就了一個比較繁榮的社會；另外改革開放他認為也有長足進步，因為改革開放已經變成一個咒語了，沒有別的意義，反正就是鄧小平以來的路線。根據這個路線以後，人民的生活水準顯著地提高，這種種都是他宣傳自己的，給自己表功的，希望在歷史上留下不朽的一筆。雖然我所看到的大家各方面的評論，包括黨內在內，都認為他是個庸才，沒有什麼作用。但他這樣吹牛大概也是最後一次機會，大家也只有接受。

我們知道，這種報告不是他一個人寫的，一定是黨內許多人商量的，特別是習近平一定也參與，因為這個報告不光是他總結過去十年，同時對未來怎麼走也有一個鋪路的作用，英語叫藍圖（blueprint），是一種未來的設計，未來的構想。所以在這個構想中間，他也提到許多新的事情需要改變。比如說他表面上贊成政治、經濟、社會、環境等各方面應該有點改善。但這個話題是一個口頭禪，就是應付的話，不是他的真意。他口風一轉，馬上就強調，在政治上警告社會矛盾衝突很厲害，一直在增加之中的就業、教育、健康保險、住房、環境種種，甚至於食物跟藥品都不安全，工作地點也不安全，比如說煤礦倒塌死了很多人。這些都是他提到的一些不安全因素。在這些不安全因素之下，他認為應該有所改善。但是他的改善最主要的是在經濟上。經濟上我們知道，最初鄧小平的設計是希望私人企業能夠發展，並不集中在國營企業方面。國企是黨營的，是黨員集中的地方。現在我們知道中國最大的國營企業有一百三十個左右，什麼都壟斷在內。所以私營企業根本就賺不到錢，跟鄧小平原來的想法事實上是相反的。

鄧小平在經濟上是願意私人發財的，要一部分人先富起來的。現在這樣一來，國企這十年發展的結果，黨內發了大財，老百姓反而窮了，所以有一個口號就是「國富民窮」。這個國富民窮就是國企造成的。因為私人企業得不到銀行支持，銀行支援都給了國企，私企就發展不了，所以就沒有一個真正的自由市場，在中國並不存在。這一點似乎是他表示應該改善的地方。銀行給國企和私企借錢應該不分上下，應該平等對待，許多人認為這一點是稍微提出了新的改變。另外，他斬釘截鐵地說，絕不能走西方的政治體制之路，那是歪路，歪路不能走。一切改革都要遵守一個最大的前提，就是共產黨的政權、共產黨的專政絕不能有一絲一毫的動搖。所以事實上又回到鄧小平時代最初設想的改革開放，就是改革開放只限於經濟方面的改革、經濟方面的開放，絕對不包括政治改革。鄧小平一再警告趙紫陽，當時設計改革方案的時候，不要走西方三權分立之路，不要搞政治改革，不能在政治上學習西方。所以我們從這種情況來看的話，我覺得習近平的執政道路不會有多少改變，前景令人擔心。

談十八大後中國的展望

二〇一二年十一月二十二日錄音
二〇一三年一月二十九日刊登

每次共產黨換屆，十年換一次的話，比如說江澤民換成胡、溫的時候，或者胡、溫現在換成習、李，都會引起包括海外中國人在內很高的希望，總希望這一屆比上一屆要好，希望要大一點，但是往往很失望的。在江澤民時代，朱鎔基上台做總理的時候，有許多人都寄予厚望。香港有位《文匯報》記者特地給我傳真，表示他好像是朱元璋的後代，將來一定會把中國帶上一條好路，所以希望大極了。我說：你不要太快地下這個結論，你等等看吧！因為事實上不是朱鎔基個人好壞的問題；而是一個人在這樣一個大系統中間做不了多少事情，就算想有所作為也很難。胡、溫時代又有了希望，到了晚期，我們才發現在言論自由種種方面還不及江澤民，江澤民對西方還沒有抱那樣的深仇大恨。胡錦濤就表示絕對不能跟西方有任何牽連，給人的失望也是相當大的。所以現在到底習近平跟李克強如何？我有中文大學的朋友說，習近平不同於胡錦濤喜怒不形於色，至少還有些人情味，還有點笑容。就算個人討人喜歡，到底能不能在公事上改變中國這樣一個大的系統、體制，那是另外一個問題了。

嚴格說，這次習、李有幾個很重大的變化，第一個變化是中央政治局常委由九個人改成七個人；第二個變化，本來胡錦濤還要再做兩年軍委主席，主任委員，現在他要裸退。習近平就可以接黨政軍，都在他一個人之手，他可以有一個自由發揮的餘地。事實上這是一個表象，習近平上台以後，也有發表和提出一些中聽的話，比如說共產黨是受人民重託而上來的，現在還是要給人民做事。如果不給人民做事，那就要垮台的。尤其說到貪腐，他很重視。上台以後講話有兩次，都是以貪腐為中心。「如果貪汙腐敗不能解決，就會亡黨亡國」。但是共產黨把黨權看得最重要，他們要全力以赴的就是維持這個黨不會下台。在這種情況下，反而會造成更大的危機。因為維持黨的利益，辦法就是高壓，靠這個辦法維穩，結果壓得全國老百姓不敢說話。公共場合、電視上、報紙上都沒有批評政府的言論，要有只有在網上。而網路愈來愈凶，又控制不住，面對民變愈來愈厲害，人民反抗動輒幾千人、上萬人。面臨這樣的情況，習近平怎麼處理，是一個很大的考驗。

首先，大家都承認共產黨目前還不會有軍事割據的跡象；可是經濟方面，地方諸侯確實愈來愈凶。最近在美國得獎的著名經濟學家吳敬璉，還有中央黨校的經濟學教授趙長茂，兩個人都提出警告，說現在地方上的經濟投資愈來愈厲害，把大權抓在地方手上，中央愈來愈弱了。無論習近平有多少人脈，但是他在政策上恐怕沒有任何表現的可能。

同樣我們也可以看到，在胡、溫時代，溫家寶也常常笑容滿面，許多人都為他說好話，但是事實上也是什麼都做不成；同時你要想到，中國最大的問題是黨的利益高於一切。經濟上這十年的發展是很大的，但都控制在黨的手上。其中國企幾乎占了百分之八十以上，私人企業已經沒有了。就是說自由市場並不存在，這是一個由黨的國營企業壟斷的中國。這樣一個市場是特殊的、可以說是不正常的、變態的，而不是自由市場。我們知道的統計資料，有十四萬五千個國營企業控制全國，其中有一百三十個左右是最大的企業，各行業都有，壟斷了整個中國。這一百多個企業都在共產黨最高領導人家庭手上。所以在這種情況下，要把自己的利益全部拋棄，那幾乎是不可能的，這還只是少數大的高級領導人家庭子弟。

推而廣之，在全國情況下，每一個階層，從省到縣到鄉鎮種種，都是由黨員在那裡把持的，只要有任何財富，就有幹部在中間貪汙的餘地。所以貪官汙吏在中國已經不得了了。這些貪官汙吏不用說別的，看看他們的子女來美國讀書的情況就知道，現在美國大學裡面多收中國學生的原因，就是因為他們交得起學費。美國人反而許多現在交不起學費，學校也出不起那麼多獎學金，所以這種情況就可以看出，中國貪汙的情況是太嚴重了。這恐怕不是習近平一個人想整治貪汙就能解決的。同時，在整治貪汙變成他上台後最重要信號的時候，也使我們懷疑這是不是有政治作用？政治作用就是現在要對付薄熙來，要用貪汙罪來整治他。薄熙來的案子還沒審，可是一切跡象都表現出好像是要把他作為貪汙典型，給老百姓出氣。如果真是這個辦法，我相信這是一種自私的辦法，也不是真能對付貪腐。所以從這個情形看起來，我覺得胡錦濤下台，習近平上台，未必就有什麼新的轉變。

中共十八屆三中全會及中國改革前途

二〇一三年十月九日錄音
二〇一三年十一月六日刊登

十八屆三中全會在網上、在海內外的輿論界都特別重視。這個原因跟三十五年前的第十一屆三中全會有關，一九七八年，那時候鄧小平剛剛上台，華國鋒很快就要下去了。主持的人就是後來的胡耀邦總書記，十一屆三中全會是所謂「改革開放」開始的一個大會，推翻了以前毛澤東所作的許多決定。已經三十五年了。中間所謂改革開放並沒有真正地全面展開，原因就是鄧小平受到一批元老跟保守派的包圍，同時他自己也傾向於保守。因此就怕黨的政權會失去，控制不住。這是他最大的擔心。因此他就把改革僅僅限制在開放市場這一方面，就是經濟方面。在政治方面不但不肯放鬆，反而還有加緊的趨向。這是我過去屢次講過的，鄧小平的改革政策可以歸納為八個字，就是「經濟放鬆，政治加緊」。所以政治上不改革，經濟改革上限制很大，最後一定陷於不能動的地步。這是當時大家早已認定的，包括後來做總書記的胡耀邦、後來做總理的趙紫陽，以及許多幫他們工作的人，都有這樣的認識。

改革開放最後非從政治制度入手不可，但是如果不從政治開始，那最後還是回到黨控制經濟這條路，市場經濟不能真正發展起來。所以這個會議是一個重大的會議，但是可以說，沒有完成改革開放的任務。所以三十五年以後，大家對於習近平剛剛上台要重新進行改革運動，甚至表示「實踐的發展是沒有止境的、思想解放也是沒有止境的、改革開放也沒有止境」這種空洞的說法，又寄予了改革開放的希望。好像他可以有新的改革，而這個改革當然是政治上的。事實上中共的改革開放到最後變成今天這個局面，看起來是非常強大，錢是很多，但其實錢都控制於國營企業，受黨的控制。換句話說，中國在經濟改革上也沒有做到底。僅止於經濟開放，而經濟開放受黨控制，所以說黨的企業現在占滿全中國。私人企業非常受到限制。到銀行也借不到錢，也沒有運輸種種的方便。

所以在十八大召開前後，共產黨裡面提出一些口號，包括李克強，甚至於習近平都表示要開放市場給私人企業，不要用一黨來專政。一黨專政到最後有許多困難的問題，不但不能解決，而且還會造成極端的貧富不均。所以，這就是大家對於即將到來的，一個月以後的十八大三中全會寄予很高期望的原因。這個期望現在在我們看來，是相當成問題的。怎麼成問題了呢？比如說如何改革開放？改革開放照習近平的說法，又不能走西方的路子，三權分立種種都是導向黨的專政失去控制，就是一黨專政受到妨害，那就是最大的擔心。為了保持一黨專政不會失去控制，不能走西方的路，把西方的路看成是帝國主義或資本主義的東西。在這個條件之下，政治改革就很難開始，所以他要對言論自由加以控制。

現在是網際網路的時代，網際網路對他們造成很大的威脅，有許多集體的抗議遊行，都是因為網際網路的關係。如果真正改革導向讓網際網路自由運作，幫助貪汙腐敗受到制裁，這才是新改革的開始。可是恰恰相反，現在共產黨對於網際網路加強了控制。最重要的就是最近提出的口號，一個是「清網」，一個是「滅謠」。因為謠言而抓起來的人，包括人權活動家、自由言論提倡者，都因為批評黨和黨內一切貪汙腐敗的狀態，就被扣留起來了，現在都被抓到警察局，相當多。最叫人吃驚的就是九月十七號，有一個十六歲的甘肅中學生叫楊輝，他因為懷疑公安局的調查不公平，把一個死人的問題輕易地掩飾過去了，就提出質詢，他的質詢在網上受到很多人的轉載。因此這個十六歲的小孩就被捕了。被捕的原因就是說他造謠。這就引起軒然大波，前前後後有上萬人抗議。到最後大概中共政府也受到壓力，就勉勉強強把他釋放了，說他已經認罪了，實際上這個孩子出來以後說他並沒有認罪，他認為他能出來是一種勝利。所以可見這個清網跟滅謠運動現在正在中國展開，在這個情況下，共產黨要喊政治改革，可以說是神話了。

另外我們看到，對外來講，也是暴力在運作。就像新疆，特別是最近派重兵去鎮壓維吾爾人，表面上說是防止中亞恐怖分子滲透到中國，實際上是用暴力鎮壓，逮捕對中共稍有不服的一切年輕人。這是一種完全用暴力來制裁、鎮壓的方式，只會造成更多的反抗者。所以我們從這些地方可以看出來，習近平這些做法並不是為改革開路。他另外一個為改革開路的方式有兩個口號：「反腐」、「倡廉」。這兩個口號也是在十八大上台以來，他在黨政軍各種會議上一再發出的警告，說是一定要反腐、倡廉。否則的話黨就會站不住了。所以與此同時，就有打老虎、打蒼蠅這種說法。實際上到現在為止我們知道，反腐也只是打了一些蒼蠅，沒有真正打到老虎。

而薄熙來犯的是政治罪，現在把他往貪汙這條路上塞進去是相當明顯的。所以從這方面看，他的反腐、廉政是很成問題的。廉政的要求在共產黨也有一個活動，就是在去年年底，中央要求黨政部門的領導幹部公開申報個人跟子女的財產數量和來源，這樣可以防止貪汙，這個運動無疾而終。我們所得到的情報是，他本來準備在今年二月底或六月底，把申報的事情告一段落，可以完成三中全會改革的一個重大要求，可是事實上，省一級的高官申報的人，好像有百分之八十都不報他的子女，副省一級的百分之八十六，地廳級的高官是百分之九十。這都是中共提供的數字，因為這種原因，申報運動就推行不下去，到此為止，這是他所謂廉政的一種傾向。另外，國務院還提出一個辦法，要把高級幹部的、領導人的津貼、福利待遇等等作調整，意思就是太高，應該縮減，因為每個人都是幾十萬的津貼，貪汙種種還不算在內，中央有意要調整，但結果也是無疾而終。所以從這些情況來看，三中全會如果想完成政治改革，連反腐跟廉政都做不到的話，其前途是可想而知的。

三中全會解讀：經濟放鬆、政治加緊

二〇一三年十一月十四日錄音
二〇一三年十一月二十日刊登

現在共產黨的經濟，一直是以國家企業占主導的一種經濟，所以一切經濟實際上也控制在黨的手上。在這種情況下嚴格地說，就沒有什麼市場活動的餘地。所以市場的自由幾乎不存在，小的私營企業往往以全面破產結束，還有些私人企業家有成功的，跟地方上搞不好，就常常進監牢，甚至於判死刑、判長期監禁。這類事情常常發生。換句話說，如果這樣下去，共產黨的經濟發展最後也要受到很大的限制。現在他們對這一點似乎有所了解，所以這次三中全會大力宣揚的要點，就是要讓自由市場有決定性的作用。這一點在三中全會結束以後，在他們的公告上也特別指出，就是要市場產生決定性的影響。但是這句話也是有保留的，只實現於「經濟資源在什麼地方發展」這一方面跟著市場走。如果這個市場影響到政治穩定或是一黨的控制，那麼還是要受到限制。換句話說，從宣布的情況來看，我們覺得：是不是真正像他們所說的，要給予這個市場很大的自由？現在恐怕還言之過早。總而言之，這次的會議特別印證了我講的一句話，「經濟放鬆，政治加緊」。

我認為一開始就是在趙紫陽、胡耀邦時代，鄧小平也沒有真正地允許自由市場如何發展。基本上我歸納為：經濟放鬆早期受鄧小平運用，在胡耀邦跟趙紫陽時代起作用，但很快就確定，絕不能在政治上改動，不能走三權分立之類，也不能搞民主自由，也不能講個人自由。所以這些東西確定了共產黨的基本政策，「經濟放鬆，政治加緊」，這兩個是相反的。在一定時期之內可以互相配合，但是過了某一個限度，即刻就發生矛盾。不是更自由就是更專制。兩者最後的調和是不可能的，只有矛盾和分裂。所以在這種情況之下，這次的三中全會還證實了我這個論點。

這次最大的一個亮點，就是讓市場起決定性作用。市場是不是起決定性的作用，那就要看將來事實的表現，在我看來是值得打一個問號的，不能輕易相信，因為一黨控制是共產黨愈來愈加緊的一種趨勢。習近平上台一年以來，對異議分子的控制、對網路的限制是愈來愈緊，被抓的人愈來愈多。只要稍微有一點不同想法的人，就可能會被關起來。現在只要有三個人以上的聚會，就會被稱為聚眾謀不利於中共的安全。在這種口號下，什麼人都可以被抓起來，這種情況之下，也就沒有政治上改革開放的可能，所以政治改革開放是不會碰到的。甚至雖然說現在這個自由市場開放，對於私人企業可能有些好處，但是也不會影響到國營企業的基本利益，因為國營企業是黨抓在手上的，許多貪官汙吏都是靠國企來發財的。現在雖然有些小小的收斂，可是基本上沒有改變。所以，至少在我看來，這次的三中全會，基本上是再加強了我們對共產黨、對鄧小平的一些看法，就是「經濟放鬆，政治加緊」，絕不會在政治上，在一黨專制方面有任何鬆動的跡象。

但我現在想做一個更進一步的觀察，就是我認為現在這個矛盾，不僅存在於政治加緊跟經濟放鬆這兩個趨勢之間，而且甚至某種程度存在於習近平跟李克強之間，因為李克強的表現是他對於自由市場非常關注。他沒有談多少政治問題，政治控制問題一直是習近平抓在手上的，所以我認為三中全會表現了兩個不同領導人中間有某種矛盾。當然這個矛盾不可能發展為正面衝突，因為基本上習近平是第一把手，在他的控制之下，經濟方面的李克強作用很有限。他的作用不會比溫家寶大，但李克強主張市場經濟的自由，提到某種程度的開放，甚至於提到憲政都是事實。但在習近平控制之下，發展是不大可能的。

有個跡象顯示，習近平是要進一步抓權的。這裡最重要的一點，就是在三中全會裡要加強設立國家安全委員會這樣一個機構。根據這個體制，習近平的大權就可以抓得很大。一方面是外交，他一方面對於菲律賓、日本、越南的海上爭執可以更加強硬，表示他在外交方面的權力擴大了。對內，他對於軍隊，國安也一把抓在手上。而且對於異議人士，他是要盡全力阻止他們發展的。如果在這種情況下，習近平的路線，要走上個人更大權力的專制運用。一般人都是說習近平要走的是鄧小平路線，實際上他比鄧小平還要加強一步，甚至於有可能回歸毛澤東的路線。現在看這個國安會的發展情況，他是要加強個人控制的。這一點也非常值得注意。所以從這兩點入手，我們可以看出共產黨的問題並沒有解決，現在的問題是農民問題。共產黨在這次會議上有一個重要論點，要給予農民土地上的更多財產權利，獲取更大利益、發揮更大作用，不完全受國家控制，不完全受地方幹部左右、操縱。現在是農民對利用的土地完全沒有任何說話的權利，這次提到的是要給他們更大的權利，是很大的問題。所以從這些看來，我們對於三中全會以後中國的情況並不很樂觀。

輯二

中共領導人習近平

中共正走在十字路口上

二〇一〇年十月二十日錄音
二〇一〇年十月二十七日刊登

最近最受注意的，習近平被任命為中央軍事委員會的副主席了，繼承的方式已經基本上確定下來了。

怎麼一個方式呢？就是說從前總是強人時代，毛澤東是強人，不用說了；鄧小平也是強人，所以他在黨政軍都有實際的影響、實際的控制力，他一說話就要算數的。儘管黨內認為鄧小平還沒有毛澤東厲害，因為強人總是一代不如一代，到江澤民已經不能算是強人了。

可是鄧小平一直在沒有辦法之下，把自己左右膀子都砍掉，胡耀邦、趙紫陽都砍掉以後，沒有人了，只有選擇江澤民。江澤民當然有他聰明靈活的地方，但是他開始上台的時候，也想對改革開放採取敵視的態度，鄉鎮企業要取消，有一段時期不肯發展經濟。

鄧小平在一九九二年就發話了，所謂南巡，那時候就說，如果不想做就可以下台，那就是逼著江澤民表態。從那以後才有商業大潮起來，正式地發展經濟。所以這經濟發展動力不在江澤民，而在鄧小平。

鄧小平一直到一九九七年才死掉，所以這五年間，暗地裡還是鄧小平運作，江澤民只能依照他的意志大提倡。小的地方可以違背，大的地方不能違背。一直到胡錦濤，也是鄧小平指定接班的。江澤民沒有什麼別的辦法，不能不用胡錦濤。他不一定喜歡胡錦濤，江澤民唯一的辦法就是還要保持他的實力。所以卸掉國家主席以後，他的軍委會主席還不放手，拖了一年的時間，才交給胡錦濤。

大家過去對於新人上來總是有所期待。對江澤民，當時因為鄧小平在，是另外一回事情；可是李鵬走了以後，朱鎔基上台也受到很大的期待；後來胡錦濤跟溫家寶同時上台，大家都希望他有所改革，這改革還不光是經濟的，同時也是政治的。

所以這次中央委員會的全會，外界一直在注意，國內也在注意。主要的注目焦點，第一就是看選什麼人，選什麼人以後會不會有政治改革。

在這次報告中，對經濟發展是有五年計畫，一直到二〇一五年。所以現在他們大概想使國內市場能夠繁榮起來，所以要加工人的工資。這樣子才可以平衡外貿賺的錢。他們怎麼樣能夠給老百姓多一點錢，還是怎麼樣能把房價壓低，房價一高，老百姓根本不可能買的。不但老百姓，就是一般公務員、一般大學教授，我聽說都是買不起房子的。所以在這種情況之下，國內市場就不可能發展。

這次整個文件表示還是在經濟上著眼，甚至要談發展文化，軟實力也要超過西方，這是他們選的目標。軟實力要超過，必須要輿論自由、思想自由、行動自由、結社自由，這都是需要的，沒這些東西不可能發展的。

所以這是個矛盾，但在這整個文件中沒有談到半點怎樣改革政治。政治上調整只是黨內官僚系統裡面的調整。西方對習近平不了解，在墨西哥一次發言，習近平就罵西方人批評中國、指手劃腳，許多民族主義狂熱的中國人，包括某些華僑在內，一時感到痛快，跟外國人採取敵對態度。

目前正在跟日本人採取敵對態度。關於釣魚台問題，很簡單，你要不就出兵拿下來，用海軍去拿下來；如果沒有這個決心，那就不必多言；如果有這個決心，那就見諸行動。但共產黨顯然也沒有這個決心，是不是有這個實力都是問題。所以在這個情況之下，日本人不放心，西方人目前還在觀望。共產黨現在目前至少照三中全會的報告來說，還是強調穩定超乎一切，不提政治改革。

國內有許多人，像二十幾名共產黨元老，要求言論自由，在這次開會中間，根本就沒有碰這個題目。所以我覺得共產黨現在走在一個十字路口上，而它的領導人每一代的權力都不及上一代。習近平雖然拿到最高的位子，名義上最高，是不是能夠控制整個局面，還有兩年呢。兩年以後怎麼變化，我們實在不知道。更重要的，我們要了解，習近平並沒有鄧小平這樣的權威指定他接班，這跟胡錦濤又不同。所以他到底能不能接得下來，軍方對他到底是不是接受，我們都不知道。

另外一方面還有地方勢力，像四川的薄熙來，躍躍欲試，他用毛澤東的旗號與老左派打成一片；廣東有汪洋，好像打的是改革旗號，也是躍躍欲試；溫家寶最近也老提民主改革，到底是真的、是假的，是什麼動機，黨內有什麼人支持，也不知道。所以在這個情況之下，我想我們對於這個會的結果，應該再深入地加以研究。

談習近平反腐是否當真

二〇一三年一月三日錄音
二〇一三年一月二十八日刊登

從開始做總書記的情況來說，習近平表示的態度好像跟胡錦濤不一樣，胡錦濤當時做了總書記以後，第一個拜訪的地方，是毛澤東當年進北京以前的西柏坡，他表示要跟毛澤東早期革命的精神合而為一，這是向左派靠攏的。可是習近平好像不一樣。

習近平跑到深圳，在深圳向鄧小平致敬獻花，還說「改革開放的路要堅定不移地走下去，因為這是富國富民的道路，而且還要有新的開拓」，這是在經濟上的一種表態。政治上當然不會提民主、自由、人權這類東西，可是他在政治上強調反貪腐，而且要大力進行，如果不反貪腐，那麼亡黨亡國就在眼前。所以這個是他的政治表態：經濟上要有更大的開放，經濟上更大的開放，意思當然是說，黨控制的大的國營企業，應該慢慢讓給私人企業經營，這是一個總的目標。政治上就是從反貪汙開始，建立一種清明政治。雖然不是民主自由的政治，但至少是清廉、清明的政治，這是他給人們的兩個期待。

現在許多人認為，應該認真對待這兩個期待。實際情況如何，我們現在還不能說他沒有做到，就對他失望。但是我們看出來這裡面有幾個問題，先從反貪腐的活動來說，好像開始也很積極，負責中紀委的王岐山，還跟孟建柱、粟戰書幾個人，在二〇一二年十二月三日下令給三十二個進出航空站、港口、邊境口岸等，表示要派中紀委跟其他公安機構、武警去監督，不讓貪官汙吏跑出來，這個事情好像是很認真。但是嚴格地講，這只是控制了四千多有貪腐嫌疑的人不准出境。從十二月三日到八日之間，已經在幾個港口抓了一百多想逃出國外的人，可見他反貪腐也不是完全沒有行動，可是結果到底如何，我們還要進一步地觀察。

四川最近有幾個貪官汙吏，都是省級人物，網民把他們所有的醜事都在網上揭露出來，這樣逼得共產黨不能不動手，有幾個人已經丟了職位。有一個在三十幾小時之內，因為網民暴露馬上就垮掉了。從這點可以看出，網民是積極擁護反貪腐的。可是網民反貪腐的活動，最近已經受到共產黨宣傳部門的注意。宣傳部我們知道在劉雲山手上，他是一個很可怕的人。他現在就是要網民不要這樣放肆，要控制了，所以許多東西，他們不能在網上這樣搞反貪腐了，同時對網民的管控又進了一步：現在網民要上網，儘管可以用筆名，可是他的真實姓名必須要報告。這樣情況下大家都有顧忌。就不會無所忌憚地暴露地方官員或者中央官員的料，可見這在反貪腐方面受到很大的限制。

我們現在再看看經濟開放。經濟開放的問題，好像是想把國營企業向私人開放。如果多一些私人公司，就會多一些自由市場。可是國營企業當然在這個自由市場裡還是占很大部分。但無論如何，私有企業也會增加一點。但是這個事情也很難實行，因為現在我們從各個地方的報導，尤其西方的報導知道，這些所有大企業跟有關的公司，差不多都是由權貴人士，如江澤民、李鵬這些子弟分掉了。最大的企業都在他們手上。而其他的人也是通過親戚朋友關係，抓住所有發財的機構。這種情況之下，習近平的反腐絕對有他的限度，不可能長期執行下去，不能打老虎，只能打幾個蒼蠅。小人物可以由於別的原因，或者政治原因而倒楣；但是大企業、大權貴跟監管者，他還是不能動的。如果這樣的東西都不能動的話，我們不知道共產黨有什麼辦法來反腐反得很徹底？

儘管他聲勢很大，可是國內已經有人評論，覺得他在這種時候說這種反腐的話很奇怪的。為什麼奇怪呢？因為大家都知道，中國在舊曆年沒有過以前，什麼事也不會做。所以儘管十二月就開始宣布要反腐，可是事實上沒有什麼動作，一定要等到新年以後，新年以後，我想許多事情又開始轉變了。

所以習近平有沒有誠意改革？也許有，這個我們不敢否認。可是看起來不是那麼簡單。

換句話說，他只是一個人，他個人有這樣的願望、有這樣的想法，可是他的整個黨和貪腐是連在一起的，貪腐已經是他們的制度。

談習近平訪問貧困鄉村

二〇一三年一月三十一日錄音
二〇一三年二月二十六日刊登

去年十二月，習近平去訪問離北京一百八十英里的一個最窮的村子，河北阜平縣的駱駝灣。居民只有六百人，完全靠種老玉米吃飯，每年每個人的收入只有一百六十美元。

習近平到村裡居民的家裡，這個居民姓唐，跟他太太兩個人都是工作很辛苦的，年紀也很高了，六十以上了。習近平特別選這樣一個特別窮的地方，到那個床上去坐一坐，那個床上好像也很髒。小孩也都很髒，他還拍拍他們的頭。他們在火上烤馬鈴薯，他從火裡撿起一個馬鈴薯還吃兩口，表示他跟老百姓是打成一片的。這種做法當然是共產黨的老手法了，表示親民。

不過這變成很可笑的一件事，這本來是溫家寶最擅長的。溫家寶在訪問四川災民的時候，也特別表現出親民，到受災受難的人家中慰問，習近平也做這個事情。這個事情做完以後倒是特別值得注意了，因為在全國性的電視上廣播這件事情，所以就引起全國的注意。許多人、許多錢都來了。照報紙上報導，第一個好像是地方政府、縣政府想辦法，因為它那兒只有六百人，每個人給一百六十美元，那就是他們全年的收入，然後一瓶油、還有一袋米。這些都是在那個地方非常貴重的，米是吃不了的，平時只有老玉米可吃。現在居然有了米。

當然一袋米、一瓶油也管不了好久，但暫時他們都很高興。還有一個富商，大概是從東北來的，他在電視上看到這件事情非常感動。五百里路外開著車來帶著很多現錢，發給這六百個居民，同時還帶來一大批電視之類的，可以讓他們看。這個地方受到特殊的待遇了。再一個就是地方政府把它的牆粉刷起來，把它的房子外面也油漆起來。都是耳目一新。另外，政府的研究人員也跑來了，研究怎麼樣實現習近平的建議「只要努力，能把黃土變成黃金」。

所以現在有許多人提出種種獻策，包括要把它變成一個遊覽區，因為這是山區，好像如果發展起來就可以變成遊覽區。還有人說可以種人參，那是值錢的。總而言之，這件事情一發生，駱駝灣的六百居民大占好處是沒問題的。而且省政府方面也發表了一個公告，要捐出四千萬美元的錢來救濟，當然不只是這個村，還有阜平縣，還有其他類似的窮縣，但是當地老百姓就下了一個註腳，說現在貪汙非常普遍，到底這些錢能不能到我們窮人手上，那就不知道了。

無論如何，這件事情鬧得非常大，大到一種程度，就是現在這六百個人大概生活會好起來，另外就是《新華社》、電視台對這件事情的宣傳，也到了不可想像的地步。所謂不可想像的地步，就是它要建立習近平親民的形象。要稱他為人民的總書記，而不是黨的總書記了。說他十幾歲下放到山西的村子裡，就是習慣於跟老百姓打成一片。老百姓吃什麼苦，他也吃什麼苦。等他走的時候大概已經二十、二十一歲，那個時候就成熟了，成熟了以後就完全決心要為人民服務。現在他就下定決心，要看中國最窮的人是過什麼樣的日子，然後怎麼樣改變他們的生活。怎麼樣改變他們的生活，這一點並沒有具體提到。只是這個村子就變成中國最有名的一個村子了，這六百個人大概至少暫時要脫離苦境了。

所以在這個情況之下，我們就可以看到中共的政治概念，我們平時對中國政治概念並不是很清楚。共產黨下訪也是常有的事情，毛澤東從前在搞大躍進的時候，希望全國人民都擁護他，所到之處好像每到一個村子老百姓都歡天喜地，生活也非常好，到處貼的人民公社好什麼之類的，實際上都是假造的。

習近平這次好像給通知的時間很短，他訪問的那個姓唐的居民說，半個小時以前才知道習總書記要來。當地的一個村的書記也是個農民，大概七十歲上下，他說他七點以前已經知道了。不過這個事情跟毛不一樣，毛要看老百姓歡天喜地，所以要造假，習要看最窮的地方，他用不著作假，所以這倒是很真實的，不過問題就是，他提出什麼樣的辦法來解決這個問題？好像這樣的訪問就可以解決中國的貧窮問題。如果真是這樣的話，那就非常荒唐了。全國的反應也是如此。地方政府的反應、東北一個富商開著車五百英里以外到這個村子來，也是借此機會想建立功勛，讓中央能注意他，可以對自己的事業發展有好處。

所以這個六百居民的駱駝灣，就變成被大家利用的一個地方了，可是從共產黨《新華社》的種種報導看來，好像他們把這件事情看得非同小可，而且說習近平在所有總書記中、在領導人之中，是最能體貼老百姓的。他們想靠這個辦法來維持社會穩定，因為他們也知道貧窮是社會穩定的一個最大的威脅。而且在十八大的時候正式宣告，習近平也說：怎樣消滅貧富不均的情況，是目前黨內最大的考慮、最關心的問題。

但是在這整個事件中，我們看不出共產黨是不是能有制度上的改變。因為貧富不均基本上是一個政治制度問題。現在有這麼多有特權的人，把錢都撈到自己手上，那麼邊遠地方的窮人有多少，也是可以想見。我們不可能相信駱駝灣就是唯一這麼貧窮的地方，其他類似駱駝灣這樣貧窮的地方，也不知有幾千幾萬。這也不可能是習近平到每個地方去訪問就能解決的問題。所以嚴格看起來，共產黨對法治是毫無任何概念。

毫無法治概念之下，才會想我只要到一個地方，那個地方的老百姓就得到好處了。但那裡的老百姓只有幾百人，中國有十三、十四億人，你怎麼可能靠一個總書記的訪問，就能解決這樣大的問題？好像共產黨就假定這是解決問題的一個正道，因此才變成全國性的宣傳。這就可見共產黨對現代政治毫無概念，有一點概念也都是傳統來的，傳統上中國有清官下訪，甚至有皇帝也是化妝出來到老百姓那裡，去看老百姓生活怎樣呀種種，那是偶爾發生的，那也不能夠起作用的。這只是一種表演，就跟溫家寶到處去表演一樣，黨方面至少有一部分人，《新華社》這一部分人，希望能夠借此機會突出習近平的形象，製造一個新的形象。

可是從整個共產黨制度來講，好像用這種方式來推託它從前講的要打蒼蠅、打老虎，徹底剷除貪汙跟腐敗，這一點並沒有做到，只有少數幾個中層的，打的是蒼蠅而不是老虎。

打老虎跟打蒼蠅，這本來是蔣經國一九四八年到上海去辦的事情。上海有許多商人囤積居奇他要打，但遇到最有勢的孔、宋他又不敢動，所以後來人就譏笑他只能打蒼蠅而不能打老虎。打蒼蠅、打老虎這個方式，現在好像也被共產黨繼承下來了，習近平口口聲聲要打老虎，也打蒼蠅，他這個方式很坦率，說是打不到老虎就打蒼蠅。所以到現在為止，打的頂多都是中下層的一些黨官，這些人也剛好倒楣給碰上了，但我沒有看出來有任何制度性的改革方式，只是要靠個人形象到每一個小村子去作點秀，我想其成績可想而知。

對習近平的期待

二〇一三年三月二十二日刊登

中國農曆新年剛過，對新的一年有許多期待。我看到各方面的報導，好像還有許多人期待習近平，不過也有許多人知道他做不了多少；但海內外的期待還是很普遍的，關鍵還是希望有政治上的改革。像他答應的要把中國帶上一條新的路子。最重要的是他強調反對腐敗。在反對腐敗上，他特別說要「打老虎也要打蒼蠅」。到現在為止，我們所看到因為腐敗而被打的，也都屬於「蒼蠅」這一邊，而不是「老虎」這一邊，「老虎」方面恐怕還是不大能動。

另外就是經濟方面，不但國內，而且國外，也都期待著中共在經濟控制方面有所調整，最重要的當然是過去我也提過的，有十四萬五千家公共企業、大企業，都是在共產黨手上的國營企業。而這些國營企業壓著私人企業不能動，所以在經濟方面顯然遇到很多問題。尤其例如廣州，應該是經濟最活躍的地方，可是現在廣州的許多報紙都遇到一個很大的問題，就是廣告少了，有些地方都在賠本，同時還有些報紙可能關門。所以從各方面看來，中國的市場並不是能夠像過去推測的那樣樂觀。中共一向說要保持百分之十的經濟發展，現在大概保證到百分之七，能不能保證百分之七還是個問題。這裡面的關鍵，我想就是能不能把市場制度搞活，這也是大家很期待習近平的一方面。雖然習近平到深圳訪問，表示他在市場經濟方面想有所作為，但還沒有任何具體行動，所以大家還是不放心。

第三個方面恐怕就是有沒有可能恢復法治。恢復法治一直是大家關心的問題，特別是我們知道，北京的許多知識分子現在都希望他回到自己的憲法，但是這一點他似乎沒有任何回應，也沒有談到政治改革。所以在這樣的情況下，我想改革的聲音會愈來愈弱，一般人對於憲法、法治的期待，恐怕是沒有什麼希望的。期待中間，我想有一件事情是大家最關心的，就是勞教的改革，勞教制度最大的問題就是所有人在任何時候，只要地方官員對你不滿意，就可以把你抓起來，不經過任何法律手續，然後送去勞動改造。這些勞動改造、勞動教育，實際上是完全沒有任何法律根據的，所以共產黨在這方面極為不得人心。

再一個方面就是對外的問題，現在我覺得習近平好像是積極要跟軍方拉得很近，因為要跟軍方拉得很近，因此對日本採取相當強硬的態度，在民族主義情緒下，我想中國人主張共產黨要把釣魚台收回是相當普遍的。當然其中也有一些比較清醒的知識分子，他們認為過度、高度的民族主義是很危險的，我覺得現在已經到了危險邊緣。我不認為共產黨在這個時候有決心要在釣魚台動武，這一點不像，可是軍方躍躍欲試，軍方很想立功，這是很自然的。而習近平最近的重點，依照各種報紙報導，都強調習近平跟軍方關係比較密切，甚至於超過胡錦濤。雖然共產黨的政治局，或者是習近平的少數常委、委員會並沒有意思要跟日本人開戰，可是這種氣氛之下，常常容易擦槍走火，一旦擦槍走火，那就是非常麻煩的事情。美國實際上在這件事情是採取中立的態度。另外，大家對於習近平如何處理北韓問題有個期待。中國國內過去幾年已經有人表示，不應該繼續支持北韓這樣一個荒謬的政權，可是中共由於政治上的考慮，就怕北韓崩潰以後被南韓接收，整個朝鮮半島都在南韓的體制之下，又跟美國連成一氣，感覺到它的威脅就在大門之前了，所以共產黨的一切打算都集中在一點，就是要維持北韓的政權不垮；實在來講，北韓也不是很聽話的國家，它常常有自己的作為。中共在這一方面，雖然表面上有時不能不支持聯合國的制裁，但它總是站在保守的一面，就是不希望影響北韓的政權。中共常常使用兩面手法，表面上好像不跟國際社會採取的措施針鋒相對，而是可以彼此商量的態度，可是背後依然鼓勵北韓做出種種威脅世界和平的事情。

習近平能不能在這些方面表現出清楚的態度？可是我們還看不出他真正有所作為。因為新官上任三把火，過了一陣子這些口號，包括反腐慢慢都會降溫，到最後也就是不了了之，然後又是拖的局面。最令人擔心的恐怕就是這拖的局面，能拖多久不知道。現在共產黨也特別承認，貧富不均是它面臨的極大問題，可是怎樣能夠均貧富，這又是很棘手的一個大問題，非常困難。解決貧富不均的問題，現在既不能採取毛澤東的手段，也不能接受薄熙來的那種非法沒收企業家財產。貧富不均的問題，還是必須通過法治來解決，要通過法治，又牽涉到非改革不可。由此可以看到，中國的事情是牽一髮而動全身。所以在這種情況下，我們非常關懷習近平將來能不能有所作為。

談習近平的「中國夢」

二〇一三年五月三日刊登

「中國夢」是習近平最早提出來的，二〇一二年十一月底，他在參觀一個關於中國復興的博物館裡面談到，要恢復中國的偉大，就必須要有「中國夢」，「中國夢」就是要怎樣強大起來，用民族主義的方式跟著黨走。這是一個很基本的觀念，當時是習近平從美國偷來的，美國一向有「美國夢」，美國建立國家以來這個夢已經幾百年了，還在堅持，這是她的理想。

習近平提倡這個，就是因為他覺得黨的危機很大。今年三月十二日中央政治局內部一個談話，他感覺到共產黨遇到很大的危機，不趕快有所動作的話，恐怕就要亡黨亡國了。他一定要振作有為，所以他提出要打老虎、打蒼蠅等等。用意當然是很好，可是到底怎麼實行，又是怎麼個結果，就是很大的問題。

習近平提出「中國夢」以後，今年三月十七日人大閉會那天，李克強召開記者招待會也大談「中國夢」，一方面是支持習近平，一方面也表示他有決心、有信心進行政治改革之類，但這種說法就有兩種不同的反應，我在《明報月刊》上看到兩起大陸的反應很有意思，第一起是杜導正老先生，他是辦《炎黃春秋》的，黨內批判中共很有力的人，但還是黨員，他聽了李克強答記者問，非常滿意，認為他從容不迫也沒有文稿，當面答覆一千多個記者，說的都是以改革開放為主體，人民為主體，說的話好像很有誠意，他很感動。他希望李克強能夠執行他所說的話，所以他打電話給他的老朋友，像李銳老先生、何方老先生，都是九十歲以上的人，聯合他們一塊寫信支持他。

但在《明報月刊》上另外有一篇文章，是近代史學家章立凡先生寫的，也是分析「中國夢」，他把「中國夢」的來龍去脈講得很清楚，基本上他認為「中國夢」最核心的東西，潛台詞就是個人跟著黨走才有希望，以愛國主義為核心的民族主義精神，跟著黨走，最後中國才有出路，中國有了出路，個人才有出路，這是章立凡先生的判斷。

我想他的判斷也有相當的道理，不過他對李克強的答記者問，評價就沒有杜導正老先生那麼高。第一，他認為李克強的肢體語言太弱勢，這種動作在他看來是掩蓋一種不自信；第二，他覺得絕大多數的問題，中央都安排給官方的媒體和所謂友好的媒體，不會提為難的問題的。而且基本上，他認為並沒有真正面對政治改革、反腐敗、戶籍制度、計畫生育、農民失地、強拆房屋，以及房價等等實際問題，都沒有真正接觸到，只是提到，表示理想。所以從這方面說，李克強的說法好像還是陷於一種空談。但是杜導正和章立凡兩位先生有一點是一樣的，就是認為真正要講為政，不在多言，不是說話，而是要實行，實行什麼呢？就是實行一九八二年他們自己訂的憲法，不管它好壞，有沒有缺點，照字面意義實行過來，就已經是一個很大的改進。可是在這點上講恐怕也做不到，所以他在這一方面是比較失望的，比較悲觀的。

另外我們要看看，習近平所談的反貪官，到底誠意到什麼程度？我們可以講他很有誠意，也可以假定李克強有意要改革，可是我想，他們受到的限制非常大。最近在《紐約時報》我就看到一篇報導，報導四個北京的居民，三男一女，舉著許多標語，支持習近平打貪官的運動，結果這四個人遭到毒打，被逮捕起來，拘留在警察局，到底什麼結果還不知道。他們支持的很簡單，標語是貪官、裸官不杜絕的話，中國夢只是白日夢。這是老百姓的聲音，如果不把這些貪官、裸官都抓起來、解決掉，就根本不可能談什麼改革的問題。他們關心的問題有很多，比如官員的財產到底怎麼樣？這在習近平三月十二日政治局內部談話中也提到，二十九年了，早就訂下一個規則，國家的官員要把自己的財產和經濟來源申報給國家，然後發表出來，讓人知道他有多少財產，這是很普通的、最起碼的東西，但是習近平也承認，二十九年來始終有阻力、有干擾，根本不可能實行。

現在老百姓提出的也是這個問題，還有更為尖銳的問題，比如說他們知道最近貪官成千上萬，發現自己有危險的時候，就拿著外國護照，提早把錢匯出中國，然後跑到外國去，享受他貪贓得來的大筆金錢。所以老百姓還向政府提出，要查所有的貪官是不是擁有外國護照，擁有外國護照就應該追究到底，所以從這種種可以看出來，老百姓對於習近平掃除貪汙是非常支持的。可是下面執行的人，對於習、李所提出的東西並不當回事。如果真正當回事，就不可能抓這四個居民，三男一女，而且把女的打得血流滿面。從這種種可以看出來，中國要想掃除黨內腐敗是非常困難的，而且看到劉雲山最近剛出籠的報告，他在報告中說，中共有八千三百萬黨員，百分之七十（就是五千多萬）是不合格的，還有許多是應該開除的。第一，黨員不合格，那應該就是他們犯了種種罪行，有種種違規之處，另外更壞的就是貪官，這些人你要想動也是動不了，所以到現在為止，這些不合格的黨員仍然在黨內。

換句話說，他要清洗這些人的話，就等於清洗整個共產黨，幾乎是做不到的事情。如果真正清洗成功了，那就是整個換了一個黨，完全面目一新了，等於是一場革命。所以包括劉雲山這樣一個非常保守權力的人，在這一點上都感到無奈，那麼你可以想像，共產黨如果想改革有多麼困難！

破碎的「中國夢」

二〇一三年六月十四日錄音
二〇一三年七月十七日刊登

這一期剛出刊的《時代》雜誌，講的是習近平的「中國夢」，具體的題目是〈中國怎麼看世界？〉。這個中國主要指的是習近平代表的共產黨，裡面首先提到共產黨一個很有名的黨校（國防大學）教授劉明福，他寫過一本書，叫做《中國夢》。《中國夢》的副題很長，「後美國時代的大國思維與戰略定位」，主要是講中國將來在世界上占什麼樣的位置，取美國而代之。他說的是後美國時代，就是美國時代已經過去了，換句話說，將來的世界就是中國的世界了。所以從這個夢裡面看，中國不但已經是世界經濟第二大國，很快就要取代美國第一大國的位置，同時軍事、武力將來也要在世界上占最大優勢。

《時代》週刊做了很詳細的調查，問了各種各樣的專家，所得到的結論確實非常不一樣，受訪者有的是新加坡的華人教授，有的是在美國教書的，像芝加哥講政治學的華人教授。他問的這些華人教授都是從中國出來的，但也不完全認同中共。他們研究的專題都是中國的現狀，從這些訪問中得到一個看法：共產黨雖然有這樣一個「中國夢」，又富又強，將來在全世界占主導地位，可是很多人根本就不認同，有些人懷疑中國是不是到了第二大強國這樣的位置。為什麼呢？因為這裡面有許多很明顯的事實：第一，中國的貪汙腐敗現象太普遍了，很多有錢人都把家人送到外國，都在國外留了後路，隨時準備走。他們本人在中國繼續工作，可是有護照在手，隨時可以離開。所以這種情況就表示他們並不認同中國，並不認為中國有一個夢可以把他們留下來，繼續讓他們在中國工作。另一方面尤其明顯，貪官每年逃出來的人數上萬，所以可怕之至，很多錢都流出國外，抓到的雖然不少，但到底是一小部分，像這樣的人如此之多，那麼中國夢是不是他們都認同的？那是很成問題的。貪官只是認同現在這個現狀，因為他可以在這個制度裡面撈錢，他可以在裡面為自己家人的千秋萬世做打算，撈夠然後出來，這樣一個打算，就不是認同習近平所說的夢，不認同劉明福講的那個夢，所以這個夢恐怕只在共產黨少數領導人圈子裡面流行。

總而言之，中國夢之所以不能統一起來，是因為共產黨現在處於一個特殊的地位，就是一個特殊的、有絕對權力的、無人能夠挑戰的統治階層。這個統治階層表面上說有七、八千萬人，可是事實上真正能在裡面掌權的，大概不會超過百分之十左右，這些人是真正掌權的，然後一層一層往下，都是借共產黨的權力作土皇帝、做惡霸，一切好處占盡。中國的貧富不均使得無數的人上訪，上訪以後就被關到勞改營，非常普遍。

窮人也不認同習近平的中國夢，我們可以拿一些小事情來做比例，比如《紐約時報》最近登了一篇報導叫〈中國的黃金夢〉。中共在非洲西部的迦納開礦，開礦也分兩個階層，富的階層就是共產黨在迦納買了很多的地、很多的房子，也建造了無數房子，而且大規模刻薄地利用本地的工人，引起工人強烈反抗。工人覺得他們的權利被共產黨剝奪，許多報紙把共產黨政府看成一個新的殖民地政府，跑到非洲來殖民，但因為共產黨錢多，他們需要中共做貿易夥伴，所以不敢輕易得罪它。能動的是一些貧窮無靠的小民，有許多廣西上林人都跑到迦納來，把迦納的環境破壞得一塌糊塗，引起當地居民的反感，這些窮苦無靠的訪民有的發了財，多數還在工作，或者剛剛開始，這時候迦納決心要動手了，派公安人員和軍隊把他們都抓起來，所以現在廣西來的可憐人到處躲藏，沒得吃、沒得喝、沒得睡，情況極其悲慘。中國大使館對他們也非常冷漠，雖然出面交涉，但都是表面的工作，這些人的中國夢、黃金夢就如此破碎了。

這還是其中一個，還有其他的各種各樣的夢。比如說勞改，最近又發生一件事情，遼寧馬三家有一個工人才四十七歲，他寫了一封手寫的英文信，英文也半通不通，中間還有中文字，他就希望萬一這封信被發現，希望告訴世界人權組織，我們在這裡受到極大的痛苦，一天工作十五小時以上，而且每個禮拜七天，一點休息時間也沒有，自己得不到任何待遇，做出來的東西都由共產黨賣到世界市場上，最後還要扣我們的錢，要我們給他錢早點釋放。在這個悲慘情況之下，他希望全世界知道。美國俄勒岡的一位女士凱斯，她為五歲女兒購買萬聖節的裝飾品，就買到這樣一個東西，在裡面發現了這樣一封信。這些現象也代表習近平的中國夢完全碰不到這些人身上。把這些勞教的人當作奴隸，奴工，給他們生產，給國家製造財富，這個財富的錢當然落到地方幹部，大多數貪汙的小官小吏身上。我想這些人不會覺得中國現在偉大起來了。

從這裡我們可以看出來，所謂「中國夢」是一個非常有欺騙性的說法。某些海外華人可能因為民族主義情緒而向它認同，但是我想，真正了解中共現實情況的人，不會對這件事情感覺到非常興奮。

習近平主導意識形態鬥爭

二〇一三年九月十二日錄音
二〇一三年十月四日刊登

我收到北京一位朋友寄來的一篇《北京日報》社論，題目是「不給普世價值留空間」。這個題目表達了習近平最近在全國宣傳思想工作會議講話中的一個主題，他特別強調這一點。表面上他是說要抓意識形態。意識形態工作現在是一個極其重要的工作，因為現在有很多人，主要指中國國內的知識分子、批評家完全放棄了共產黨的理論，追求的是所謂普世價值。

這篇文章中間特別提出三點，第一個是普世價值，第二個是憲政民主，第三個是新聞自由。他們認為應該特別針對這三個論調來做文章，說這三點是中國絕對要不得的東西。因為它把共產黨的黨史都曲解了，要走憲政民主的改革，要奪共產黨的權。

習近平剛剛上台時，第一件事情就是跑到深圳，向鄧小平紀念碑致敬。這就表示他是要走改革路線的，更開放、更改革，跟胡錦濤當初上台以後，就跑到西柏坡致敬毛澤東是相反的。從那以後，許多人寄望於習近平開始新一階段的改革。同時，李克強也表現出要改革的傾向，特別是說「市場不能由黨和國家的國營企業包辦，而必須向私人開放」。如果向私人開放這個市場，經濟上就可以有更大的寬鬆。同時在政治上也可以寬鬆一點，給人一種希望。

但這個希望事實上很快就開始破滅，這就是習近平馬上又轉向另外一個方面，就是對於憲政民主開始攻擊。他只講憲法，憲法是共產黨控制的，但是憲政可不行。一搞到憲政，如果憲政大於一黨專政的話，那一黨專政就沒有了。所以，現在習近平最怕的，就是大家用憲政民主這個名義，把共產黨的一黨專政制度給破壞了。

再者，北京另一個報紙《學習時報》，也有這樣的報導，有一個村裡橫幅大字，下面有一句話叫「西方普世派滾出中國」。所以，西方普世派滾出中國是共產黨宣傳很重要的一點，一直跑到鄉下去了。所謂普世派並不只是自由派，並不是自由主義者，而是包括一切要求改革的人。也包括共產黨黨內要求改革的人。我們知道，普世價值在毛澤東時代用的是一樣的，毛澤東用的是憲政民主、新聞自由、普世價值、人權來攻擊國民黨。所以我們要看《新華日報》，抗戰八年中間社論的言論，就是現在普世價值派的言論。但共產黨是利用這個言論來打倒國民黨，打倒國民黨以後，它基本上就認為自己已經代表普世價值，自己已經代表新聞自由、憲政民主了，所以普世價值還沒有公開被排斥。

到了鄧小平時代，違反了毛澤東的路線，不搞階級鬥爭了，走經濟發展了，再加上開放改革。在這個情況下，它對西方的憲政、憲法、民主、人權、自由都不能公開地反對，只能說在中國非常不合適，這就是說不符合中國國情，但並不能排斥這個普世價值。所以普世價值在鄧小平時代還是能夠存在的，我們記得很清楚的。

鄧小平的一句口號就是說：「我們對於人權是要軟的；對於保持國家主權是要硬的。」這就是他有名的「一手軟，一手硬」基本政策，在這個政策下我們可以看到，普世價值雖然不能在中國流行，雖然受到種種阻礙，可是沒有受到否定過。

真正否定普世價值，公開站出來毫不含糊地否定的，那就是現在。現在領導這個運動的領袖就是習近平。所以習近平在剛剛我們提到，關於普世價值的社論跟報導中間，就特別強調：我們現在要不信邪、不怕鬼，要敢抓、敢管、敢於亮劍。

西方或中國知識界、輿論界，都是根據普世價值來批評共產黨。所以，普世價值、憲政民主、新聞自由等等，一定要把它完全囚禁起來。不准他們在中國出現。怎麼樣不讓你存在？第一個方式是採取意識形態的鬥爭。在這個鬥爭之下，要讓大家相信，只有在共產黨領導之下中國才有前途，中國才有希望。所謂普世價值都是負面的東西。

西方普世派現在就是他們排斥的對象。對這個對象，他們採取兩種方式。第一個我們叫把它管起來，不只是言論自由要管起來，而且人也要管起來。不用經過法律就可以抓起來，讓你沒有自由，沒有說話的權利。第二個方式就是依照共產黨的法律對他們加以懲罰，就是要處以監禁。所以在這個社論中間，我們可以看到十分確切的一個消息，就是共產黨在習近平領導之下，現在已經決定要走反普世價值這條路了。

有一點應該特別值得我們注意的，就是他說網際網路現在已經成為意識形態鬥爭的主要戰場，可見他最怕的就是現在的網路沒辦法完全控制。沒辦法完全控制之下，就總有各種諷刺的，或者直接批評的，或者是跟它辯論的言論在網上出現，第一次出現你可以禁止它，可是你不能控制它第二次出現。它不斷地出現，不斷地反對，現在他已經不堪其擾。

值得注意的還有這篇社論中間一個有趣的觀點，那就是他一再強調的「鬥爭」兩個字。他講意識形態領域的鬥爭，從來不敢跟階級聯繫起來，所以絕對不敢說階級鬥爭。因為共產黨現在就是一個統治階級，又是大資產階級，也可以說是地主階級，所有的資產都在他們手上，所以他絕不敢提階級鬥爭這四個字。但他可以用「鬥爭」兩字代替馬克思主義。所以這個馬克思主義就變得非牛非馬，不知道是什麼東西了。

所以我們看到這個社論，一方面覺得它殺氣騰騰，一方面又覺得它非常可笑。在這種情況下，能夠公開提出不給普世價值留空間，這是中國共產黨從前沒有走出的一步。這一步走出以後，他們就可以無所不為了。我覺得今天網際網路不能從根本上消滅，共產黨想依然保持極權體制，那還是做不到的。

習近平的所謂改革　走的是毛澤東的老路

二〇一四年一月二日錄音
二〇一四年一月七日刊登

二〇一三年的最後一天，聽到日本ＮＨＫ廣播電台有習近平一段講話，他的意思就是說，他決心要在中國實行全面的改革，但希望世界各國幫他的忙實現改革，不要拖他的後腿，這個改革就是他所要追求的一個「中國夢」。所以我今天講的是對中國夢的某些觀察。

我們必須先從事實說起。從事實上看，習近平上台一年多以來，已經做出了許多改革承諾，比如說一胎化要放鬆了，這一點在某種程度上好像也做到了；第二個大家都關心的，但還在觀察階段的，就是要是讓市場多一點自由，市場可以不被國營企業全部控制。因為現在中國沒有真正的市場，這個是李克強特別強調的，希望改革的，習近平也表示支持。所以這就是他們的一個大問題。但這個問題不簡單，因為牽涉到一百多家國營企業，這些國營企業都在高幹家庭手上，讓他們可以為所欲為。只有一個高幹垮了以後，你才會覺得這個國營企業的危機才出現。

比如說現在周永康垮掉了，他負責的石油方面的國營企業獨霸就成問題了。許多人員都被解職了，也被關起來審查了。可見國營企業的治理之大，不容易撼動。所以如果真的放鬆。讓私營企業可以自由發展，可以跟國營企業一樣，享受銀行的低息貸款，還有其他種種交通方面的便利，那就剝奪了主要享受國營企業利益的人，也就是黨內控制的人做董事長，或者他的親戚做董事長之類的，這個改革是大家所關心的，西方也在關心。到底改革能不能實現？到目前為止，我看到的報導好像是在未定之天，困難重重。雖然習近平有這個意圖，另外李克強也好像積極推動，似乎沒有動下去。

第三個就是勞教，勞教是一個最壞的制度。地方幹部可以隨時把人抓起來關個兩年到三年，說是勞動教育，說他出了毛病，不經過任何法律手段。這是一種全民痛恨的制度，因這個制度受害的人不計其數，特別是宗教方面，法輪功的人士就是完全在這個口號之下，在勞教場所被迫害的不知道有多少？所以這個制度是一個極壞的制度，現在取消了。實際情況到底怎麼樣，我們現在不知道。但從這裡也可以看出來，習近平有一種意向，要人家覺得他是在進行改革。這是改革的一個方面。

再一個方面，就是共產黨現在對言論自由的尺度問題。前陣子有一個國際記者簽證到期了，要重新簽證了，共產黨本來在二〇〇八年奧運會以前，一直希望多一點媒體進去報導中國的情況，讓他們有充分的自由，但這個話還沒有完，幾年之內一切情況就改變了。《紐約時報》還有彭博社，這兩個大報因為講了許多他們最高領袖家庭貪汙和發橫財的情況，比如溫家寶甚至習近平家都被報導，共產黨就非常惱火，但它又表示是對世界公開溝通的。這個事情在習近平上台以後也表示這種態度，可是另外一方面，對幾個它認為不友好媒體的記者特別刁難。年底為了記者簽證，又有種種為難，習近平表示不一定能夠簽證，但是後來美國國務卿凱瑞（John Kerry）說了很重的話，所以最後還是給了簽證，可見對媒體的控制，並不是他說的要自由活潑，而是愈來愈緊。不但媒體、報紙、電視非常緊，像網路也更加緊。所以我們在這個情況下看到，至少在這個方面，改革不但沒有放開，反而變得更壞。我們對改革到底有多少信心，那就是很大的問題了。

目前我們看來，習近平的改革還是只給我們一個空洞的希望。同時，他只能做到一些表面文章，對外面表示他是組織新的局面，可是人人都看得出來，這走的是毛澤東的老路線，所以事實上是一個很壞的徵兆，對於他的改革不但沒有正面的作用，還會有反面的作用。

談中共總書記習近平的執政路線

二〇一四年一月八日錄音
二〇一四年二月五日刊登

現在有許多人說他（習近平）走毛澤東的路，德國還有一家雜誌甚至說中國又在搞文化大革命了。這當然是誇張，是不可能的，但是習近平舉棋不定，有各種表示是值得大家注意的。他可能在不同場合說不同的話，但基本上他好像要學習毛澤東如何控制黨。

最近《紐約時報》有一個很長篇的報導。講毛澤東的批評與自我批評在中國又開始流行起來。這是很值得注意的現象。所以我現在先講習近平舉棋不定的方面。為什麼說舉棋不定呢？因為現在他表示要出來進行改革，要把中國帶到一個全新的境界。所以很多人都希望自己能夠被他看中。這裡面至少有三派。第一派當然是新左派，那就是希望他走文化大革命的路，重新把毛澤東的旗幟打出來，然後對貧富不均等種種，好像要進行嚴厲的管制；第二就是老左派，也是走毛澤東的路，但基本上不是那麼激烈，不像新左派那麼激烈，而是近乎新權威主義的一種說法，在毛澤東的旗幟下，將權威高度集中在習近平個人身上，然後進行某些必要的改革；第三派還有儒家一派，包括一些所謂新儒家，這裡面很複雜，我們不必詳細地講，他們也想趁機而動。因為在去年十一月，習近平又到曲阜跑了一趟，在曲阜待了幾天。曲阜孔廟裡面的人送了習近平兩本書，一本是《孔子家語》，我們知道這是一本偽書，不是真正孔子對家裡面的人說的話，是後來漢代的人編造的，另外一本就是關於《論語》的註釋，大概是一本舊的註釋，新出版的。習近平拿到兩本儒家的書，就大談「德」的問題。第一個他就認為，沒有「德」的話國就不能立，人也不能立。所以這是給儒家一個很大的誘惑，他們可以出來有所作為了。所以至少這三派都在爭寵。

但是現在整個看起來，習近平至少表面上要立毛澤東為正統，因為離開毛澤東，他的政權就沒有合法性了，所以這就是他提倡自我批評的問題。不但提倡自我批評，他還在政治局裡面提出一個新的口號，這個新的口號就是「要堅持以馬克思主義哲學教育和武裝全黨」。這是一個新的提法。這是在什麼場合的提法呢？就是從曲阜回到北京以後，他講了儒家之德以後，馬上又轉向講馬克思哲學。現在有個新名詞，因為他提倡而出現，就叫「馬哲」，一個不倫不類的名詞。從前講歷史唯物論、馬克思主義唯物論、唯物史觀啦這一套，現在改成「馬哲」了。這個「馬哲」是在什麼時候提出的呢？是在共產黨第十一次政治學習會上提出來的。學習會是在鄧小平以後出現，一個比較新的東西。就是在一九九三年江澤民當總書記的時候，提出政治局需要進行學習會，當然是學習馬克思主義之類的。這個事情沒有怎麼特別注重，所以幾十年來就馬馬虎虎地過去了。但這一次提出新的東西來了，要求用馬克斯主義哲學教育武裝全黨。而且認為領導幹部要把「馬哲」作為看家本領。這樣一來，「馬哲」這兩個字就在全國流行起來。這就是他好像要回到馬克思主義。

但事實上很諷刺的是，在同一個時期，日本的共產黨就已經決定，把中國共產黨這樣一個貪汙的團體，認定為跟馬克思完全沒有關係的團體，說他們根本不是馬克思主義者，要把他們開除出去。也不許他們叫「共產黨」，認為他們根本不是共產黨。所以這是一個很尖銳的諷刺。但另一方面，他卻把毛澤東的自我批評發動起來。自我批評過去並沒有完全消失，但每年都難得進行幾次，而且沒有什麼作用。但在去年的九月，他主持了一個自我批評會，是在河北舉行的，其中包括河北一些高級幹部。大家都批評自己，有些人就公開出來說我怎樣浪費了，我怎樣用了公家的汽車，我給公家花很多錢買汽車是不應該的，這樣的一種自我批評。其他人也跟著上來說自己怎樣濫用錢。從這以後，因為這個會議得到中央電台的廣播，所以就影響全國。去年九月以後，自我批評的會議在全國都流行起來，可是進一步討論可以發現，這些批評都是沒有用的。《紐約時報》也說中國已經恢復了毛時代的自我批評，但這種批評好像沒有人受到傷害，因為批評基本上是這樣運作，任何一個機關的領導者，由他領銜，別人就跟著他講，講完了以後也沒什麼後果，所以這種批評最後變成一種形式主義。

但共產黨的加緊控制卻是不肯放鬆的。最要緊的事情就是《新華字典》去年二月出了新版本，《新華字典》已經賣了好幾億本了，一向很流行，是人人都要用的。新字典的一大特色，就是把「自由」兩個字去掉了，從此你不知道中國有「自由」兩個字。這在網上引起極大的憤怒，引起許多的批評，所以這一點你可以看出來，共產黨消滅自由、民主這些普世價值，到了怎樣的一個高度，這是值得注意的一個現象。

中國政治氣氛極端激烈化

二〇一五年一月二十六日刊登

左派最極端的毛派，現在在中國大紅大紫了，為什麼呢？這是因為習近平的主張。習近平提倡的是一種毛澤東式的共產主義。習近平在二〇一二年年底剛剛上台的時候，大家對他報以期望，以為他既然打掉了薄熙來的左派，他一定要向改革的方向走，這是許多人在共產黨換領袖的時候都有的幻想，可是習近平的言論從開始就相當地左。就是強調一黨專政，反對西方的一切觀念，包括普世價值等等。但當時的人都有一種給他開脫的想法，就認為他是在左派勢力很大的情況之下，不得已先表示一點左，但實際上將來要回到改革開放的這條路線上去。

現在這個想法是完全破產了，最近有幾個人被抓進去了，其中第一個叫做王從聖，這是北京的一個法學教授，他因為批評過黨，現在被逮捕，而且不許教課了，這是一個案子；第二個案子叫做王垚烽，他是媒體專欄作者，因為支持香港民主運動最近也被解職，而且失業了，他從前是一個正統馬克思主義派的人，現在他被黨解職，換句話說他就沒飯吃了；第三個例子叫喬木，這個名字跟以前的胡喬木一樣，不過是完全不同的兩個人，是一個新的人叫喬木，才四十四歲左右，他本來是北京外國語大學國際傳播研究中心的一個新聞學教授，但是他因為提倡多黨選舉和言論自由，因此就被黨看成是眼中釘，最近不但把他降級了，而且還把他調到圖書館工作了，他不能教書了，只能到圖書館裡做一些英文書的摘要，做一個很小的文員工作，很基礎的工作，他的薪水不但降級了，而且被減少了三分之一，所以他的生活現在都相當的困難。

所以從這幾個例子可以看出來，習近平真正的政治面目，已經全部顯露出來了，沒有什麼可以懷疑的了。他強調的是高等教育一定要注意思想意識形態的控制。這是表面的話，內部講話好多次，而且非常兇狠的，他要掃除一切跟馬列主義思想不合的一切西方或非西方觀念，還有中國人提出跟黨不合的觀念，都要把它排除在外。而且任何和黨唱不同調子的人，都要把他徹底消滅。很奇怪而且很粗俗的一句話，就是說不能允許「一方面吃黨的飯，另一方面要砸黨的飯鍋」。所以黨是不能碰的。黨是餵飽你的飯鍋，你現在吃的是黨的飯。

最重要的是，習近平最近有一個內部傳達的文件，叫做三十號文件。這個三十號文件是一個非常凶的文件，根據這個文件，任何與西方觀念相關的，比如說公民社會呀，分權制度呀，選舉呀，言論自由呀種種，都是要嚴格禁止的，這是最近剛剛傳出來的。而且傳得很廣泛，網上現在看到很多，但是文件本身沒有發表，所以現在所知道的，就是由高級幹部一級一級向下以說話的方式傳下來的，不見於文件。所以他可以隨時否認、也可以修改，無論如何，三十號文件現在是個很重大的事件，大家已經把這個三十號文件，跟他在二〇一三年四月，他上台六個月左右發表的另外一個九號文件相提並論，九號文件是公開發表的，也是反對任何西方價值、任何與黨不合的價值的，但說的還比較溫和一點。

所以中國政治氣氛極端左傾、激烈化了。這個激烈化就是要共產黨一黨專政，而且要專政得非常徹底、非常有效，不像從前江澤民時代或胡錦濤時代，只說不做，事實上是比較鬆的。現在要加緊真正地控制。所以我們看到最近有一批比較有開放思想的，或者有自由思想的大學校長一個個被解職。習近平今天不但把從前打倒的薄熙來手下左派都接收過來，還給他們更大的機會，讓他們發揮作用。所以現在這些左派集中力量，對於一切自由派的人，只要你有不同的意見，跟黨有某種對抗，他都要把你打倒，而且非常兇狠。

我想現在共產黨，尤其習近平，處在一個極端矛盾的狀態之下，一方面它靠經濟、靠錢在世界上混，而錢的來源必須要放鬆，經濟上必須要放鬆。經濟上放鬆必須要連帶到政治上也不能不放鬆。如果思想觀念等等一切都不放鬆的話，它這個市場本身就會出很大的問題，那麼中國的優勢就沒有了。如果他一意地走毛澤東的路，到最後他只有自己毀滅，而且社會上是不接受的。所以現在許多人說中國的知識人都有幾種語言，一種是官方的，是應付的方式，一種是私下說話的，還是照舊，這並沒有改變。另外一種就是在學術上要小心，要應付上面，不要讓它抓錯。另一方面也不可能完全屈服，也不敢完全擁護什麼馬列主義這一套，所以這是共產黨左派興起的根本原因。習近平想做毛澤東第二，現在這個情況已經非常明顯了。

二〇一五年的一月七日又有一個報導，說的是關於郭玉閃被抓，郭玉閃是一個異議分子，他辦了一個研究機構，過去幫過陳光誠的忙。陳光誠能跑出來跟他的幫忙有很大的關係，是他把陳光誠送到美國領事館去的，所以他早就是共產黨的眼中釘。最近又找了一個理由，說他的機構是非法營業，在這個非法營業的情況下就把他逮捕了，現在還沒有判刑。據他的夫人潘海霞說，他們抓他的時候事前根本什麼都不告訴，隨便就抓進去。最近才知道，還是非常機密的。所以對他的實際情況也不了解。而他的律師本身也不能活動，因為他的律師也被抓。所以在這種情況之下，我們可以看到，共產黨現在不但在思想控制上一天天加緊，而且在實際上抓人、消滅異議分子方面更是變本加厲，所以這是值得重視的一個發展。

習近平要做毛澤東第二

二〇一五年二月二十四日刊登

習近平要做毛澤東第二，走向個人專政。我們都知道從鄧小平死後，共產黨接班的方式，大概是每個人做十年左右，只有江澤民多一點點，是特殊情況。大概到了七十歲以上就要退休了。所以選擇的人大概都是六十歲左右。做個十年到七十歲退休。因為中共的領導層在年齡上，自從鄧小平以後也有個限制，就是七十歲要退休。六十九歲還可以勉強，但七十歲必須要退休。

從江澤民時代十一、二年，到胡錦濤的十年基本上都是照這條路線。照這條路線，除了江澤民因為特殊的原因，權力比較大一點以外，胡錦濤基本上個人沒有表現出有多大的權力。基本上是集體領導（collective leadership），集體領導就是整個的政治局常委。胡錦濤時代是九個人，當時稱為「九皇」，還有人稱為九個總統制。這表示什麼呢？這表示基本上沒有一個人能專制。就是江澤民時代也是表現得自己更能控制一點。並沒有表現出他的話算數，別人的就不算數。

習近平接手以後，最初大家以為他也是照原來的集體制度領導共產黨，可是現在兩年多了，我們所看到的情況完全是另外一副樣子，就是習近平明顯地要重新奪回個人專制的權力。我們知道毛澤東時代定下的權力，就是一切決定最後要黨主席作主。所以這個權力自從差不多一九三〇年代末、一九四〇年代初在延安就建立了。建立以後毛澤東的權力就一步步增加，最後到完全個人作主的時候。所以整個文革就是他要消滅其他黨內的勢力，比如說劉少奇、鄧小平。所以這些人的勢力都要消滅，他的方式就是要靠他有最後的規定，就是黨的一切最後決定由黨主席作主。但是在鄧小平以後，雖然事實上黨的總書記權力比較大、地位比較高，可是並沒有明顯的說，一切都是他做最後決定。因此胡錦濤時代還是比較保守一點，不敢做得太過火，好像就權力不大，因此也談不上有什麼成績。只是有些權力被部下奪取和發展去了，像周永康，就造成對許多異議分子、法輪功的種種迫害，這種迫害當然現在帳都算在周永康身上，基本上我們可以說是集體領導的一種結果。如果做總書記全部一手抓住，最後的權力就會被有辦法的九皇之一奪取和發展。

習近平最初沒有表示任何態度，可是這兩年下來，可以看出他是在一步步地加緊權力。首先我們要知道，他現在要大權在握的話，必須把所有權力抓在自己手上。因此差不多建立了十幾個各種中央領導的團體。這個團體的主席或者主要人物都是他，換句話說，他的權力掌控到了各個方面。另一方面就是他要打擊原來權力太大的跟他敵對的人，這就發生了與薄熙來、周永康等等一連串的政治衝突。這個衝突他現在用的口號是「反腐」，這就是習近平這個團體很聰明的地方，他知道中國老百姓對於腐敗的官僚、腐敗的黨領導普遍憤恨，所以抓住這個就是抓住民心。從這一點講，不但習近平這樣做，從前薄熙來在四川也是以打黑為名，甚至把公安局長都槍斃了，也得到了許多人的讚揚。現在習近平可以說從薄熙來那裡偷到這一招，廣泛地運用起來，所以現在有黨紀委員會專門做打擊工作。王岐山就是他得力的助手，在王岐山的努力下，老虎跟蒼蠅都要打倒。最著名的當然比如周永康，甚至於薄熙來也說是貪汙，實際上薄熙來貪汙的錢非常有限，完全談不上，像現在的令計畫、軍隊方面的徐才厚，都一一在反腐口號下倒台了，或者雙規了，或者是要審判了。總而言之，這是一個引起許多老百姓對他喝采的地方。可是現在長期看來，從內部的觀察（主要是知識界的人）可以說是一致認為，反腐是有選擇性的，並不是反對所有腐敗，而是反對政敵。在這一點上大家都達成共識，而所有的報導也都是如此。

習近平顯然以紅二代的領袖自居。紅二代是一個很鬆的組織，並沒有領袖。但現在很顯然，紅二代的勢力都集中在習近平的手上。習近平也可以說是紅二代的一個典型代表，薄熙來也是紅二代，不過在政治上因為兩個人要發生直接衝突，所以非去掉他不可。不是所有的紅二代，絕大多數的紅二代是擁護習近平的。最近有一千多個紅二代發表聲明，表示要支持習近平長期做領袖，而不是十年了，要改變原來的制度，這一點是很值得注意的。最近教育部長袁貴仁說要掃除一切西方的觀念，但以教育部長身分在黨的機關報上發表文章，引起很大的反響。他所提出必須掃除的西方觀念、西方價值，包括法治、包括人權觀念、包括公民社會觀念，這些都要掃除，而他要建立的就是一黨專制。一黨專制的思想下，除了馬克思主義和黨的教育，還要研究習近平的思想，等於是從前要講毛澤東思想一樣了。所以從這一點可以看出來，這位教育部長實際上是秉承了習近平的意志，要在思想戰線上建立個人專制、個人領導的精神社會理論基礎，這是很明顯的。習近平的基本想法，就是以紅二代為他的基本勢力，讓這些人永遠世襲祖父、父親傳下來的權力。

統治中國就是共產黨的一黨專政，這個一黨專政就是一代代相傳的專政，當然不會是純粹是紅二代的專政，但基本上最重要的領袖地位，都把握在紅二代手上。所以在這個情況下，習近平就可以安然地做毛澤東第二了。這是共產黨一個最新的趨向，我們一切的觀察必須從這裡著手。

走向獨裁的習近平

二〇一五年三月十八日刊登

中共的新走向就是要習近平做獨裁者，實行他的一黨專政，因為一黨專政最後必須要有個強人在上面支配一切。像毛澤東時代，或者鄧小平已經打了折扣，但還是真正的強人，因為他是靠革命起家的，這樣才能維持有效的極權統治。

習近平並沒有這樣的條件，他只是紅色後代的一人。習近平上台兩年後，就發生了一個很重大的變化。他現在是靠打老虎起家，就是打貪汙的人。這些貪汙的人從擁有最高權力的周永康，到徐才厚等各種軍方人物，最近也有十幾個將軍被他打下來。他靠這個東西，外面有王岐山幫他的忙，所以他的聲勢很大，得到老百姓的好感。老百姓並不知道，他打的貪汙並不是貪汙本身，而是反對他的人。反對他的人要用貪汙的方法才能打下去。但是一般人並沒有這樣的分析能力，所以總覺得他很偉大。他可以不怕天、不怕地，用他們的話說，敢打老虎。所以他得到某些一般群眾或者老百姓的支持，獲得佩服甚至於敬仰。因為有這個基礎，所以中共的宣傳機器在這近一年多來，全力以赴地在製造一種個人崇拜。

這種個人崇拜我們只在毛澤東時代才看見過。鄧小平是可以有個人崇拜，可是他反對，他在這一點上還是值得稱讚的，他不要做強人到底，而且安排自己早一點退休。雖然沒有完全裸退，還是掌握軍權，可是他最後死的時候，基本上不算是中國的最高領袖了，不過他的威望在那裡。

但是習近平不同。習近平跟其他靠父親起家的第二代沒有什麼不同，他並沒有對革命的特殊貢獻，也沒有打過任何天下，也不是才智或某些方面超過別人，只是因為他接手了這個位置。我想他是忽然主動地覺得，非建立起一個一人專制的局面與新的制度，不能維持一黨專政的統治。他遇到的好像是這樣的危機。所以我想他是同意，甚至於指示宣傳機器要做這種大規模個人崇拜的準備。

這些個人崇拜準備的幾點，可以看出習近平是如何想利用毛澤東當時靠個人崇拜在中國掌大權的局面。第一個比如說一年前，北京有一個賣包子的快餐店，叫慶豐包子店，習近平忽然之間去了，在那裡吃了幾個包子，然後就大肆宣傳，包子店現在就被共產黨的宣傳機器加以渲染，就變成了一個不得了的地方。你要玩北京，除了看長城、紫禁城或者天安門廣場以外，這個地方不能不來。這個包子店你要不來的話你一定會後悔。就是這樣的宣傳。習近平偉大，就是跟常人一樣，跟老百姓接近，這一點是做宣傳的重點。這當然也是仿照毛澤東的，毛澤東早年征服了大陸以後，也在發展他的個人崇拜。他在天津找一個館子吃飯，然後把吃飯的事情洩露出來，結果無數人到那個館子前面，人山人海要看毛主席。這是他製造個人崇拜的一種方式。後來毛澤東在武昌的黃鶴樓也同樣表演一次，他要上黃鶴樓，讓千千萬萬老百姓知道以後，就人山人海地去看他，這樣他就威風凜凜，變成全國一個神明般的人物。所以這就是習近平的主意。

另外，我們知道毛的照片是無所不在的，現在習近平也走這條路，不但是帶著微笑的照片在各種商店、辦公室，甚至於崇拜他的人家裡面掛著，而且還做一些紀念章，上面也印著他微笑的照片。一方面是他，一方面是毛，兩個人並駕齊驅，只有這兩個人的照片可以風行天下，這是另外一個表現。他們強調的就是不怕天、不怕地，打一切老虎，而且跟農民是好朋友，又是個好丈夫，又是個好家長等等。總而言之是一個非常完美的、接近神的一種人物。因此產生了許多歌頌他的歌，在我們看來是非常肉麻的，可是這些歌詞在中國已經遍傳人口。

最要緊的就是把他所謂的中國夢加以普遍化，就是人人都做他同樣的夢。習近平是絕對要跟著毛澤東走，鮑彤也有個說法，他說這個可以造成黨內的不合，因為他到底不是毛澤東，他沒有辦法說他超過所有黨內的人，這樣黨內是不是還支持他？原來支持他的是不是要另外想辦法？這都是不可知的事情，所以從這種種看來，我們覺得他的真面貌出現以後，中國的問題非常大，但是他想做毛澤東，自然很熱切，恐怕這個夢也不容易實現。

習近平統治系統下的觀察

二〇一五年四月二十日刊登

我今天要評論一篇很重要的文章，這篇文章的作者叫歐逸文（Evan Osnos）。歐逸文是很有名的記者，最近他寫了一本很重要的書，書名叫做《野心時代》（*Age of Ambition*），剛剛在二〇一四年寫成，也是講中國的。

歐逸文的觀察值得注意。他的文章的題目翻譯中國共產黨的老話，就叫「自來紅」（Born Red），共產黨有一批人覺得自己是紅二代、紅三代。這篇文章是全面檢討習近平的生平。

最早提出的一個問題是很有趣的：習近平在中國還沒當上總書記以前，不過是個並不出色的地方官員，為什麼在兩年多時間之內，他就突然之間變成了中國自毛以來最重要的一個領袖，這是什麼原因？

他這裡面的討論，不是他個人的偏見，也不是他個人的主觀看法。他訪問了極多各方面的重要人物和有關學者對習近平的認識，比如說上任美國駐華大使駱家輝；另外還有澳大利亞最有名的前總理，會說中國話，漢語說得非常好，我們叫他陸克文，這些都是他訪問的對象，還有美國國務院的重要人物。另外還有一些中國的重要記者、學者，例如歷史學家章立凡；法律專家、北大教授賀衛方；再加上作家，例如余華。這些都在他的訪問範圍之內，而且都引用了他們的話。所以把所有這些訪問，跟他其他的採訪材料加起來，就很可觀了。

同時，他也引用了習近平在訪問時說過的許多話，這許多話我們一般都是看不到的。在這個情況之下，我們覺得歐逸文這篇〈自來紅〉非常值得重視，對我們一般人了解整個中國的形勢，可以是大有幫助的。

習近平在做總書記以前，最早幾乎沒人怎麼注意他，而且當時有兩個接班人，一個是李克強，就是現在的總理；第二個是習近平。習近平當時在一般人看來，還不及李克強條件好，最後他上台的原因是什麼？不過習近平的父親在他崛起的過程中起了很大的作用，他能夠執政，跟他父親習仲勛關係極大。

一九七九年習近平剛出來不久，他就跟耿飆工作了，耿飆當時是負責軍事方面的。耿飆是習仲勛最好的朋友，因為耿飆的關係，習近平就跟軍方發生了聯繫。這是他後來做總書記以後，能在軍方發展的一條很重要的線索。此外，習仲勛在早期改革的時候是大家所稱讚的。所以，習近平至少早期給人一個錯誤的印象，就是他會走上父親的開放改革，向西方吸收某些經驗的作風，會是他父親的繼承人。

在很長一段時期之內，他雖然用強力的手段，好像要回到毛澤東時代，講的都是極左的話，所謂左派的話就是要回到毛澤東時代，要黨專政這一點，他對一黨專政的這個觀念加強得非常厲害。一般人都認為，這是他奪權中間不得不做的事情，等到他奪權以後就會開始改革，因為他父親的影響在那裡。

可是現在大家已經看清楚了，習近平根本不是走改革開放的路，他確實要繼承毛澤東，而且要做毛澤東以後最有權勢的人。這是從前鄧小平都沒有完全做到的。後來在江澤民跟胡錦濤時代，可以說都是集體領導的。在這個情況下，做領袖的人並不突出，特別是在胡錦濤時代，可以說是默默無聞的。胡錦濤在今天看來，好像幾乎沒起過什麼作用，也沒有發生過什麼影響，所以才有周永康這樣大的勢力興起。周永康大概就是抵制習近平最厲害的一個人。他跟薄熙來搞得有聲有色，很想取習近平而代之。其中支持的人勢力最大的就是周永康。

所以習近平上台以後，他的眼睛就對準了這兩個人，要把這些勢力去掉以後他才能出頭。他最初的時候好像不顯什麼形色，這也許是他厲害的一點，是別人對他沒有估計到的地方。他有他深沉的一面，他首先把九個人的集體領導制度改為七個人，在七個人中間，他要做唯一最高的領袖。所以他在集體領導制之下，設了許多重要的委員會，他做了至少了十一個委員會主席，包括外交、台灣問題、經濟問題、國防以及國內安全，所有人都要向他報告。在一步一步走的時候，他已經先把總理的地位給壓下去了，所以現在中國只有一個領導人，那就是習近平。而且習近平在軍事方面又抓得很緊，所以把周永康在軍隊方面的重要人物，一個個都搞光了，包括像徐才厚這類人。

習近平跟西方一些人交往，包括剛才講到的澳洲總理陸克文、美國國務院的一些高級官員，還有駱家輝和國內的觀察家，他們跟歐逸文談話的時候，都表示一個明顯的共同觀察點，就是習近平在這兩年半之內，用一切方式來做到一人專制的程度。而且習近平清楚表示，他對於西方的民主和人權是絕對排斥、絕對反對的。所以他不可能在抓到權力以後回到改革開放這條路，這一點現在大家已經承認了。在這個基礎上，我們要了解習近平，就要看他的一些重要作為。

歐逸文分析，習近平並不採取什麼唯物史觀看待政權問題，而是把打天下的意識加強了。共產黨認為天下是它打來的，打來天下的就是第一代的革命者，最可靠的就是他們的子孫、曾孫一路傳下去，這就變成中國是中國共產黨的，而不是老百姓的。所以人民、民主這些東西，過去在毛澤東時代還用來做口號，今天在習近平時代，連口號都不再用了。從這裡可以看出來，他能抓住人心的來源所在，同時他堅決地執行一黨專政、個人專制，不允許有任何反對的意見出現。

中國的貪汙與習近平的打虎

二〇一五年九月三日刊登

貪汙問題是大家都注目的，習近平上台以後，他最出色的表現好像就是反貪汙，大老虎跟小蒼蠅一塊打。開始的時候很得到一般人的擁護和支持，覺得這是很好的事情。我記得，實際上共產黨之所以得志，也是靠打國民黨貪汙這個口號而起來的，其實國民黨那時候的貪汙，跟現在比起來，那簡直是小兒科了，不必談了。不過無論如何，貪汙是中國人一提到就非常憤怒的事情，總是想到一些壞人把公家的錢、別人的錢，用非法手段搞到自己手上，也不顧別人死活，所以一打貪汙，人人高興。我相信他打貪汙也有他真誠的一面，所以這就是我對習近平跟王岐山打貪汙的背景一個初步的認識。他們兩個用打貪汙這個名義，想把共產黨的權威再重新樹立起來，因為共產黨的權威由於貪汙、由於腐敗、由於各種各樣的鎮壓人權人士等等，已經弄得天怒人怨，在這個情況之下，打貪汙不失為重振黨權威的一種方式，但是打貪汙背後顯然有個政治背景。

最初，我相信習近平所怕的還不是貪汙，而是他的政敵想要推翻他。我想對習近平來講，他的執政相當受到威脅，他也是想有點作為的人，因此他就想怎麼突破這個情況，制服這些敵人。如果想制服敵人，他不得不拿出一些手段來，所以從他一上台就做兩件事情，一個就是想辦法以打虎為名，把他的政敵打下去，薄熙來就是其中之一。薄熙來的罪名其實應該是政治罪名，把他打成貪汙，而錢只有幾十萬幾百萬，可笑的很。因為共產黨的貪汙現在都是以億為最起碼單位，幾十億是不稀奇的。所以從貪汙的錢來說，薄熙來都搆不上終身監禁的，總而言之，就是腐敗遍布在共產黨內部，所以我們看到，他現在想要整治的人非常多。

另一方面，習近平對其他貪汙的人，就看他自己能不能自清門戶，可以不給他們定罪，有沒有這個可能不知道。這裡有兩個案子很明顯，一個是賀國強，原來的政治局常委，也是中紀委的書記；第二個是王兆國，當時是政治局委員，後來是人大常委會副委員長，都是很重要的人物。他們被元老們一塊兒說服，要他們把財產交代出來，交還給國家，這樣可以叫做自清門戶，可以減少罪責，到底減少到什麼程度就不知道。今年三月中，賀王兩家交的財產大概有一個報導，雖然不是正式的、公開的，但比較可信，就是他們住的房子在各地有十幾套，每套都很高價錢，加起來是一億二千數百萬元，同時又有商用的樓，又是一億七千多萬元，這是賀家的。還有證券、股票七億五千萬，國債是二千二百五十萬。像這樣的數字已經非常驚人，王兆國也差不多，他也有兩套物業，每套都是一億七、八千萬元，這都是房子，分別在十幾個城市，交還給國家。另外還有證券、股票，王兆國的股票有五億一千多萬元，另外還有這些金銀帳戶有四十幾個，金額是二億一千三百多萬元，其他的細節我們就不報導了。

憑這兩件事情來看，他們已經寫了報告，希望得到寬恕，我想習近平、王岐山他們對其他貪汙的人會給一個下台的機會，因為不可能每個人都去判死刑。所以就讓這些已經貪汙的人做個交代，讓他們下台。因為這個貪汙是搞不定的，共產黨只要有權在手，就必然會有貪汙的事情發生。我想從這件事情可以看出來，共產黨對於貪汙本身自己也很清楚。如果這些黨員擁有極端的權勢，沒有人能夠控制、沒有人能夠批評的狀態下，貪汙的事情是隨時可以發生的。所以我們不要被反貪汙這個名義所迷惑。嚴格講起來，將來只有整個極權制度崩潰後，貪汙問題才會有比較好的辦法，那種情況下才勉強可以維持，但真正嚴格的是一種民主自由的制度，才能夠把貪汙降到最低限度。

習近平想做「毛澤東第二」將一敗塗地

二〇一六年三月二十二日刊登

最近有許多跡象表示，習近平想做毛澤東第二，但這裡面有許多跡象可以看出，他怎樣從各方面去努力，把大權抓在自己一個人手上。首先，當然他也要建立一個形象，跟毛澤東一樣。毛澤東當時在老百姓中間是有極高威信的，他每到一個地方，老百姓在宣傳之下，都把他當神一樣。所以他也想走這條路。

最近一個報導，他到江西井岡山附近的一個小村子訪問。這個村子本來已經沒有多少人了，好些人都走了，不過因為他要來訪問，所以找了許多附近的人來跟他談話，當然都是聽他說些什麼，然後恭維他，覺得他是在愛老百姓。這就是學毛澤東在鄉下，在老百姓中建立一種威信、一種形象，可以讓老百姓崇拜他，否則他沒有理由在井岡山附近找個小村子，特別做這樣的表演。

第二個跡象就是，他在最近訪問一連串媒體機構，包括《人民日報》等報社，要講一件事：媒體包括電視報紙在內，只有一個目的，就是為黨做宣傳，是黨的喉舌，媒體屬於黨，而不是對黨有所批評或指責。這是一個很大膽的動作。因為媒體屬於黨本來是毛澤東時代的看法，可是到了鄧小平改革開放的時候，提出一個新的口號，就是媒體屬於人民，是為人民說話的，不是為黨的機構做宣傳，幾十年來都沒有人挑戰這個想法。

現在習近平公開認為黨要控制一切。實際上黨控制一切，因為他把黨抓到自己手上了，所以這都是他個人的。一些個別媒體也在聽他的話，所以在今年新年聯歡慶祝晚會上，他就把他的妻妹提拔起來，做晚會的總監，整個節目都在他妻妹的手上。這也受到外面很多人的攻擊。

換句話說，他把媒體變成個人的東西了。媒體是黨的這種言論，造成很大的反響，反響之一就是有個著名黨內人士任志強，他做房地產發財，有幾千萬美元，他也是黨員，而且是紅二代，在網路上很紅，他在微博上的聽眾差不多有三千多萬、四千萬人，所以勢力很大。他的言論雖然批評黨，但並不是要推翻共產黨，而是為共產黨著想。他認為習近平把媒體變成毛澤東時代純宣傳的機構是不對的，所以提出批評，他的內容馬上就被刪除了。而且官方媒體還發表長篇言論，說改革開放以來的人民性是有問題的，媒體應該姓黨，而不是姓人民，媒體姓黨的情況之下，任何人發表言論都不合法，提供的消息也不合法，要加以禁止。這就是習近平更進一步地在黨內也進行言論控制，而且控制得非常嚴。

最後還有一個消息很有意思，就是網信辦又刪去了《財新》上的一連串報導，報導提到兩會在開會的時候，政協委員跟人民代表事實上都不能發言，不怎麼發言，不怎麼說話，怕說錯話惹出麻煩來。這是非常不正常的現象，因為兩會是代表共產黨的立法機構，尤其人大是立法的。他們的責任就是要說出話來，說出一些建議，國家應該怎麼辦？黨應該走什麼路？給黨做參考的。這是他們的職責。可是現在這個職責不能運用，大家都不准說話了。有一位教授叫蔣洪，他就覺得這個方式實在太偏了，應該把它改過來，他是政協委員，有權利對中共領袖直接表達意見的。如果他們不能表達意見，那就表示兩會完全沒有作用了，這對黨只有壞處、沒有好處。

這段話是由《財新》報導出來的。《財新》後來還一連發表了三篇文章，都是關於這件事，登出來以後一一被刪除。被刪除這件事情本身就是很自然的，大家可以想像，可是不尋常之處，就是《財新》居然把這整件事情公開了。黨控制言論本來是祕密的，在檯面下運作，可是因為現在《財新》保持它的言論自由，這件事情就引起西方記者的興趣，覺得非常不尋常。

人人都知道中國禁止言論，但禁止言論由官方的新聞機構說出來，那就非常罕見了。所以這件事情也可以看出，國內對習近平一手抓權的方式非常不滿。習近平的做法是最後非要變成毛澤東那樣，擁有絕對權力不可。這一點不一定能做得到。如果做不到的話就是一敗塗地。所以這裡隱含了他做毛澤東第二的一種深刻危機。這危機不是短期內能夠消弭的。我們要放長眼光，來看這件事情怎麼發展。

談亞洲協會主任夏偉對習近平的評論

二〇一六年四月十九日刊登

美國有位研究中國的學者夏偉（Orville Schell），本來是柏克萊加州大學的新聞學院院長，後來參加了美國紐約很有實力的亞洲協會，擔任的是美中關係研究中心主任，他的一言一行，對美國整個研究中國的學界，以及商業社會都有很大的影響，所以這篇文章值得作一篇簡要的報導。

習近平最近為什麼對於一切敵對的，或稍有不同意的異議人士的意見，都要強烈地壓制？原因在哪裡？因為我們現在聽到中國大陸有一種聲音，這種聲音說習近平想發動第二次文化大革命，像毛澤東一樣，然後可以自己做毛澤東。這個說法很普遍，也有相當的理由。但在我整體看來，覺得還是不應該把習近平想做中國黨的核心這件事情，跟毛澤東發動整個文化大革命相提並論。其中有很重大的分別，不過另一方面說，習近平受毛澤東文化大革命的影響。想仿照他的方式，建立他個人獨一無二的獨裁政權，這是事實，不過這是手段上的問題，而不是目標上的問題。

夏偉這篇文章的標題說到「中共的鎮壓愈來愈壞」（Crackdown in China: Worse and Worse）。可是在封面上有一段話，就是「新恐怖在中國」。所以這就是他對中國的認識，一個了解，我想這個認識會在美國相當普遍的，雖然不是一致接受。所以，這是對中國很有影響的一篇文章，跟中美關係也有相當關聯。我們現在就從這裡開始。他這裡講的鎮壓是多方面。一方面比如大家都知道的所謂反腐，從他二〇一二年上台以來就開始搞的反腐敗，反腐敗就是對一些黨內的腐敗分子，包括老虎和蒼蠅都要打。

據一篇報導，到現在為止，大的老虎已經有一百六十個以上，小的蒼蠅至少也有一千四百人被雙規或者進入監牢了。另一方面，他上台以後，對於稍有不同意見的、跟中央不保持一致的、不能跟他意見一樣的都要加以鎮壓，所以媒體受到的傷害、受到的恐怖最大，原因就是他已經公開地站出來講「媒體姓黨，報紙、電視、新聞都要姓黨」，要為黨說話。這個說法當然在毛澤東時代已經存在，黨是最高的權威，但我們知道鄧小平上台以後，一反毛澤東的作風，當時中國的媒體又提出一個口號，就是媒體是為人民說話的，而不僅僅是為黨。媒體為人民這個說法已經有三十年沒有受到挑戰。這是第一次，習近平才公開地要把媒體姓黨這件事公開化。

從這方面看，他對言論的壓制是愈來愈厲害，不論你是為婦女說話，還是為社會的不平說話，甚至暴露腐敗分子，只要不是黨同意的，沒有經過黨的批准都不能報導，所以一切於中國不利的事情，在新聞上全部刪除。最出名的例子是最近香港有些反共的活動，甚至於反共的電影得到獎賞，中國都拒絕報導，只是報導跟共產黨無關的一些新聞，所以中共現在沒有任何新聞，當然網路是壓不住的。雖然有火牆，雖然有各種方式，但傳播之快，現在任何專制獨裁的政府都沒辦法的。另一方面，因為共產黨仇外的關係，外國的記者、學者只要言論稍稍得罪中共，中共就想辦法為難。首先是絕對不給你簽證，比如說紐約時報的好些記者就得不到簽證，有的只能在香港工作，不能去大陸。有些學者也是因為反共，或者有反共的言論，或者有不利於中共的言論，就不給簽證，你也進不去，這樣的人很多，中國整個說起來就是普遍有所謂的恐怖氣氛，籠罩著整個大陸。

英國人也研究這個問題，提出另外一個名詞叫做恐懼統治，用恐懼來統治中國。這是共產黨的整體認識，夏偉又強調，中共不但在國內如此橫行霸道，而且對外也要擴張。比如說他們在全世界建立的孔子學院已經有幾百上千個，在美國就有好幾百個。只要它有孔子學院的地方，任何反共的言論就不能允許，你要進去它就不給錢了。第二是共產黨對於這一切作為，讓美國人最感到不解的，夏偉特別強調，他們完全沒有一點羞恥之心。壓制人權、反對自由、反對民主，把所有發表自由言論的人都關起來或者判刑，這是很可恥的事情。而共產黨以抓人、以恐怖統治為它最得意的事情，認為是它統治的一種新模式，模範地發展，所以這是在美國普遍引起反感的東西。

現在我要介紹一下夏偉這篇文章對於反腐敗的分析。反腐敗不是他一個人搞起來的。不是習近平，他是約了他的朋友王岐山，利用他做中紀委的主任。把一切權力交給中紀委這個組織，來調查、偵探，甚至於雙規、逮捕一切有貪汙嫌疑的官員和商人。這是一個新的發展。這些活動嚴格講都是不合法的，沒有法律根據的，把司法整個丟開了。所以就反腐這件事情的手段來說，是徹頭徹尾的不合法。之所以如此，我想夏偉的分析是對的，就是他想要借用這個機會，把黨的權力抓在一個人的手上。

這個方式很有趣的是，國內的學者告訴夏偉，這是明朝的辦法。明朝廢宰相就是要把權力都抓在皇帝個人手上。皇帝什麼事情都自己做，因此宰相制度就消失了，中國聖君賢相實行了一、二千年，到了明朝忽然就沒有了，清朝也沒有了。這是我早在一九七五年就指出的共產黨現象，就是毛澤東學習明太祖。今天這個觀念好像在中國又得到更大的發展，也就是永樂皇帝由於篡位，對誰都不信任，為了保障自己的安全而建立東廠，做為一種公安制度來保護自己。這就是最後要把習近平變成唯一的領導人，通過黨來建立他個人的核心地位，我想，他最後的失敗是無可避免的。

中國是否又面臨另一場「文革」？

二〇一六年七月六日刊登

文革十年是我們討論的一個基礎，這個問題值得討論的，就是最近有各種評論都擔心，中國會不會有第二次的文化大革命？而這個文化大革命似乎是習近平想發動的。

所以明顯的一個例子就是今年五月二日在人民大會堂唱紅歌，變成了一個紅歌事件，就是要把文革的許多歌都重新唱一遍。特別是其中主要的一首歌，就是歌頌毛澤東的〈大海航行靠舵手〉。整個音樂會的標題是「在希望的田野上」，這首歌是習近平夫人（彭麗媛）出名的歌，這一切都讓人看到有一種肯定文化大革命，甚至於重新開始文化大革命的樣子，事實上這是假象。我從頭到尾注意這件事情以後，發現再來第二次文革是絕不可能之事。習近平沒有這樣一個勢力，也沒有這樣一個本領可以發動。

我們知道，第一次文革並不是老百姓從底下造反，現在已經有一本新書在香港牛津出版社出版（李遜，《革命造反年代：上海文革運動史稿》），就是講上海的王洪文造反是奉毛澤東之命（私下的命令，當然不是公開的命令）。毛澤東鼓動一批人發動文革，為什麼要發動文革呢？對共產黨的十七年統治發動造反呢？原因就是毛澤東感覺到他手上的領導權力，他過去在革命的時候建立起來的一人獨裁的權力，在這十七年中被劉少奇、鄧小平這些人慢慢化解了，變成他們整個黨的組織控制共產黨，而不是由毛澤東作主了。

所以毛澤東就要想辦法把這個權力拿回來。他用什麼辦法拿回來呢？第一，共產黨在劉少奇、周恩來統治下相當安定，雖然共產黨因為毛澤東搞大躍進、搞反右鬧出許多事情來，使得他們有點困難，可是基本上他們還能維持秩序。要把這些人推翻是不容易的事情，所以毛澤東必須要另起爐灶，這就使他想到要用下層工人、農民，尤其是年輕的學生造共產黨的反，也不是真正造共產黨的反，而是造劉少奇這批人的反。他要從劉少奇這批人手上把權力奪回來，這是文革的基本原因。

所以文革在各地差不多都是同一個時候發生，而且所有參加造反的人，都受到毛澤東和他的組織（就是後來的中央文革小組）暗示或暗中支持。這種情況之下，共產黨並不是要推翻共產黨自己，而是要把集體領導的共產黨，就是劉少奇、周恩來、鄧小平領導的共產黨，變成毛澤東一個人指揮的共產黨，這就是文革十年的一個基本原因。

這時他不惜發動老百姓，對黨的組織、政府組織都加以造反，把原來的領袖一個個抓進監牢，每個人都受害慘重。但許多紅衛兵後來也不聽話了，起來以後已經沒法控制了，包括毛澤東也覺得無法控制了，所以最後要控制這些紅衛兵，不得不用解放軍，由軍代表進入每一個文革組織，這樣就把局勢慢慢定下來。

從這個情況可以看出，今天習近平想做的，絕不是毛澤東那樣要從劉少奇這類人的手上把權力奪回來，因為今天在共產黨內掌握權力最多、最大的是習近平，我們知道，從鄧小平以後，共產黨採取了集體領導制。這個集體領導制就是每十年要換一個領袖，每個領袖都是在政治局常委共同領導下進行的。這就是現有的組織。這個組織現在由習近平掌握最大權力，但習近平覺得他這個權力還不夠，這個集體領導必須要推翻，這樣他就發動一種近乎文革的口號，他要把自已變成第二個毛澤東。那怎樣能變成第二個毛澤東？那就是說，把毛澤東的文革所作所為當成一種標準，所以他的目的絕不是要發動老百姓，他也不可能發動老百姓，也不可能發動學生到處鬥所有的人。今天這個情況已經大變。共產黨領導人都是千萬、億萬富翁了，他們不可能讓別人來抄家，所以文革再現的事情是絕不可能發生的。

但是有個錯覺，這個錯覺好像還用的是文革當中的口號，甚至唱文革的歌等等，所以我們要看中共的前途，不能真正以為他會搞第二個文革，是搞不起來的。而且也沒有意思要搞。所以始終不能有大的發展，唱唱歌是可以的，要實踐起來，讓年輕人像從前造反派那樣把財富之家都抄了，一切東西都沒收了，甚至於把人打死，那種情況是不可能出現的，所以我們不必擔心會有第二個文革。但我們知道中共的危機非常大，這個危機的關鍵一個方面是政治，就是他要一人獨裁所面臨的各種抗拒，另外一個是黨控制經濟。就是我們所說的經濟放鬆問題，經濟放鬆現在已經變成相反的了，因為經濟放鬆跟政治加緊是兩條相反的路，現在剛好證明政治加緊吃掉了經濟放鬆，經濟放鬆一吃掉，它的危機就更大了。所以我們看中共必須從多方面看，特別要從整體觀來看。

黨指揮槍，誰指揮黨？解讀習近平閱兵

二〇一七年八月十四日刊登

我並不是要專談閱兵的事情，我是看了中國、美國、日本各方面的評論以後，看閱兵在政治上的意義，對於習近平的幻想有什麼作用？很顯然是非常引人矚目的一件事情。自從鄧小平以後，就沒有這樣大的所謂閱兵典禮了。

今年共產黨八一建軍的九十周年，在七月底就選擇到內蒙古一個很大的地方。顯然天安門是不夠大的，它要海陸空都出擊，讓大家看它有多少的武力。軍隊就有一萬二千人，然後有多少坦克車、有多少洲際飛彈等等，最先進的武器都展示出來了。據外國的評論，其中百分之四十都是過去從來沒有讓人看到的武器。

顯然在鄧小平以後，習近平想建立他在軍事方面絕對的領導地位，這點很重要，這是江澤民、胡錦濤都沒有敢做到的事情，差不多二十多年來都沒有看到這樣一個場面。比起毛澤東時代，他的規模也大得多，所以這不是小事。到底是不是像有些評論家說的他要準備打仗，是不是要對付台灣，或者在南海建立它的人工島，把控制權全部掌握住，使得其他國家不得不向他低頭，這不是不可能的。

但最要緊的，就是要看習近平跟軍隊的關係。幾乎他剛一上台不久，通過跟王岐山的合作，就針對軍隊下手，把軍隊的重要頭頭一個個解決掉了，包括軍委副主席、參謀總長等等，所有有勢力、不聽他話的軍頭，一個個都通過反腐敗把他們解職了、抓起來了、關起來了，有的死了。可見他很早就掌握到毛澤東的一句真理：槍桿子裡面出政權。習近平知道，他如果不把槍桿子抓在手上，他所謂核心領導的位置都是不可能穩固的，一切必須從軍隊上著手。所以這次大規模的內蒙古閱兵，首先在國內的意義，就是讓國內所有想跟他一爭上下的政敵看清楚，他們已經不可能有任何力量來對付習近平，不可能向他挑戰了。他的領袖地位已經確實建立起來了。

這次閱兵剛好就在十九大要召開的前夕，十九大大概十月左右就要開始了。他這就是給大家看看臉色，這不是完全靠我個人，還有軍隊是支持我的，槍桿子是在我手上的，政權就在手上，黨也在我手上。習近平在講話中特別強調軍隊要聽黨的，共產黨當然一向如此，以前在延安時代，特別是國民黨時代的民主黨派訪問延安的時候，問葉劍英有什麼辦法保證軍隊聽話？葉劍英很坦白地說，我們的軍隊是在黨的絕對控制之下，這個想法在毛的時代也確實一直如此。當然毛的時代有一度擔心，比如說彭德懷可能不聽他的話，所以他要拉住林彪，甚至說如果軍隊有人反對他，他可以回到井岡山再創一次革命軍。總而言之，以黨來控制軍隊是他們絕對的原則，但黨控制軍隊只是一個初步的看法，第二步的看法就是誰控制黨。所以現在的問題是，過去二十年來，自從鄧小平死後，基本上推行的是一種集體領導制，雖然江澤民是黨的總書記、胡錦濤也是總書記，但他們總書記的權力，還沒有大到能由一個人作主的程度，儘管他們也用宣傳的方式來推動自己，但也沒有到習近平這樣的程度，像習近平這樣，已經把一個人的核心地位絕對地建立起來了，這次的閱兵對十九大是非常有重要性的。

習近平焚書坑儒

二〇一七年十二月十一日刊登

今天這個焚書坑儒是採取不同的方式。時代變了，我們今天沒有書了，主要是在網路、媒體上。用不著燒了，也不能燒，所以它就用禁止的辦法，完全取消，讓你不能出現，這就是現在新的焚書。坑儒呢，就是把你抓起來。現在是：只要有三個人在一起說話，只要是有什麼妄議中央之類的事，就可以把你關起來。就是在網上說話，彼此聊天，他聽的不滿意也把你關起來，這就是新的坑儒。

這個新的坑儒、新的焚書，毛澤東已經超過它了。他覺得秦始皇不行，只坑了四百多人，燒書也沒有燒光，他比秦始皇厲害的多。沒想到毛澤東死後幾十年，又來了一個焚書坑儒的新秦始皇、現代的秦始皇——習近平。習近平現在焚書與坑儒兩方面，都比毛澤東厲害得多。他的言論控制，自從他上台以後，連江澤民、胡錦濤時代的那一點言論自由都沒有了，也沒有人敢說不同的話了。那時候還可以說一點不同的話，說完了，黨聽了對你不高興，但還不能馬上就抓你。現在是立了各種新法，只要我聽不慣，就把你抓起來、關起來。所以維權律師一直很倒楣，一直是被關的對象，但不只維權律師，任何人只要對政府提出批評，或者二、三個人在一塊，甚至於在屋裡談話，根本沒有出屋，也可以被關起來判刑。

這一切都是在習近平時代，從二〇一二年開始愈來愈凶，二〇一七年又到了新的高峰。英國的劍橋大學出版社最近收到中共的一個指示，針對他們的學術刊物《中國季刊》（*The China Quarterly*），《中國季刊》是一份研究中國近現代史的刊物，這不是普通的媒體，是學術刊物，學術刊物都是一生研究的對象，經過十年八年，然後研究出一點頭緒，根據資料發表出來。這不是發洩情緒的，也不是反對中共的，也不是擁護中共，只是客觀的分析，讓你了解中國某些事件是怎麼發生的，沒有反共不反共的問題，只是研究共產黨到底是怎麼形成的，國民黨時代也有人研究，從國民黨怎麼變成共產黨，也是應該好好研究。這些都不是反共的東西，但碰到共產黨不喜歡的一些敏感題目，比如說涉及天安門的，涉及西藏、台灣的，都不准在刊物裡出現。要求劍橋出版社把它原來網路上面的《中國季刊》撤掉三百多篇文章，這可不得了啦！

也就是說，焚書坑儒不但伸展到外國，也伸展至學術界。這是連毛澤東都還沒做到的事情，或者毛澤東那個時代也不知道外國有什麼刊物，現在《中國季刊》是幾十年來大家重視的一個重要刊物，而且有許多中國大陸學者也投稿在這上面發表，如果這樣一來，這些刊物凡是涉及中共的東西，都不能夠刊登的話，那麼中國的學者跟外面的世界完全要隔開了，也就是社會科學、人文科學的人對外面的事物都不知道了，人文社會科學的學術退後到最愚昧的狀態，不知己，不知彼，那你怎麼做研究呢！而且在外國引起極大的憤怒，不但是劍橋出版社的《中國季刊》遭到這樣的命運，美國更重要的刊物《亞洲研究學報》（*The Journal of Asian Studies*），它是美國研究東亞的人共同的刊物。東亞學會每年要開幾次會，開會的論文往往就發表在《亞洲研究學報》上，《亞洲研究學報》從古至今都包括在內。這兩個刊物都被要求刪掉有關中國的研究，如果刪掉有關中國的研究，這兩個刊物就沒有意義了。中外學術溝通一個很好的管道，現在共產黨覺得這個對它的政權有影響，所以要求取消。這是一個非同尋常的發展，這就是中國目前的重要狀態，在這個狀態下，當然會有許多不滿意的聲音出現。所以共產黨在習近平的指導下，要把任何不滿的聲音都消滅掉。

輯三

中國的法治、社會與經濟

要求法治的呼聲

二〇〇三年六月十七日

法治就是用法律來治理國家和社會。為什麼要講這個題目呢？因為剛好最近發生了兩起法學家向人民代表大會請求執行憲法的事件。

五月份，廣州的警察拘留所無緣無故地打死了一位民工，這位民工是從農村來城市找工作的。現在，廣州這件案子新聞媒體也有報導。最近因為ＳＡＲＳ的關係，中央暫時留下一點空間，允許了一些新聞自由，所以這件案子一出現，全國都知道了。

有三位年輕的法學家，都是三十歲以下，都是北京大學法學院的博士，也在北京教書或執業律師，他們起草了一份請願書，要求落實憲法。他們援引的案例就是廣州的案子，但他們的目標遠遠大於為一個人說話；它是全國性的，旨在使憲法成為一個真實的文件，在生活中發揮積極作用。因為這個緣故，他們寫了請願書送到人大去了。他們呈上請願書以後，北京一些更出名的法學專家（主要是跟北京大學的《法律學報》有關）也對這件事情表示了意見，也寫了一封請願書，這次由五人聯名，也送到了人大。他們批評現行的拘留制度，批評警察的無限權力，批評可以隨便抓人而不受限制的警政：警察先把你抓到拘留所，然後把你趕走，或者要你賠錢。不只北京，包括所有大城市在內，都有成千上萬民工從農村來城市找工作，這些人都沒有正式的身分，多數人都沒有臨時居留證，因此都成為警察掃蕩的目標。

這裡引發的問題，是城市居民和農村來的民工，發生了一種可說是階級對立的狀態。有位河南來的武姓民工說，他在北京辛辛苦苦，在一個貧民窟裡找一間房子跟二、三個人合住，一個月掙的錢不過幾百元，大概人民幣七、八百元。但他們完全沒有保障，經常在危急狀態中。城市居民根本把他們當作三等公民，但他們覺得北京的人需要他們工作。

照第一批的三位年輕法學家說，他們也同情從前民主運動中的人士，說那時候他們也爭取人權。但現在時代不同了，中國社會起了變化，一九八九年那時的知識分子，特別是年輕學生，都相信用激情可以改變，可以使中央政府接受他們的看法。這種觀念當然證明了完全錯誤，後來造成很大的悲劇。他們現在是同情這些人，但不走這條路。走什麼路呢？就是從體制內改革。照中國一般人的說法，不去講我要怎樣推翻共產黨，結束一黨專政，這些大話他們都不說。他們要實實在在地，從具體的事情上一步步著手。

這當然是一種想法，在中國大陸內部也引起不同反應。有些人當然贊成他們，說現在社會空間多了些，經濟空間也多了些，因此政治空間也可能增加一點。特別在江澤民下了台，胡錦濤政權剛上台的轉變期間，他們當然寄予希望，這是人之常情。在這種情況下，他們就想通過內部改革的方式，把中國帶向一個法治社會，這當然得到很多人同情。

但另外有很多人說他們天真，認為這個問題基本上是一黨專政問題，一黨專政不取消，就不能真正威脅到共產黨。就是說，共產黨現在的領導人認為，如果威脅不到他們的權力、威脅不到他們的特權，他們是不會接受你的，而且弄得不好，還要進監牢。我們知道，這件事發生以前，已經有四位要求民主的異議分子，被判了八到十年的刑期。這是最近發生的事，可見共產黨雖然說有了新一代人接班，江澤民下台了，但還是問題重重，共產黨的體制並沒有一點鬆動的樣子。

要求法制的呼聲前途如何，我們現在還不敢斷定，不過我相信，這個運動應該讓它發展一陣子，看看結果怎樣，這樣我們才可以判斷中國有沒有好轉的可能。但法治的要求，確實是中國現在生死攸關的一個重要發展階段。

（本篇網路無錄音檔）

中國老百姓看待「共和」

二〇〇三年十月二十二日

十月四日，英國ＢＢＣ廣播公司進行了與大陸老百姓熱線談話的一小時節目「倫敦熱線」。我參加了這個熱線的廣播，直接聽到從雲南、河南、江蘇、浙江、湖南、上海等等各地方人打來的電話，由我和他們對話、討論、分析。

從這十幾個與我對話的人，可以看出老百姓對中共體制的不滿，這個不滿表現在他們對所謂「共和」的態度上。十月一日是共產黨建立人民共和國的日子，另外在一九一一年「辛亥革命」，十月十日標誌著中國正式從皇帝制度變成共和國制度，那是孫中山領導的。

倫敦ＢＢＣ的廣播主持人，就在這個題目上問大家對所謂「共和」有什麼感想？有什麼成就？怎麼比較兩次共和？我所得到的普遍印象都是說，孫中山是一個比較偉大的人，他結束中國的君主制度，建立一種共和體制，但因為種種緣故，並沒有成功，變成軍閥混戰局面。而共產黨所建立的共和，在他們看來是不成功的。對毛澤東的評價整體而言非常負面，都認為毛澤東害處大於好處、過失多於功勞。對於孫中山，則始終認為他是一個比較可信的、有誠意為建立共和做努力的人，毛澤東實際上是走回了皇帝專制的制度上。

從這裡可以看出，他們非常困苦。其中有一位還是盲人，也下了崗，生活非常無著。因為現在這個社會完全不公平，對於共產黨所發展的市場經濟繁榮，他們認為是一種官方的，或官僚的資本主義，對老百姓沒有什麼好處，老百姓分到的很少，貧富不均一天天增加，這幾乎是普遍的抱怨。至於文革種種殘暴，那還是次要的事情。

我從這個談話中得到的認知，也可說是民間的怨憤很大，如果不進行改革，可能會發生困難，甚至於崩潰的危機。

英國ＢＢＣ廣播主持人問我，中國會不會再發生革命的形勢，我說誰也不敢做這個預言，不過我們可以說的是，如果民怨過大，任何一個小小事件都可以變成燎原的星火，到時撲滅不住，發展出來。民怨太大了，有很大的問題。

我們從西方報告看到，至少三億多農民求職有困難，其中一億五千萬人到處在流動找工作，這是很大的社會危機。在這個社會危機之下，共產黨要想穩定政權，想走上某種秩序，政治改革是必要的。我不相信共產黨會一步走上所謂民主憲政，但現在它們所提的口號，讓老百姓直接參與政治，這種參與實際上也是很重要的。在中國，如果是由官方領導的政治改革，最早是從參與開始。參與雖說是控制在黨的手上，如果真正進行開放改革的話，民間老百姓的意願就會慢慢增加，黨的意願就會減弱。

不過，這只是理論上的一種可能性，實踐上到底怎樣，就要看中共有沒有誠意真正進行改革，挽救自己的危機，同時也挽救國家的危機。如果只是怕丟掉政權，還是躲躲閃閃的，我想這個改革就不會有什麼明顯的結果。

（本篇網路無錄音檔）

從陳光誠案和死刑複審看中國法律改革

二〇〇六年十一月二十二日

山東有一位盲人維權人士，名叫陳光誠，他已是國際知名的重要人物。陳光誠總是幫窮苦百姓說話，被縣一級法院判了四年徒刑，現在被關在監牢裡。他在北京的律師雖然努力辯護，但沒有用。忽然之間，不知何故，最近中級法院把他的兩個罪名推翻了，要重新審判。在高等法院的上述程序方面，這個案子被推翻進行重審，表示在法律上有了重要的改革。為什麼這樣做？當然可能是中央的指示，中央可能要在法律上建立一些現代的意識，這是一個案子。

第二個案子也很重要，即中國對於死刑要重新審查了。過去二十年來中國的初級法院一審就判死刑，判了死刑就執行，所以殺人很多。現在開始，最高法院要複審初級法院判的死刑案了，每個案子都要複審，不對就要推翻。這樣一來，初級法院就很緊張，不能像過去那樣隨便判刑。太多的死刑讓中國成了一個很不文明的社會，這樣的國際形象非常恐怖。所以我想，胡錦濤要走出世界，至少法律上要表現得像一個文明國家。我猜想，這也許就是最高法院要恢復死刑案件複審的原因。

其實死刑案件複審就算是改革，也不過是回到中國傳統的標準。中國還沒進入現代法律系統以前，已有自己的法律系統，而且很嚴格，將人命視為最重要，從來都認為人命關天。換句話說，中國不是一個亂殺人的國家。但自從搞革命以來，把人命看得不值錢，就造成了很壞的後果。

今天如果胡錦濤的政權覺得應當恢復法律的尊嚴，我想應該會有幫助，最後究竟如何？能否在中國建立一個相對獨立的司法制度？我們知道，鄧小平從來就是反對三權分立的，認為法律系統不應當獨立於政治以外，這就對現代化造成很大的阻礙。今天能不能克服？大家還不知道。不過，無論如何，現在主張所有的死刑都要經過最高法院審判，是一件很重要的事。這件事我想可以影響中國的未來，也可以讓外國人在中國居住的時候感到有法律保障。從前，中國只有外國人取得所謂「治外法權」，就是因為中國的法律不可靠、草菅人命，現在如果能改革，我想對於中國的現代化社會，甚至於和諧社會都是有幫助的。

我們現在還不敢說這樣的法律改革到底何去何從？但無論如何，從陳光誠案和死刑複審兩個例子看，都是向前邁進了，都推翻了過去鄧小平那種用強力殺人來阻止犯罪的方式。實際上，犯罪不是靠殺人就能阻止得了的，貪汙也沒辦法靠死刑來防止。所以一切問題終究有賴於健全的法律系統。高等法院不能審判初級法院所判的死刑，是從一九八三年開始的，至今已經二十三年了。經過這二十三年，壞的制度是應該取消了。取消以後如何建立一個健全的、有公信力的法律制度？我想這對中國的前途關係重大。

（本篇網路無錄音檔）

且看提倡儒家的中共政權如何改革戶籍制度

二〇一〇年三月十日錄音
二〇一〇年三月二十二日刊登

三月一日看到一個報導，中國忽然有十三家報紙同時登載了同一篇社論，要求廢除從一九五八年開始實施，已經執行了五十二年的戶籍制度。

這個戶籍制度限制人們的居住自由和行動自由。你在戶口控制之下，哪裡都不能去，你要去的話，你必須得到本地政府的批准。如果不批准，你就不能動。就算批准了，你到了城市工作，如果在城市裡忽然沒有工作了，就要被趕回來。

你在城市裡也得不到任何國家的保障和福利。比如說孩子上學、生病就醫，沒有人管你，因為你必須回到本鄉。這是中共集權制度控制老百姓的一個最有效方式，也可以說是中共的社會主義中國特色吧。

幾十年來在這個制度下，造成無數的災害。我們知道從一九五八年建立這個制度一直到毛澤東死去，戶籍制度都是控制人口的一個最重要辦法。其中包括上山下鄉的知識青年，必須把戶口落在鄉下，落戶以後你就回不了城。所以這是一個最可怕的制度，殺人不見血。

這個制度到了所謂改革開放的一九七八年以後，當然不得不有所調整。因為自從改革開放後，中共要建設新的市場經濟制度，需要大量人力在城市裡工作。城市裡已經沒有人可以造房子、造馬路、造汽車、到工廠工作，所有這些建設，包括修鐵路等等，無不需要老百姓，這些老百姓都是從鄉下來的。

在控制人口流動方面，不能不稍微放鬆。這就是後來文獻上、報紙上、媒體上所講的「盲流」，人數在一億上下，都是從鄉村到城市找事情做的人。這些人幫中國建設成今天這個樣子，立了大功。

但這些人在城市裡是完全沒有權利的，比如說他們孩子上學，是沒有學校可進的。他們只有自己辦學校。他們辦了學校以後，如果這個學校的地址，地方政府要有其他建設計畫時，就要把他們房子拆掉，這個事情在北京和其他各個城市都發生過。

因為得不到保障，只要他們失業，馬上就被趕回本鄉。所以這些人是非常可憐的，可以說是最下層的老百姓。我想，共產黨內部也有一派人認為戶籍制度是過時的，應該改革。但這個改革始終沒有實行。人民大會裡有一位名叫張全收的代表，他也認為戶籍要改革：「痛，還要痛多久呢？」

可見要求改革的不只是報紙的編輯、也不只是報紙的工作人員、也不只是工人、農民，而且是中共黨員內部也有一部分人有這種看法。但這個看法在黨內被頑固派、保守派抵制，因為這是他們控制老百姓最有效的方式。

這個社論出來幾小時以後，在網上就找不著了，就被禁了。中宣部直接干預，社論的主要起草人張宏，就被解職失業，被《觀察報》網站開除了。另外，他的同事、跟這篇社論有關的十幾家報紙，都受到中宣部的警告。換句話說，共產黨用全部的政治力量來鎮壓這件事情，要把這個事情消滅掉。

我覺得這是非常荒唐，而且非常離譜的事情，因為這可以引起嚴重的後果。老百姓的憤怒已經不能忍受了，在社論上、在其他網站上的言論，我們都看出來，老百姓對這件事是憤怒至極，因為他們的自由被限制。

這裡我們又想到，共產黨提倡儒家的荒唐之處。儒家是從頭開始，中國歷史也是從頭開始，老百姓就有選擇居住的自由。比如說孔子要「擇鄰」，住家要選擇好的地方。孔子自己的生活，家庭就從這個鄉下搬到那個城市，這是絕對自由的。還有孟子，他母親為教訓兒子，可謂「孟子三遷」，搬家三次都是可以的。

孟子與梁惠王講話，梁惠王問：我怎樣才能使我的百姓人口增加，讓別國老百姓到我這兒來？唯一的辦法就是實行仁政，施行仁政，孟子說，他們自然就會來了；如果你不實行仁政，沒有人會來。如果你實行仁政，做官的人要到你的朝廷來做官；老百姓、農民要到你的土地上耕田；商人也要到你的市場上做生意。

孟子講得很清楚。這話是在戰國時代說的，遷移是絕對自由，沒有問題的。所以戰國時出現的所謂「游士」、「游民」，到處都可以跑。雖然有某些通行證的需要，但基本上是自由的。

中國都市發展程度愈來愈高，都是農民自由遷徙到城市的結果。比如說南宋的杭州，現在有很多人研究它。本來城市不大，後來因為農民進城工作了，人口就增到了幾十萬人。在北宋亡國以前，開封也有上百萬人，這都是城市裡慢慢遷過來的。唐宋時代，正是中國都市發展的時代。

所以我們從傳統上看，中國老百姓基本上是有遷居自由的、有保障的。在國民黨時代也是可以自由遷移的。只有在共產黨領導下，特別是從一九五八年戶籍制度、戶口制度正式在全國實施以後，老百姓就失去了自由。共產黨如果真想實行儒家的仁政，它就應該好好想一想該怎麼做。

當前中國法律淪為共產黨政治工具

二〇一一年六月九日錄音
二〇一一年六月二十九日刊登

最近《紐約時報》報導一個案子，這個案子是西安一位二十一歲的音樂學院學生，名叫藥家鑫，他撞傷了一個農婦；這個農婦記住他的車牌號碼，大概想控告；他認為農婦是窮人家，可能會給他帶來無數的麻煩，因為他是富家子弟；所以他就一發狠心，自己拔刀戳了她八刀，把她戳死了。這是一個很殘忍的動作，因此這個事情就爆發了。

他家是有相當背景的，他的父母都在跟官方、軍方有關的企業工作。所以在這個情況之下，就希望把兒子的罪刑減輕。但是兒子的罪很難減輕，因為他不只撞傷這個農婦，而且用刀子戳了八刀，所以這是無法容忍的事情。這件事情在網上也喊成一片，也影響了法律的裁判。

這件事情其實發生在去年的十月尾，距離「我爸是李剛」的事件似乎只有四、五天，所以這兩個時間相同。李剛的兒子，就是一個公安局副局長的兒子，他把兩個大學生撞成一死一傷，然後口出狂言：「誰敢把我怎樣？我爸是李剛。」這件事情也引起公憤，但後來怎樣？李剛大概賠錢私了，這個案子判了六年刑，因為它只是車禍，不是蓄意謀殺，跟藥家鑫的案子不一樣，所以判刑就短一點。同是車禍，但判決很不同。

最近，內蒙古呼和浩特有一個漢人把一個蒙古人撞死了，撞死以後好像也不想賠償，最後這個事情鬧得非常大，也是最近才判決，判了死刑。所以這兩個案子都判了重刑。

目前共產黨對自己的法律，是當成一種政治工具來運用。法律本身既無獨立性，也沒有自己的價值，只是為了政治需要。那就是去年年底，香港有一群人大代表跟政協委員，要求為趙連海平反。趙連海是結石寶寶之父，他的兒子是因為毒奶粉而死的，他繼續告狀不已。結果在二〇一〇年年尾，趙連海反而被判入獄兩年。這件事情極為不公平，不但全國公憤，而且香港的二十幾個人大代表跟政協委員共同簽名，要求為趙連海平反。他們說的理由，尤其能夠刻劃共產黨法律的作用，他們說這是「無罪之罪」，也是「非法之法」，共產黨根本是沒罪也把它搞成罪。

李莊的偽證案轟動一時，為什麼呢？因為薄熙來在那裡要打黑，抓了五千人以上，也不見得真的都是黑，反正就是他要樹立自己的權威。一方面打黑、一方面唱紅，想自己在下一屆進入領導階層，這是他的目的。後來賀衛方、江平等人加以批判，因此這件案子就不了了之，現在他大概快出獄了。將來怎樣，是否上訴種種，我們現在還不知道。這個李莊案和其他的案子一樣，法律在共產黨手上完全沒有任何標準，就是它要政治上怎麼利用、就怎麼利用。

我們法律是所謂法治，那是老百姓立法，或者權威片面地頒布法律，那也可以，那也是一種法律，但那不是民主的法治，而是一種王法。如果認真執行，「王子犯法，與民同罪」，也還有某種程度的公平。可是共產黨連這個也不是，共產黨所頒的法律當然是屬於王法一型，可是它也不遵守自己頒布的法律。所以在這個情況之下，中國人如果不觸犯法網也就罷了，一觸犯法網，或者它要在政治上整你（像是艾未未事件，找出他漏稅的罪），都是硬造出法律上的罪名，然後處理你，這是共產黨對法律的基本態度。

中國城鎮化政策的陷阱

二〇一三年七月十九日錄音
二〇一三年八月二日刊登

中國要進行都市化跟工業化，要把多數的農民遷到城市來，但不一定都是大城市，因為他們造了許多小的城鎮。這個計畫規模的浩大可以看出一點，第一是人數，據說要在二〇二〇年以前，把兩億五千萬農民從山邊、農村大批搬遷到城市來。他們就變成城市人了。

城市人就一定要有某些消費的增長，這是他們的一個如意算盤。我想政治考慮、經濟考慮都有。政治考慮是把農民搬到城市附近，那麼，過去那種農民造反的事情就不會有了。

總而言之，這個計畫之大是驚人的，因為它要在未來十到十二年之內，用兩千億美元的經費來支持這個計畫。這個計畫實際上已經在實行了，《紐約時報》報導的是西安總部負責人李永平，陝南那一帶山區常常山崩，死了很多人，他要實現把他們搬到城市來。陝南這一帶，就要把二百多萬人先搬到城市來。另外，在寧夏、在貴州也都有。這可以說是自三峽工程以來最大的一次遷居。

中國歷史上也有過很大規模的遷居，比如漢王朝成立以後，把許多地方豪強搬到長安附近來，也是動輒幾十萬人，規模很大，不過那不是全國性的，並沒有改變全國以農村為主的模式。而這就是共產黨的另一個計畫：要把中國變成不再是農業國家，要以工業國家自居了。作為一個工業國家，農民就占得很少。像美國這種國家，只有百分之五的人口在農村。所以根本無所謂農村，農地也可以做各種用途，主要是做買賣，是商業化的，共產黨想用這樣的方式，很快在十年之內，二〇二〇年以前完成這樣一個大規模的計畫。

這聽起來很好，但問題很多。我們現在就西安的情況來講，西安的負責人叫李永平，好像這個人很願意談話、很開放、也很認真的一個人，好像他並不是盲目地服從中央的計畫，而是常常出外考察，先看看情況如何，然後再調整。可是就算如此，我們看到這個計畫的困難非常多，不但如此，像這種城市的問題非常大，找工作極為困難。有些地方的農民說他四十五歲，已經找不到工作，因為現在所有工廠都要用年輕人。像他女兒本來可以上學的，現在也不能上學了，現在出去到深圳等等這些大城市去打工。去打工的結果，就變得沒有接受高等教育的機會，所以這裡引起的問題之大，可說暫時還不可想像。

《紐約時報》的報導給人一種印象，好像共產黨表示是要把整個中國，這樣大的一個中國，十三億人都完全掌握在手中，要怎樣就怎樣。這就是所謂極權政治之可怕，計畫經濟之可怕。所以共產黨事實上沒有脫離大的計畫經濟，它雖然說有市場，但這個市場現在基本上還是由黨控制，對私人開放的機會還是很少，私人企業在這裡面只占很小一部分。所以最近一再說要改頭換面，讓私人企業進市場。但到現在為止，一直也沒有看到什麼新的發展，新的頭緒。所以在這個情況下，共產黨就把整個中國當成可以控制在自己手上，願意怎麼做就怎麼做的這麼一個東西。這是非常荒唐的。

計畫經濟之所以要帶來災害，就是因為沒有一個集團、沒有一個政體，可以號稱不但對中國的情況，更對整個世界的情況都有最新了解，因此在計畫中可以毫無疑問地照顧到方方面面。這是做不到的。共產黨現在依然迷信自己是唯一能一黨專政的黨，這個黨是萬能的、是光榮的、偉大的、正確的種種，這種迷信在他們還是很深。因為有這樣深的迷信，才敢有這樣大的膽子，要把整個中國從安土重遷的農業社會，改變為他們隨心所欲的城鎮、城市化社會，以便於控制。

我們知道，共產黨一到了城市，他們的控制就更嚴，所以有城管。城管到處都造成災害，所有的人遇到城管，常常都被抓起來，受到勞動改造或者勞動教育。勞教也是他們在城市裡實行專政的主要工具，這個工具現在雖然遭到一些質疑，已經受到許多挑戰，但共產黨方面好像只談到要進行改革，卻始終一步不行，一步都沒有做，所以勞教制度依然如故。而且共產黨不用勞教也有其他方式，它根本沒有法律的。

所以在這個情況下，我想中國的這個城市化計畫，在十年之內會帶來很大的災難。

國家安全法

二〇一五年七月十三日刊登

國安法公布以後，引起很強烈的反應。七月一日正式通過的，早在五月底就看到有關報導。所以我一直在注意這個國安法會引起一些什麼樣的後果。所謂《國家安全法》，我覺得它最大的特色，就是要用法律方式，具體保衛共產黨的意識形態。因為共產黨的意識形態，早在毛澤東文革的時候就破產了，文革的時候把意識形態用得太過頭了，所以今天意識形態顯然不能起作用。但共產黨的意識形態千言萬語，說到最後只是一句話，也就是所謂「一黨專政是不能放棄的」。所以，如何能讓這個目標實現？今天已經不能光靠空洞的意識形態，所以必須要採取法律的方式，採取法律方式以後，就可以直接整治、懲罰任何國內外懷疑共產黨領導或共產黨執政的問題。所謂國家安全，從外表上來看，海上霸權、海上安全、南北極的安全，都要用國安法來保護。換句話說，這是新形勢下，共產黨想要怎麼在國際跟國內建立絕對權威，讓它所要保衛的、跟中國國家安全有關的事物不受別人挑戰，它叫做核心利益。「核心利益」這個字是它一直用的，可是觀念不斷在變。所以今天的核心利益，已經不是二十年前、十年前所說的「核心利益」了。十年前所說的是某些地方的主權不允許爭辯。所謂核心利益，就是不允許跟它討價還價的東西，是沒有商量餘地的，就是中國一定要的。所以從前關於台灣的主權、關於西藏、新疆的主權，中國都是建立絕對主權的地位，是不能放棄的。可是大家對它這個國安法一分析，就發現裡面很多東西，已經擴大到不可想像的地步了。

第一個就是一黨專政，不能有任何人懷疑它，也不能有任何人說共產黨不應該執政，這個一黨專政就是國家安全最重要的事情。第二個當然包括一切主權，主權領土現在又擴大了，今天包括海上的一些島嶼都在內，引起國際上極端的敵視，不但包括菲律賓，還包括越南以及美國。第三個當然就是它的經濟發展，經濟發展也是它認為沒有商量餘地的。為了經濟發展，它可以採取一切政治作為，甚至於在美國進行許多科技偷竊，在它認為都是正當的，都是應該，都是屬於人民利益的。因為他們打的口號永遠都是人民利益第一。你要看它的國安法，講來講去都是人民利益，可是我們都知道，共產黨講所謂「人民」兩個字，意思只是共產黨人，甚至還不是所有的共產黨人，而是執政的那一小部分人，那一部分人士代表共產黨。所以國安法的影響將來會很大，最重要的一點是傷害。

我們從國內講，因為現在從意識形態，很難講某些話該說、某些話不該說。因為今天共產黨內部的思想也很分歧，所以意識形態不能解決問題。現在只能通過法律，訂過法律以後他就說，你說的任何話或做的任何活動，影響到共產黨一黨專政，就是影響到國家的最大利益，就是核心利益。這樣就必須用暴力把你取締，或者關起來，或者下放，或者用其他方式懲罰，這個事情已經屢見不鮮了。用這個方式，它就可以侵害所有的人權，而且還打出口號說是為了國家利益。如果不懲罰他們，國家安全就即刻陷於困難。不但如此，與國安法相關的還有一個新的法律也很快就要實施，目前已經出現了。這就是針對外國非政府組織在中國的活動，過去中國有許多人權活動，包括環境保護活動，都是靠許多國外非政府組織的人來幫忙。現在共產黨要立一個新法，控制外國非政府組織活動，把所有非政府組織的人，都放在所謂國家安全部手上控制著，一切活動都要經過地方警察通過。這些非政府組織以後愈來愈不能在中國起作用，也不能支持中國民權組織，這一切活動都不能進行了。因為這一切活動一進行，好像都是對共產黨的政策、對共產黨的領導抱持懷疑、質疑態度，同時還不只如此，共產黨還有一個最新的與此相關的法律，現在還沒有完全出現，不過很快就要實現了，這就是反恐，它在反恐的名義下，只要任何人對共產黨有不利的行為或不利的語言（還不用行動），馬上就可以打入恐怖主義範圍之內。如果是涉及恐怖主義，那一切活動就都是恐怖主義了，當然就一定要反恐了。所以這是共產黨另一個和國安法並行的組織，產生的一套互相關聯的方式，這套方式是從前沒有過的，從前沒有用法律的方式。

現在共產黨也提倡一種「依法治國」，但我們中國一般講法治，和西方普遍價值所謂的法治，就是法律是獨立的、立法是獨立的。立法的人員是老百姓直接選舉出來的，代表老百姓的意志，所以他們的立法就有法律的作用。這個法律作用是在政治之上，政治不能違背人民的立法。但現在共產黨不一樣，在一黨專政的立場上，以它的方便建立一些法律，叫人這樣做、不要人那樣做，都是以它的一黨專政為核心目標。從前這些一黨專政的方式，通過意識形態就夠了，但今天不行了。今天社會很複雜，所以它最近一連串的立法活動，在國際上的反應是非常強烈，不但是關於海島上的情況，就是在台灣也引起強烈抗議。台灣本來也希望跟共產黨能夠和平共處，維持現狀。但從以上這些敘述我們就看出，所謂國安法的這一切活動，都代表共產黨新的活動階段。這個階段跟從前毛澤東時代的意識形態支配一切是不一樣的。它現在的意識形態必須要通過法律方式才能施行，因為只有法律才能強制性地規定下來，意識形態只能講抽象的東西，不能講具體的東西。我覺得這是值得大家好好想一想的大問題。

談廣東三名「番禺打工族」遭警方刑事拘留

二〇一五年十二月十六日刊登

今天我想講的是中共鎮壓異己，不讓異議人士說話或活動，已經到了最高階段了，我稱之為消滅異議的最後階段已經到來。在這個題目下我首先要講，為什麼是最後、最高的一個消滅異議的活動階段？

這是看到十二月六日《紐約時報》刊載前段時間在廣州的一個活動，據《紐約時報》報導，中共在廣東抓了有十幾個人，都是私立的公民組織，不是官方的。我們知道，中共不讓工人組織工會。但改革開放以後，特別是最近十幾二十年，工人為了爭取待遇和其他的福利，往往要組織起來，所以這樣的組織已經實際上存在，他們常常也罷工，共產黨雖然也常常壓制，但因為沒有報導，我們就不知道了。工人階級在這幾十年的活動，是對生活不滿意的。

而共產黨的黨天下，並不會站在他們的立場上，共產黨號稱是工人階級的代表，但它始終不幫工人，幫的是資本家、投資者、有錢人。這幾個組織有一個叫做「番禺打工族」，是一個私人組織，組織的領袖是曾飛洋，另外還有一個幫助他的重要領導人，是個叫朱小梅的女性。

這兩個人跟其他人一塊被抓；另外一個不同組織「南飛雁」的領袖是何曉波，也是佛山一個援助工人的組織。他們特別援助的是受傷的工人，南飛雁來幫他們的忙。大概因為最近共產黨經濟不大好了，許多工廠關門，因此引起許多抗議活動。這兩個組織的三個領袖人物都是幫他們的。因此在這個情況下，共產黨為了維持黨天下的穩定，不得已就開始來抓捕他們。一抓就是十幾個，據說還有十幾個人在裡面還沒有放出來，也不知道現在在何處？

關鍵就是第一次大規模地抓了十幾個幫助工人的組織，這是第一次。個別一兩個幫工人的組織過去也抓過，但沒有引起注意。這一次抓的規模太大了，而且很公開的。在這種情況下，工人階級跟共產黨顯然就變成了勢不兩立的狀態，照說共產黨是應該站在工人階級立場上的，是應該幫助他們的。現在倒過來，它這個無產階級先鋒隊，號稱工人積極代表的政權，是站在以工人為敵的戰線上。

共產黨禁止異議，已經發展到今天這樣的程度，抓了工人階級可說是到了最後階段。這一點我們可以看出來，共產黨對於西方的民主憲政，雖然口頭上也這麼說，比如中國駐聯合國大使吳海龍，在日內瓦也強調中國人權有改進，顯然認為人權的觀念是不能取消的，可是他說謊，說中國人權狀況有改進，一點事實根據都沒有，這是其次的問題。

真正來說，共產黨把西方的民主憲政看成最大的敵人，因為這可以把黨天下打爛。這就可以讓我們了解，英國的《大憲章》為什麼今年夏天在中國展覽，英國《大憲章》是一二一五年的，到今年整整八百年，是很大的事情。

英國覺得今年跟中共關係最好，是個黃金年，後來中共習近平也在英國受到極隆重招待，答應了大量投資。英國一直拉攏中國，就認為該給中國做點好事，把《大憲章》拿到中國來展覽，其中之一就是在人民大學，結果不准，後來只能在大使館一個小房間裡讓人看一看，這就表示他們對西方民主憲政是真正害怕。所以在這真正害怕之下，我們才能理解，它為什麼用各種方式，來鎮壓意見不同的人群和領袖。

必須重視殘殺兒童的問題

二〇一〇年五月五日錄音
二〇一〇年五月十七日刊登

中國最近三月到四月一連發生五個案子，這五個案子都是精神不正常的人殺傷小學生跟幼兒園的孩童。這是非常恐怖的事件，也是前所未聞的。這種殺人事件可以說各國都有，但專殺沒有抵抗力的兒童和幼兒園生，還沒聽說過。

三月二十三日，福建南平一個精神病人殺死八個小學生、傷了四個，這個人已經被槍斃了。但這個人說明他是報復，他最恨的是高官，他沒有辦法對高官報復，只能對他們子弟下手，這是福建的一個案子。

另外第二個案子發生在四月十二日，這是廣西的事。也是小學生二死五傷，在廣西的合浦。另外在二十八日，廣東雷州第一小學有十六個小孩被殺死。二十九日在江蘇泰興幼兒園，殺得最多，殺了三十二人，其中還包括一、兩個老師。然後就是第五個案子，在山東的幼兒園，用鐵錘打傷五個，然後這個人自焚了。

五個案子都發生在小學生或幼兒園生身上，這是非常不正常、非常驚人的事件。何以有這樣的事件？我相信這裡面包括的問題有兩層。一層是關於精神病，這些人既然都患有精神病，卻還繼續留在社會上，這就非常不正常。

像西方，或者過去的蘇聯、東歐，都是把精神病人關在醫院裡面，不讓他們在外面活動。而中國人對這一點很不注意，共產黨現在老講儒家。從儒家觀念講，這大大值得反省。因為儒家對小孩是很重視的。你看看這四十天內發生五個案子，而地區的分布從北方的山東、到南方的福建、到江蘇的泰興，然後到廣東、廣西都有，真是太可怕了。

從這裡我們看到中共的社會、政治體制是非常有問題的。這不是政治，但推到最後還是跟集權政治有極大的關係。南平這個案子尤其是說明中國貧苦無靠的人沒有能力反抗，又恨這些壓迫他們的高官，就以小孩為報復，這件事更值得反省。

我們知道報復有好多種，小孩在共產黨的鐵腕統治、集權統治之下，是最弱的一環、沒有抵抗能力。所以他們能向這些沒有還手之力、沒有自衛能力的小學生跟幼兒園的兒童下手。這些兒童既然送入幼兒園、送入好的小學，大概都是高官或有權有勢的人家。所以可見中國貧富、貴賤的懸殊，已經到了非常驚人的地步，這我們都知道。

之所以如此，我想最後不能不談到集權統治所造成的影響。現在老百姓到處貧苦無靠的都無處投訴，所以這可以說是共產黨一種黨國合一的體制所造成的，是極不合理的統治，我們稱之為集權。裡面的一部分人構成特權階級，理論上似乎不與任何階級發生關係，與從前毛澤東時代不一樣；毛澤東號稱代表無產階級，某種程度也代表貧下中農。這是口號，實際上貧下中農在毛澤東時代一點好處都沒有得到。現在有些人就幫共產黨塗脂抹粉，說它任何階級都不代表，所以它能夠超越階級利益、集團利益。事實上完全相反，今天的共產黨並不是離開了任何利益集團，它本身就是最大的利益集團。所以在這個情況之下要想中國有政治改革，照趙紫陽說，是絕對不可能的。

但我們要知道，共產黨統治儘管再厲害，唐朝的儒家大師韓愈就說「物不得其平則鳴」，人受到了不公的待遇，總是要以某種方式發洩出來。太史公也說「怨毒之於人甚矣哉」，人要是懷著怨毒，那真是可怕極了，他們永遠不會忘，一定要報復的。就是剛才那個福建南平人說的話，我不能報復共產黨本身，但我可以報復他們的小孩子、報復幼稚園的小孩子、小學的小孩子。

這樣的事情層出不窮、四十天之內發生了五起，所以我覺得是極應該注意的一個現象。我們如果還是忽略它，以為共產黨已經變成大國崛起，我想是相當荒唐的。

對於共產黨現在的政治制度跟階級結構的分析判斷，我相信沒有人能比趙紫陽更有權威，趙紫陽去世不過五年，從他死前到現在這幾年內，也沒有很大的變化，只是加強了原有趨勢。從這方面說，我是很為中國擔心的。擔心的不是共產黨。如果中國是一個氣壓鍋，氣無處出，最後一定爆炸崩裂。而崩裂是從最軟弱的地方、就如幼稚園、小學等地方開始。這是我們在討論中國大國崛起的時候，絕對不能不注意的現象。

中國農民生活在九地之下

二〇〇二年四月十二日

最近大陸出版了一本非常暢銷的書，是一月出版的，作者李昌平，書名是《我向總理說實話》，完全為農民請命的一本書，據說五萬冊已經銷售一空，而且有很多農民也花錢買這本書來看，這是一個很突出的現象，知識界也對這本書討論得很熱烈。再加上前幾個月，我們提到的一本書《黃河邊的中國》，專講河南農民的痛苦情況，這兩本書配合起來看，可見農民的問題現在已經是關心政治、社會的人們最集中的一點了。這點再加上朱鎔基總理所說的農民已不堪重負，國內在沸騰這種話，可見得中國問題之所在。

農村要如何跟上現在的時代，特別是這個市場日益擴大的情況，是一個很嚴重的問題。中國有十三億人口，農民至少有九億人，這是個不得了的數目。我們知道，美國農業人口頂多不過百分之五，甚至不到。在這種情況下，中國農民的前途如何？是最值得關心的問題。因為農民分散在各地，又沒有全國性的組織，所謂農會也都是地方性的，而且現在也不准組織。李昌平這個人我不認識，只知道他大學畢業，得到碩士學位。但他是從農村裡出來的，擔任過四個鄉村的黨委書記。我們知道，今天的黨委書記已經是一種土皇帝了，為所欲為，許多黨委書記都踩在農民頭上致富。這位李昌平居然跑到北京研究農民問題，變成農民的代言人，這也看得出中國知識人的一個傳統，就是要為民請命。

他現在是為農民請命，所以他在書上印的是農民真苦、農民真危險，而且還說，要給農民以國民的待遇，那就是說，現在的農民是二等公民，這是一個極端不平的現象。一九五四年，共產黨在北京開政協會議，那時梁漱溟是一個很有名的思想家，一直關心農民生活、替農民說話。他那時說，今天的農民和工人相比在九地之下，工人在九天之上。這句話觸怒了毛澤東，毛澤東痛罵了他，毛認為只有共產黨有資格為農民說話，你是什麼東西，可以自居農民的代言人？從此以後，梁漱溟就受到圍剿，使他不能說話。這個人是一位傳統士大夫，所以他堅持自己的意見，沒有屈服。在今天看來，他的話要修改了，不只農民在九地之下，工人也一樣也在九地之下。農民和工人階級現在處於很困苦的階段，尤其許多地方的農民收到很多白條，可見苛捐雜稅之類的負擔非常大。

李昌平主張取消這些，不是減輕，而是跟其他人一樣，按照收入比例交稅。事實上農民生活很苦，交不出什麼稅的，這樣一來，農民等於負擔大減，中央以至地方卻很難維持了。中國從明清以後，稅金完全來自田賦，誰有田，誰就交稅。本來有一種人口稅，但這個稅合併到田賦去了，攤丁入畝。所以換句話說，明清兩代直到民國，你沒有田就根本不用交糧，地主非交不可。我們可以說，大家有一個誤解，以為共產黨革命是為農民翻身。其實在傳統制度下，農民還有它的基本保障，不用交稅，也不用出勞力。並不是說過去農民好得不得了，但確實比共產黨之下多一點保障，共產黨現在的田實際上還不是農民所有，在你交的稅上，田還是屬於共產黨、屬於公家的。這樣一來，農民只比過去更慘，而不是更好。

（本篇網路無錄音檔）

胡溫親民作風難解決中國問題

二〇〇四年一月二十一日

《紐約時報》十日登載了一篇報導，說北京的新領袖表現出一種新的作風，跟從前毛澤東、鄧小平、江澤民高高在上的作風不一樣。他們表現的作風就是親民，常常到窮苦的民間去訪問一下，和老百姓拉近距離。這當然是很好的。但這能不能夠解決中國現在的危機？溫家寶和胡錦濤往往是在出行時，以突擊方式到一個城市停留，事先不讓人布置的。然後就去訪問老百姓，尋求民間疾苦，常常獲得真相。一家兩家受到特別照顧，在總理干涉下，問題即刻得到解決，然而其他人照樣沒有辦法，所以這樣根本不能解決問題。

新一代領袖的用意是很好的，這種作風也值得稱讚，但這不能解決整個社會問題。《紐約時報》記者也訪問了許多專家，包括社會科學院的勞工專家、清華大學的經濟學教授，都討論過這些問題。他們的共同結論是，需要有一個體制，一個好的、負責的政府，能在法律規定下解決這些特殊問題，不是單一案例偶爾被領袖看到而得到解決，其他的一切照舊。如果這樣下去，比起中國十三億人，只是海裡的一滴水而已，整個問題完全不能解決，這是目前中國大陸一個最嚴重的問題。

解決問題的唯一辦法，是通過政治與法律的改革。正如國內的專家所說，僅僅靠少數領袖偶爾出席、解決一兩個人的問題，那是完全沒有用的。因為中國有十三億人，農民到城市工作的也有一、兩億人，這樣龐大的數字，豈是靠個人干涉所能解決的？中國國內的專家同時也指出，蘇聯崩潰以前，戈巴契夫的作風剛好就是胡錦濤、溫家寶現在所表現的一些作風。戈巴契夫常常為了解決官僚制度的貪汙問題、工作無效問題而出去訪問，然後報紙大量報導，這也是今天中國所做的。中國許多媒體往往在這上面重筆描寫，可是完全不能解決問題。而戈巴契夫所走的路，剛好是今天胡錦濤、溫家寶所走的路。我們知道，戈巴契夫做了半天，事實上也沒有解決任何問題，結果是蘇聯制度崩潰。今天中國的一些專家也有這樣的看法，如果這個問題不解決，中國也很有可能崩潰。所謂崩潰，就是地方秩序無法維持，現在是零零星星不滿的小點，如果這些不滿的小點串聯起來，那就是星火燎原，問題就非常嚴重了。

我們知道，中國傳統就有一種清官作風，我們看到許多公案小說，有些知縣、知府或巡撫（即省長）到民間查訪，往往能夠解救冤情，老百姓也接受這些。所以中國清官傳統，在老百姓心裡還有一定影響。胡錦濤、溫家寶所作的可以起一點點作用，但作用是愈來愈少了。尤其中國的人口現在不比傳統，傳統頂多三、四億人，而今天是十幾億人。這樣一個龐大的國家，如果沒有健全的制度——法律制度和政治制度，公平地處理一些嚴重的社會問題，這些問題就會愈來愈大。

（本篇網路無錄音檔）

由錢雲會的死看中國社會的不公正

二〇一一年一月六日錄音
二〇一一年一月十九日刊登

現在中國的圈地也是這幾年來、特別這十年來開放以後，發生很多的事件，每年都有十幾萬次的抗議。這個抗議就是農民的土地，因為共產黨支持的地方、國家的國營企業，例如電廠、能源、鋼鐵及其他種種，都要靠農民的地來發展。農民的土地被搶奪得很多，而且不給一個適當的補償，使他們完全生活無著，所以引起很強烈的抗議。

最近圈地殺人的事件，發生在浙江樂清市寨橋村。這個村從前有一個村長叫錢雲會，錢雲會是一個很愛為村民權益說話的村長。大概在二〇〇四年，浙江高能電廠在樂清市寨橋村要向民間徵收一百四十多頃地，電廠本來給農民的錢，據說有三、四億元以上。但到了樂清市，各層的政府都在貪汙，結果到了農民手上全部加起來只剩二、三千萬，給很多農民、村民來分。

所以這就引起許多上訪、抗議，而這位村長就到處呼籲、奔走，也跑到北京去上訪，到各地去努力，想為村民爭回點他們應得的補償。村長錢雲會就是一再地努力、一再地跟各級政府「糾纏」，地方政府當然恨他恨得不得了，因此就把他抓起來，判了兩年徒刑。

關了出來以後，他還是不放棄，還是執著，繼續抗議。他開始在網上寫文章，而且把所有事情公開。這樣的話，貪官汙吏就受不了了，要解決他。共產黨就想到用它的老辦法，就是把他騙出去，在外面的公路上，有五個人把他按在地上，然後有一輛大卡車朝他衝過來，活活壓死他，慘不忍睹。剛好這個時候，有一名女子在旁邊看見，用手機把這整個錄影了，以後就傳到網上，所以現在所有手機都能看到這一幕，無可掩飾的。

這件事情鬧得太大了，但官方依然繼續否認一切，都說是普通的交通事故。一個社會沒有公道到了極點，任何人看到以後都要血脈賁張，說中國社會已經完全墮落到了沒有一點公道的地步，可以公開殺人、公開貪汙，老百姓講的公道話沒有一句受到社會的重視，是社會沒有輿論的監督，也沒有法律的保障。

所以這些村民最近發表了一篇聲明，提出六條。其中一條就是要追悼前村長，要抗議各級地方政府對村民的不公平。第三條也很重要，就是要鼓勵調查。因為政府不准調查，現在就希望老百姓自己調查，調查以後公開所有結果，同時抗議政府，不能再阻止這個事件的調查。再有一條，要把十二月二十五日前村長被壓死的那一天訂為紀念日。最後一條第六條最重要，就是官府、豪強欺壓人民，已到了忍無可忍的地步。它說從前我們是信賴政府，總希望政府可以主持公道，現在我們已經試了各種方式，現在已經走到路完全窮了，走到連村長為我們叫屈申冤，被公開謀殺而毫不在乎，在這種情況之下，我們已經忍無可忍。

但這些村民絕不是主張暴力，也不是主張暴動，也不主張武裝起義之類的，他們現在要求自己，對政府不再合作了，不再去上訪、不再去磕頭、不再去請求，這是一個很重要的轉變。

所以從二〇一一年元月開始，我們看到了中共跟老百姓關係的一個動向，就是現在老百姓採取的方式叫做「不合作抗爭」，「不合作抗爭」跟「合作抗爭」是大不相同的，「合作抗爭」是對政府、對黨、對它的司法制度，還多多少少有那麼一點敬意、有那麼一點依賴、有那麼一點信任；到現在可說是徹底絕望了，那只有一條路可走，就是我們要繼續抗爭下去，抗爭到我們勝利為止。現在到了這樣公開地欺負老百姓、公開地謀殺，而居然說沒有任何問題。我總覺得共產黨如果這樣做的話，其實並沒有人要消滅它，可它自己在採取一個積極自殺的路線，令人感到非常遺憾。

談中國社會三大裂痕

二〇一一年十月四日錄音
二〇一一年十月十四日刊登

三大裂痕，我用三個系列的事件說明。第一個裂痕是農民的耕地被掠奪，被官商勾結搶走，只給他（她）很少的補償，引起集體反抗。這個事情常常發生，但現在忽然加速起來了，尤其最近剛剛在九月發生。

廣東的陸豐有幾百家農戶，因為官商勾結，市政府把他們的八百畝土地都賣給發展商了，建造房子和其他的值錢東西。售價很高，一億五千六百萬美元，但農民得到的補償少得不得了。根據大陸內部的報導，農民自己說：「我們得到的錢，頂多每人只能買一張床」，以後就沒有任何土地了。

所以這幾百家就聯合起來，要政府還他們土地。其中一個重要的旗號是「還我祖先耕地！」這個旗號上面有幾百人公開簽名，都不怕的，都是真名實姓，簽名信也在《紐約時報》登出來。可見這件事情老百姓已經下定決心，要跟政府對抗了。結果也是打了警察局，打了黨部，同時燒了車子。

總而言之，這件事情鬧得很大，當然一定被抓。有些人被抓，有些人就可能被送進監牢。事情剛剛發生，但在發生之前一星期，浙江海寧也發生同樣的事。這個事情不是搶耕地，而是幾百家住戶抗議當地一家工廠嚴重汙染、可能致癌。他們就積極抗議，而且說工廠毀約，因為本來答應工廠的距離是一千公尺以外，結果卻已經到他們家門口了。幾百家農民和住戶聯合起來，也是打警察局，摧毀工廠，把工廠設備、汽車種種都推翻、燒掉了。

在海寧事件前幾星期，當然還有一件更大規模的抗議發生在大連，上萬人參加，要求一家化學工廠趕快搬走。化學工廠是非常危害他們健康的，尤其是癌症的主要來源之一。這三件事情都發生在幾個星期之內，可以說是加速度地在發生，這是共產黨統治機器一個很明顯的、很大的裂痕。

第二個裂痕、我要講一下，是車禍的問題。九月二十七日，上海市中心到虹橋機場的一段地下鐵，又發生同樣的車禍、也就是所謂快車追尾事件，後面的列車撞了前面的列車。為什麼那樣撞呢？原因跟七月二十三號在溫州發生的事情一樣，就是它的信號系統忽然失靈。因此車站的負責人只有靠打電話來指揮，結果還是不行，四十分鐘以後、就是兩點五十分，終於發生車禍。

車禍發生在豫園公園附近，遊人很多，據說有二百七十多人、甚至三百人受傷，其中二十人傷勢嚴重，可能沒有死亡，但無論如何，這是極嚴重的事情。這跟溫州的車禍是同一類型，等於跟我剛才講到的搶奪耕地或環境汙染一樣，它變成一種周而復始的型態，一個固定的形態了、老發生。

老發生的原因也是同樣的，都是官僚系統要儘快地發展，就粗製濫造；下面的官僚為了向上面討功，還沒真正造好以前就啟用。有些橋螺絲釘都沒有轉緊，就啟用了；還有一些公路，還沒造得很好，也就開放了；再加上鐵路的軌道沒有完全建好，就開放使用，這些事情已經到處發生。不過溫州是最大的事件，把整個問題弄出來了。

大小事故到處都發生，這就是一個固定形態。這個形態因為在上海瞞不住，所以就暴露出來了。從這個事情可以看出，這也是統治的官僚系統基本的問題，就是根本沒有把老百姓的利益、老百姓的生命放在心上；而只想到他們怎樣能夠完成任務，就在這完成任務中，有很多錢牽涉在內，可以大撈一筆，快車追尾是同一個原因造成的第二個大裂痕。

第三個裂痕，最近《紐約時報》也有報導，河南洛陽有個官員叫李浩，他造一個地下室，強迫十六歲到二十四歲的女孩子，住在裡面不准出去，用各種淫樂的方式來取悅他。其中有兩個不服從的，就把她們殺掉了。最後靠一個《南方都市報》記者，把這件事情戳穿了，所以九月六日就把這個人抓起來了。

抓了李浩兩個星期後，卻又把這個記者抓起來了。因為警察局說，記者不應該報導這件事情，這是「國家機密」。所以由此可以看出，共產黨常用這個罪名抓人的所謂「國家機密」，是怎麼一回事。

這件事情本身作為一個孤立事件、他們稱為「性奴」，這種事情也並不特殊，別的地方也有。不過這樣的事情在中國，卻又變成了周而復始的固定形態，所以我覺得，這又是一個很大的裂痕。因為沒人能控制、法律也管不到的一個官僚系統，一定是官官相護，或者官商勾結、官商互惠，完全不把小民的利害放在心上。

這種情況下，這些官員們膽子就愈來愈大，可以無惡不作，而且覺得有持無恐。這三件事情最後被告發，當然不可避免。但還是有很多的人，雖然做同樣的事情，卻一點問題也沒有，我們只知道這三個案子發生了，或許還有其他更大的案子沒被報導，我們不知道。無論如何，這是共產黨一黨專政官僚系統下，控制老百姓的絕對權力，造成了以上這幾個明顯的裂痕，這三大裂痕是共產黨的致命傷。

談中國高考制度的負面影響

二〇一二年七月十九日錄音
二〇一二年八月二日刊登

六月、七月正是中國高考時期，大學入學考試。大陸現在的高考發生特別大的問題，人數太多也是原因。每年的考生都有九百萬以上，大概只有七百萬左右可以進入大學，所以競爭還是非常激烈。

更大的問題是大陸現在的高考地域非常不平衡，鄉下地方考進大學的機會非常低，即使考得很高分，但你想進的學校卻不收你，只有到比較壞的學校去。在這種情況下，考試失去公平的意義了，對考生的心理影響非常大。

有些報導提出一些很可怕的情況，比如說，有一個女考生是西安人，她準備考試的期間父親去世了，她在外面準備考試，家裡親戚、朋友都要瞞著她，要到她考完以後才能告訴她。

這件事情引起報紙上許多評論，可見這個考試實在是太殘酷了，造成的心理影響不可想像。有一個湖南的鍾姓評論員，就對考試的不公平和問題重重提出質問，受到很廣泛的注意。尤其因為考試如此困難，而發生許多流弊，大城市富有家庭的子弟，得到考試的太多好處；窮鄉僻壤的子弟幾乎就很少機會，這是很大的問題。

比如上海、北京、南京、武漢、杭州，也包括天津在內，這些大城市都有很好的大學。天津、北京這些大城市的人，入大學比較方便，但其他地方的人就不行了。其中有一個最極端的例子，安徽的學生如果想進北京大學的話，七、八千多人才取一個；而在北京的考生，大概一百九十個人中間可以取一個。這已經是非常厲害的比例了，窮鄉僻壤的考生就等於沒有機會了。

在這種情況之下，好的、有水準的大學都被有錢有勢的人占去了，而窮鄉僻壤就很少有機會。這點跟過去的科舉考試制度並不一樣。過去每個地方都是根據人口，不會有這樣的地區不公平問題。但在今天的情況下，地區不公平首先就是重要因素。

另外就是舞弊，舞弊也要花很多錢。比如說你要買一部很小的傳播器跟外面通消息，有時候一部機器就要二千五百美元。今年發生的一件事情，就是在湖北黃岡，有好幾十個人考試都考得很好，後來都被當場抓到，他們都買了一部二千五百塊美元的小機器，跟外面通消息，把考題傳出去，答案又從外面傳進來。還有更荒唐的，三個女學生也是被抓到的，她們把傳播器放在胸罩裡面，當然也沒法搜出來，但後來還是找出來了。

考試的舞弊非常厲害，現在批評的人還不只是說，這些長期的舞弊或不公平，對考生心理產生很大影響。許多研究也指出，中國考生在考試時代勉強灌輸知識、廢寢忘食、一天到晚什麼事都不做，就只為了考試，這成了一個噩夢，大學畢業以後還常常回到心裡，對人的一生有極大的心理影響，而且都是負面影響。

有人指出，尤其要注意的是，第一，你的人格發展會陷入非常失衡。因為差不多高中最後一年就不念書了，就是準備考試。父母為了要省孩子的時間，往往就不要他（她）通勤，在學校附近為他（她）租房子，甚至於陪他們住，來準備考試。如果考不取，你想想那個心理負擔有多大。

另外一個普遍的批評也很合理，就是說靠這樣的死背硬記來考試，結果是腦子非常不靈活了，變成創造力完全消失或大部分受損。大部分受損的腦筋，就不能夠有很高的創造力，進了大學以後，也會受影響。

所以，中國大學教育近來被批評，我想跟高考也有關係。大學教育一落千丈，尤其人文教育，幾乎連常識都沒有，也不會活用任何知識來解決當前問題。這就變成人人只有聽黨的話，不敢有自己的意見，並不只有考試這一關，而是隨著考試接連而來，過這一關以後，影響在後面還要繼續發生，這是最負面的東西。

另外我們要知道，現在中國貧富非常不均，高幹子弟跟富商子弟進大學還另有路數，考試也是過場，往往有辦法讓學校收他們的子弟，這是不公平的一部分。另一部分的不公平，就是這些富商、高幹最近幾年來因為錢多了，常常把兒女都送到外國去讀書，不在本國上大學了。這個例子很多，根據中共教育部最近發表的數字，就是從二〇〇八到二〇一一年這幾年之內，每年出國留學的人都增加百分之二十。如果照這個比例下去，將來有錢人和高幹子弟都不在國內念書了。

所以在這個情況下，我想中國的教育、社會的不平等，官跟民、富跟貧之間的距離，都愈來愈大了，在教育上也加強了這個鴻溝，所以我覺得這是一個很可怕的前景。如果中國想要爭取世界文化上的某種地位，我想高考制度也要好好重新檢查，甚至要有徹底的改革。當然不限於高考，而是整個教育制度，因為現在整個教育制度還是以黨的控制為主，人文教育乃至一切教育，講來講去，就是要以黨為中心，如果教育繼續這樣下去的話，是沒有希望的。

談中國體育的舉國體制弊端

二〇一二年八月九日錄音
二〇一三年一月七日刊登

《紐約時報》有一個長篇報導，從田徑超級明星劉翔說起。劉翔在這次奧運中一開始就摔倒受傷了。我們看到在電視上、網路上都有許多報導。這個事情在國內引起很大的注意，網民也是一片同情。所以《紐約時報》這篇文章，一開始就從劉翔在奧運受傷講起。

中國的奧運有兩件事特別值得注意。第一件事就是女子羽球隊作假，故意輸，南韓也作假，結果這兩隊都被取消參賽資格了，認為他們很不尊重奧運精神。奧運精神是最重要的條件，可是弄虛作假，故意輸球來取得某種戰略上的方便，這是完全違背奧運精神的。儘管中國狂熱的民族主義者好像覺得這件事情很好，但奧會正式譴責，把兩隊跟教練都除名了。最後中國《新華社》也不能不報導，也不能不說這是很丟人的事情。這是一件值得注意的事情。

第二件事就是劉翔，劉翔雖然是超級明星。我們記得二〇〇八年，他也是被迫參加奧運的，可是他那個時候有傷，在賽前試了一下，根本就不能跑，只有放棄。這件事發生以後，在四年前的當時，中國有些觀眾、網民譴責他、歧視他、笑話他。但這次不一樣，這次一開始參賽就摔了一跤，受傷了，跨欄跨不過去，跟上次幾乎是一樣的，可是在大陸網路上的反應完全不同。《紐約時報》對這件事情特別加以報導，也報導許多網民的反應，觀眾是同情他的，認為他永遠是中國人的英雄，而譴責共產黨所採取的蘇聯式體育制度，就是所有的運動員都是由國家來支配，直接指導，一心一意就是要贏金牌或其他獎牌，至於人的代價，運動員到底得到什麼樣的結果，是完全不顧的，所以這是一個很壞的制度，今天只剩下中共這個國家才採取這種制度。

這兩件事情的發生，顯示出共產黨這個制度的不合理。這個制度之所以不合理，正因為它是一黨專政的結果。誰該領導、誰該贏當然是統一計畫的，專門找哪些中國可以拿金牌的項目，然後把很小的孩子網羅進國家隊，全力以赴二十四小時訓練，訓練多少年，家裡人也不知道，也不回去。以這樣的代價來取得的勝利，不但不是中國的驕傲，可以說是中國的極大恥辱。在這種情況下，犧牲年輕孩子的一輩子，幾年訓練出來，有的訓練不出來，拿不到金牌的當然就像垃圾一樣給丟掉了。有些拿到了，後來不行了，也變成跟廢物一樣，這樣的廢物非常多。照官方媒體報導，有二十四萬人之多，可能還少報了，以後當然還會繼續增加。真正能夠成名的、得到好處的，大概不超過有幾十個人，也不會長久。所以這樣一個制度，我覺得不但應該檢討，而且根本是不應該有的。國家根本不應該在這上面給老百姓打主意，把小孩的一生幸福都犧牲了。根本就不考慮小孩子幸福的問題，只考慮對黨有什麼好處。其中有一個人給黨辯護，認為這樣做對國家有利，而且有利於統一中國。我不知道「有利於統一中國」到底是什麼意思？可能要靠奧運選手來證明，中國在共產黨領導之下，從東亞病夫已經變成強人了，像這樣凝聚所有人對黨的信心。也許是這個原因，他才認為對統一有利。

總而言之，共產黨沒有一件事情不以政治為主要目標，而政治的主要目標就是要堅持一黨專政。一黨專政表現在體育上面，就是我們看到的蘇聯式制度。雖然拿到的金牌相當多，但其中付出的代價就不堪聞問了。一將功成萬骨枯，上面能夠出頭的人，要墊在多少人失敗的基礎上才能爬得上來？這更是大家都不考慮的問題。所以我想，除非是狂熱的民族主義者，否則對這樣的制度，不能不提出嚴重的抗議。

我想，奧林匹克運動最早並不是為了爭奪第一塊金牌，而是要訓練一種運動員的風度。運動員風度就是要公平競爭，這是一個很重要的精神。要是輸了就認輸，乾乾脆脆，大家也佩服。贏了也贏得很光榮。

昆明火車站砍人事件與恐怖主義

二〇一四年三月七日錄音
二〇一四年三月十二日刊登

昆明恐怖事件可說是到目前為止最可怕的一次，中共當局把它訂為中國的九一一，恐怖主義傷害最多的一次，當然就人數來說不成比例。另外我們也要想到二〇一三年十月，也發生過三名維吾爾人開車到北京天安門撞傷很多人、撞死二人，然後自己爆炸，引起全國震動。共產黨把它定義為恐怖主義的作用。恐怖主義當然是恐怖主義，可是這個恐怖主義第一次在天安門發生，那就大不相同了。

自從二〇〇九年新疆發生漢族跟維吾爾族的衝突，死傷很多人以後，共產黨就用特別高壓的手段控制維吾爾人，不許亂動亂說，給他們各種限制，所以引起更大的不滿。但當時還以為新疆的問題只限於新疆本身，可是從二〇一三年十月天安門事件以後，恐怖主義顯然已經離開新疆，跑到北京的政治中心了。許多國內學者發表的言論，都認為這是關鍵性的一次。可是這次昆明事件更大，死傷之多、驚心動魄，又遠在北京之上了。

在這個事件之前，共產黨逮捕了一個溫和派的維吾爾族教授，叫伊力哈木．吐赫提，他在北京中央民族大學教的是經濟學，他不主張獨立。他被逮捕以後，他太太也認為這簡直是笑話，因為共產黨是以分裂主義的罪名逮捕他的。不過無論如何，他的被逮捕是一個很大的信號，因為他代表最溫和的一派。他把新疆一千萬維吾爾人的困難狀態呈現出來，希望取得中共當局的注意，讓他們改變政策，不要一味逞強，一味用暴力鎮壓。但共產黨永遠居高臨下，不肯讓一步。它認為讓一步就表示自己軟弱，那對方就更厲害了。所以共產黨對於敵人，除非它打不過的，它可以磕頭、可以談判；可是它自己認為治得住的，就用高壓手段。伊力哈木．吐赫提特別在這一點上批評了中共。但這並不表示他要主張分裂，他是主張談判的。他的主張都在中共的憲法之內，比如說少數民族自治，這是共產黨憲法上明文規定的。可是共產黨如果要整你，任何法律都不會起作用。所以對於他被捕，不但國外的國際特赦組織表示抗議，國內許多人也為之不平，為他說話。但沒有用，共產黨已經下定決心要把他送到監牢。

在這種情況下，你可以想像，伊力哈木的被逮捕跟昆明事件，雖然我們沒有任何證據說這兩個事件有什麼因果關係，可是心理上是不可能沒有影響的。因為他是一個非常有名的人，又代表溫和派，一向主張不用暴力，而是用談判的方式解決漢族跟維吾爾族的衝突。他被逮捕以後，共產黨用五毛黨在網路上拚命地罵他，甚至說他是一個十惡不赦的人，大家狂喊「槍斃伊力哈木」。現在習近平的反應是，對待恐怖主義，應該以最重的懲罰來制裁他們。這話是錯的，制裁是應該的，但問題是制裁不但不能解決問題，而且會製造更多的問題。如果不能解決維吾爾族人的生活方式，文化、宗教活動，讓他們在這方面毫無出路，困死在新疆，經濟情況也愈來愈壞，在這種情況下，我相信有更多人會放棄理性，走向暴力，走向恐怖主義。

新疆大學的潘志平教授研究當地動盪情況，他就指出，目前這個情況愈來愈像車臣民族跟俄國的關係。現在昆明的這個事件清楚地表示，新疆的恐怖主義已經發展到內地來了。主要的原因，我想共產黨在報導這件事情的時候也有問題，最早它說有十人（案犯）或者十人以上，他們也沒有槍，都是拿刀，拿斧頭之類的武器，殺死二十九人，殺傷一百四十三人，差不多一百七十多人受重傷。現在我們從北京《財訊》雜誌網上的報導得知，經過調查，官方的的報導是不正確的，實際上只有八人（案犯），最近共產黨官方也承認只有八人了。這八人中有兩名女性。八人中間只有五人進火車站行兇，另外三人在外面守著車子。無論如何，中國老百姓就很懷疑，為什麼五個人殺死殺傷一百七十人之多？似乎不盡情理。就因為共產黨不肯報導，不肯把事情的真相說出來。維族人大城市到處都有，可以說是人人自危了。可見共產黨雖然維穩，真正遇到重要的安全問題，它又不能夠真正有效的制止。所以這也是共產黨很大的問題。報導不透明，事情搞不清楚，這也是很大的問題，而且造成很多謠言的出現。

網上最近許多報導，昆明不只是火車站事件，還有一個醫院也有暴民去行兇，好像還有一批人要到貴陽去發動，種種謠言都是因為共產黨不肯好好報導，不肯好好交代事實所造成的。所以共產黨有許多地方應該好好反省，如何對付這樣一個未來恐怖主義的問題。

中國的硬實力與軟實力

二〇一〇年五月十二日錄音
二〇一〇年五月二十四日刊登

新左派宣揚中國大陸最近的崛起，是根據什麼？在我看來，根據的就是所謂「硬實力」。比如說，這個「硬實力」包括政治掛帥的一種力量，一黨專政，就是黨國體制，這是他們的最強項。所有資源都集中在一黨之手，因為鄧小平搞的是要一部分人先發財，這其實是對的。換句話說，不能夠實行過去所謂一切由黨控制的那種生產方式，要發動老百姓自己的力量去發財，所以要有市場開發。

但很快就發現，這個市場開發跟政治控制是衝突的。市場的自由、經濟的自由，馬上就挑戰政治的一黨專政。所以在這個情況下，就發生了許多大事，包括趙紫陽下台、胡耀邦下台等等。

到今天這個局面，就是黨控制一切，政治控制絕不放鬆。經濟發展只要威脅到政治，馬上國家就要來干涉。儘管許許多多的國營企業還繼續在發展中，不過這個國營企業跟以前又不同了。

從前的國營企業是產品沒處賣，因為沒有競爭。現在有競爭，也是派黨員管理企業。在這個情況下，就是化公為私。表面上是國有的，可實質是私利所在，都和這些黨員、黨書記有關，或是跟他們有親戚朋友關係的一些外人，那些人跟國營企業聯成一片，就變成先富起來的一部分人。所以我們今天就看到，中國出現了由黨領導的一群人（黨員本身就有七、八千萬人，真正起作用的大概不到一半，加上他們的親戚朋友，總有一億多，不到二億），在現今共產黨的體制下，生活得非常好，而且非常富有。

大城市發展起來了，非常現代化。外人看來印象非常好，覺得中國確實已經現代化了，已經是一個現代經濟大國了。但實際上我們知道，還有七、八億農民仍處在很悲慘的狀態。中國農民完全沒有政治意識，從前硬是灌輸了一些階級鬥爭意識，到現在已沒有了。現在他們真正受到了壓迫，黨跟企業界聯手對付他們，搶他們的土地、破壞他們的環境生態等等。

在現實之下，黨的作用極大。有任何危機，它都用錢、用專制力量制服。壞的像新疆維吾爾事件，好一點的事情比如說地震救災。但救災表面上好像很好，可我看到很多的分析，貪官汙吏在裡面發財還是多得很。所以，這是共產黨一個最大的本錢，一黨專政，把全中國所有的社會資源都抓在手上。

第二個就是剛才說的國有化，國有化使國家的錢愈來愈多，所以浪費、貪汙跟著而來，這就不用說了。但這是個實力，因為有錢可使鬼推磨。所以在國內、國外都慢慢有不少人轉而投靠共產黨，新左派的人現在就有許多都是靠著共產黨的錢發財。

第三個當然也隨之而來，就是有了錢，我們就可以發展武力，像航空母艦正在發展中。潛水艇啊、飛彈啊，不用說了，這可以威嚇別人、威嚇台灣、威嚇其他的東南亞國家，甚至於威嚇日本、美國。

所以這是三個本錢，這三個本錢可以說是所謂的硬實力。軟實力呢，就是要靠精神，這是共產黨現在還沒有的。共產黨現在的實力，相當於一九二〇、一九三〇年代日本帝國主義的軍國主義時期，像蘇聯盛世與美國共同稱霸的時期，也像希特勒的納粹在一九三〇年代崛起，開始要侵略其他國家的時期。

可是我們知道，真正大國的崛起靠的不是這些，而是文化。這個文化一言難盡，是精神的領導。這種精神領導靠的是別人看見你的長處，要來向你學習。西方文化作為一個單位的話，我們就可以看到，西方文化源頭是從古典希臘以及基督教文化開始。這兩個文化在中古時期慢慢醞釀起來，就變成理智跟天體合在一起了。所以近代化的開始是從文化，然後是文藝復興，接著是宗教革命，這就是基督教本身的調整，再來就是啟蒙運動。中國如果沒有這些東西，只是根據硬實力，我想它的前途還是不可樂觀的，我看不出它的大國身分在什麼地方。

談中西方軟實力

二〇一〇年五月二十五日錄音
二〇一〇年六月三日刊登

軟實力，就應該想想西方的情況。它至今的興起，絕不是靠資本主義，也不是靠十九世紀以後英國的工業、大工廠的出現種種。這是後果，發明機器應用，那是所謂科學發展的結果。

這就要追溯到十六世紀、十七世紀去了。從天文、物理，到數學，英國的牛頓（Isaac Newton），西方變成一個文化最先進的地方。西方文化所謂科學，我們是十九世紀以後才把它專門講成自然科學。從前自然科學家在西方都稱為哲學家，基本上都是學問中間偏向於自然的。而今天一提到科學家，我們往往是想到科技方面的人，物理、化學、自然科學，事實上不是如此。

所以這一部分，至少可說是從文藝復興以後，慢慢發展出來的。宗教革命、各種科學的發展，像是從萊布尼茨（Gottfried Leibniz）、到牛頓、到笛卡兒（René Descartes），哲學跟數學都是聯在一起的。所以這是西方基本的軟實力。這個軟實力奠定它後來的工業化，工業化再跟資本主義生產、跟市場制度聯在一起，那更是威力無窮，所以這是後果。

我們還記得在明朝末年，十六世紀末、十七世紀初，西方的傳教士，特別是耶穌會的人，從義大利到中國來的時候，那時候它的科學已經相當發展了，但沒有把這些最先進的東西傳到中國來。

可是那個時候中國人已經很佩服，不但是基督教，也佩服他們的自然科學，包括物理、數學，在中國有很大的進展。所以西方的實力來自文化，絕不是來自船堅炮利，那是後果，我們不能倒果為因。

西方之所以崛起，有幾個大國，尤其先是英國，在全球有那麼多的殖民地，繼而有法國。德國起來太遲了，所以它殖民地分不到多少。美國是另一回事，是英國殖民到美洲以後，發展出來的一個新枝。

這個新枝也是從歐洲分出來的，所以我們研究美國歷史，首先要研究它的宗教史。比如說清教徒，那是從英國來的，為了避免在英國被迫害，到美洲開闢新天地。啟蒙運動使它走上民主自由這種制度，從這裡可以看出西方的力量。

中國也是一樣，我們要簡單地看看中國的漢朝時代，號稱中國是東亞主要的文化力量。

這也是靠文化，不是靠武力。中國人從前很早就占領了越南，很早就武力打到北韓，後來都退出來了。

中國靠的影響是文化，比如說今天的新疆，在漢朝就分成三十六國。這三十六國許多都是因為後來慢慢配合中國文化，像龜茲學中國的音樂，學中國的禮節；又像葉爾羌，在漢代叫做莎車，也接受了許多中國文化的原則，包括儒家的一些教訓。所以王莽篡位的時候，莎車就不服氣，因為還接受了儒家這一套。

換言之，中國的影響力之大，從漢到唐，都是靠文化。許多邊疆民族，從匈奴、到鮮卑、後來突厥，確實在政治上、軍事上征服過中國部分或全部，但最後還是被中國文化所化，慢慢就漢化了。

退出中國的像蒙古，當然是保持自己原有的身分。像滿洲，我們現在找不到真正嚴格意義的滿洲人了。滿洲人漢化的程度非常快，這就是軟實力的實際表現。中國今天能不能跟西方一比軟實力？我想很成問題。

我們近二百年來吸收西方的科學，所以我們的科學還是落在後面。我們還比不上日本人，日本人還出現了自己本土產生的諾貝爾得獎者，我們中國諾貝爾得獎者都是美國公民，或在美國工作才能得到的，中國本土一個都還沒有。

科學方面如此，社會科學落後得更多。因為共產黨在最初三十年把西方社會科學全部一刀砍掉，專講馬列主義，所以思想上非常貧乏。到了最後，社會科學在中國根本就絕望了。到今天，中國在社會科學、哲學思想方面，都是跟在西方後面走。

所謂提倡大國崛起的新左派之類人物，實際上是撿了西方新左派的牙慧。談到最令人痛苦的就是漢學這個領域，我們一直也還沒有追上西方某些先進的研究者。在一九二〇、一九三〇年代，中國人拚命追，要把漢學中心或者從日本的京都、東京，或者從法國的巴黎，移到中國。慢慢地又有成功的希望，從一九二〇到一九三〇年代，中國產生了很多第一流學者，像陳寅恪、陳垣、湯用彤、錢穆等等，這些大師都是那時候產生的。

但首先是抗戰，接著就是共產黨來限制思想，一切以史達林的馬列主義為標準，人文科學就死掉了。現在能夠活躍的，都是在西方學得一知半解的東西，最活躍的所謂新左派其實最無知，非常非常沒有原創性。好些是把別人的話改頭換面，用來做一種號召，好像中國想出了一條什麼新辦法。最後裡面的東西，情感的力量是來自民族主義，知識的力量就是重點吸收，多半以抄襲為主，這是很可悲的。暴發戶變成大國崛起，我認為非常可笑。

談近期中國外企工人自殺和罷工維權事件

二〇一〇年八月十八日錄音
二〇一〇年八月三十日刊登

共產黨幾十年來根本就不准罷工的。但從五月到六月、七月，罷工事件層出不窮。最早是台灣人在深圳開的很大規模電子廠、叫做富士康、用了幾十萬人的，一名工人被管理人員責罵、憤而跳樓，變成很大的事件。當時台灣的老闆郭台銘趕快跑到深圳來道歉，然後賠償死人。

因為這個自殺案子一再發生，不是一兩次，事件就鬧大了。接著就是本田（Honda）在廣東有好幾個廠，一個是佛山、一個是中山縣，都是製造各種零件的。

這兩個廠先是佛山五月底就發生了罷工事件，由一個年輕人領頭。這個年輕人只是一個湖南來的工人，才二十三歲。但很快地，他就變成一個領袖，在五月下旬號召全廠工人罷工了九天，引起很大的事件。

他本人當然後來被開除了，但事情鬧得很大。最重要的一點就是要求成立獨立工會，因為共產黨的工會（中華總工會）根本就不管工人利益的。總而言之，他們要求自己能組織工會、自己選出信任的人，跟老闆交涉。

佛山的本田工廠只有屈服了，加薪百分之二十二、還是百分之二十四到三十二左右。郭台銘最慷慨，他加到了百分之三十三。所以這也造成一個問題，就是共產黨自己的民營企業跟國營企業的工人，會不會也要求加工資？這當然會有，而且如果真的要組織獨立工會，那麼中國其他的本國國營企業跟民間企業，是不是也要組織工會呢？原來的中華全國總工會怎麼辦呢？這也造成一個很嚴重的問題。

現在我們要回顧一下，第一，是富士康的自殺事件。這個自殺事件可說是工人的生活太苦、太單調。後來美國的《紐約時報》記者，就訪問了在深圳的一家工廠，這家工廠是美國人開的，也是個電子工廠，跟富士康差不多，不過規模比較小。他訪問了一個人叫袁嚴東（Yuan, Yan dong，音譯）。

袁嚴東這個人才二十四歲，從北方來的。到廣東來找職業，他希望改善生活。他一天可以做十二小時工作。照他自己的訪問，詳細情形我不能細講，就是晚上七點半夜班上班，到十點三十分才吃東西；然後十一點半又上班；早上五點半以後又做加工，這個加工要做到八點鐘然後才能回去。所以換句話說，他每夜要做十二小時。

而他的生活單調痛苦已經不必說了，他只賺到每小時美元七毛五分，低得不能再低了，每個月換算成美元，不過二百二十五元，房租就去掉四十四美元，每個月剩下一百美元左右。

這是一個生活的寫照，這個寫照可以看出來中國工人生活之痛苦，只有中國艱苦奮鬥的老百姓，才能忍受這樣的痛苦，而賺的錢又非常有限，所以這個罷工種種都是逼出來的。

現在因為一胎化的關係，工人人數也少。出來的人少了，最近還有找不到人的情況。所以許多工廠都特別增加工資，來吸引新的工人，現在許多外資工廠就跑到了越南或其他地方去了。

我們要在這裡強調的，就是共產黨對罷工到底是怎麼回事、是什麼態度。我們知道，中華全國總工會完全已經變成共產黨的工具了，它還辦了個《工人日報》，但它那個《工人日報》絕不報導工人罷工，也不為工人利益說話，就是要歌頌黨的，像七月一日，他們要慶祝，唱〈沒有共產黨就沒有新中國〉之類東西。

而那一天的天津，就有一個六千人規模的工廠三美電機公司，這六千名員工罷工，《工人日報》一直不登。所以大家對主席王兆國很憤怒，王兆國這個人是鄧小平提拔起來的，也是後來對胡耀邦落井下石的人之一，現在好像屬於共青團，所以受到胡錦濤重用，這八年來都是他主持全國總工會。這個工會對工人利益完全沒有任何照顧，所以這一點也是工人非常憤怒的原因。

現在我們說五、六月為什麼發生這些工潮，而且發生在廣東。這是因為他們要給外國人一點顏色看，或者台灣外資，或者日本外資，要這些工廠就範。你要不聽中國的話，那你將來有苦頭吃了。所以這是想利用工人來打擊外資，或者逼外資就範。可是基本上，最後它還是要幫外資維持秩序，所以這些工廠還可以開除不工作的工人。如果共產黨不在後面支持，那是不行的。

可是另一方面，特別是國營企業都是共產黨自己的，等於黨官分贓的地方，再加上私人企業也是官商勾結，這些地方都受到各地方政府的保護，就沒有辦法進行罷工，也沒有辦法組織工會。

所以從五月到七月這兩三個月，雖然熱鬧了一陣子，但今天我們就聽不到關於工潮，或工人罷工的消息了。也許有，但他們不報導，因為它現在新聞控制得很厲害。我們比較知道的，像剛才說的天津三美，還有安陽也有鋼鐵公司罷工的情況、比如說重慶出租車司機也罷工，這些都有，所以罷工、工潮的洶湧是有的。

號稱無產階級專政的共產黨的中國，對於工人是一個最大的諷刺。工人利益全不在他們考慮之內，他們考慮的只是國家要怎樣控制資源，而資源事實上又慢慢化公為私，變成搞國營企業的人形成黨內很大的一股勢力，每個人都發財、都分贓了，可是工人得不到什麼好處。現在我們回顧一下情況，可以對中國將來的走向有所了解。

王安石與朱鎔基

二〇〇二年四月一日

王安石因為當時財政太窮了，想要改革財政，也就是經濟改革。雖然還有其他改革，但主要是理財方面。他根據的一部儒家經典，就是所謂《周禮》。《周禮》這部書是中國的一個烏托邦，照那個方式怎能富國強兵？但可以說，這代表了王安石改革的一個重要理想。王安石之所以能夠做到這點，一個很大的原因，是他得到年輕的皇帝對他的完全信任，他才能放手去做。他設立一個機構叫做制置三司條例司，是改革經濟的中心，當時許多儒家的人，包括文學家在內，像蘇軾的弟弟蘇轍，都參加了這個機構，可以說，這不是王安石一人的想法，而是一個共同理想，這是一個很重要的歷史事件。

今天朱鎔基上台已經接近尾聲了，他只做了六年總理。他上台的號召也是經濟改革，六年來可說做了很多努力，也有顯著的成績，但問題也不少。最近看到朱鎔基對記者一連串的談話，發出了很多的問題。他很有自信，認為今年這一年經濟成長率能保持在百分之七左右，這當然是很高的目標。另一方面，外國的觀察家也發表了評論，認為朱鎔基的說法太樂觀，他們研究的結果認為，中國各地方向中央呈報的經濟成長數據，都加了水分。

另外，從社會主義嚴格控制的計畫經濟，轉變為現在這種公開的市場化經濟，這樣的經濟改革很困難，參加世界貿易組織以後的情況尤其困難，因為它產生了許多社會問題。當初王安石改革指出的問題，有它的免役法、青苗法，讓農民低利貸款，但後來又成了負擔。這些方面引起社會動盪不安，人民大多流亡，甚至於最後一位支持王安石的人，特別畫了一幅〈流民圖〉，諷刺財政經濟改革發生的壞處。朱鎔基也面臨到同樣的情景。他在談話中很坦爽指出農民不安、失業工人不安，這是很大的問題，影響社會穩定。所以他並不是沒看到問題，他已經看到了，但這不是他在中央機關發號施令就可以解決的。財富分配不均，有錢人愈來愈有錢，跟黨有關的特權分子尤其多，而他對黨內這些特權階層又不能有什麼辦法。就像王安石當初對整個龐大的官僚系統毫無辦法一樣，只有少數投機官僚還和他長期合作，抱有理想主義的人最後都不能跟他合作，像我剛才所說的文學家蘇軾、蘇轍都批評他，都跟他鬧翻了。這不是王安石個人的錯，只是面對龐大的機構，下邊的人說可以幫你，可是這種投機的人拿到權力以後，就發展自己的勢力，與改革背道而馳。我們從這兩人得到什麼教訓呢？這個教訓就是說，經濟改革絕對不是孤立現象，不能從整個社會和政治體制分離出來。

（本篇網路無錄音檔）

從北京的空氣汙染嚴重程度談起

二〇一三年一月十七日錄音
二〇一三年二月七日刊登

先從北京這件事講起，北京的汙染大家早就知道了。大概兩年前，二〇一〇年時，美國大使館就經常在戶外掛出空氣汙染指數的牌子，要讓人們知道北京的空氣汙染到了什麼程度！大概從四年前就開始掛牌，兩年前就到了高潮，這個高潮就是美國大使館測定的空氣汙染指數已經達到五百。紐約的指數只有十九。汙染指數五百的空氣，對人體的傷害已到了驚人地步。可是這個消息宣布以後，中國共產黨不但不感謝，而且由外交部出面，要求美國大使館取消掛牌，不要報導，因為這個報導好像不利於社會穩定。

換句話說，共產黨考慮的只是統治穩固與否的問題，至於老百姓的健康是否受到傷害，他們就不管了。不過北京的情況不一樣，北京的老百姓當然是首當其衝，但最高領袖都集中在北京，他們就算使用某些設備，也不可能一天到晚在房間裡，依然會受到空氣的汙染，所以北京的老百姓有時候說，在毒化的空氣下人人平等，這是中國現在唯一的平等。

最近為什麼又忽然發生這樣的問題？因為按照美國的測定，汙染指數已經到了七五五，簡直是不能想像的高度了。北京的大霧情況反映出來了，簡直是對面不見人，能見度幾乎到了零。所以咒罵的話到處可見，一種說法是整個北京已經成了人肉吸塵器了，這也是很形象化的，非常傳神；還有一種說法，牽著你的手，看不見你這個人，基本上也是事實。所以在這種情況下，中國應該怎麼改善空氣品質，是一個很大的問題。這個問題當然是因為有許多工廠在北京四周疏散不了，再加上眾多汽車排出來的毒氣也到了驚人地步，所以才出現七五五的汙染指數。這不是一件很小的事，怎麼會造成這種情況？

全世界沒有一個國家空氣汙染到這種程度。這裡牽涉到共產黨的統治問題。共產黨是從延安開始發展的，那是一個很貧窮的小地方，又窮又冷，對世界完全不了解，對現代世界毫無概念。他們當初一心一意就是要奪權，奪了權以後就打著社會主義、馬列主義的旗號，好像這就變成了現代新中國。可是事實上是回到了最舊、最舊的觀念去了。舉個很有名的例子，許多人都知道，毛澤東剛剛到北京，當然非常志得意滿，覺得自己能打下天下來很了不起，對梁漱溟誇口說打天下比長治久安還要難、還要偉大。他到了北京以後，有一個感慨，住在中南海向外面一看，都是舊的北平，看不見現代性的事物，所以他留下一句名言：「將來有一天，我們從中南海往外一看，到處都是工廠、都是煙囪、都是冒煙的，那麼中國就強大了。」不要以為他這句話是不經意隨便說出來的，這代表他內心的一種嚮往，就是要拚命造工廠。如此一來，工業發展根本就沒有考慮到空氣汙染問題，到今天還是如此，所以像四川、上海一帶人民的抗議，都是因為工廠汙染不顧老百姓死活，像無錫的太湖，已經被糟蹋得沒有辦法恢復了。

記得一九七八年，我代表美國科學院組織的漢代考察團，去看各種漢代的古蹟，我們在蘭州的時候，當地的領導人就帶我們去看他的化工廠，當然為了禮貌起見也不能不去，蘭州四面環山，汙染情況當時已經非常嚴重了，一九七八年的時候，汙染在全世界已經是一個問題，但中國還沒有這個觀念。我們美國的同事中間，就有人提出這樣的問題：化工廠固然很偉大，但它所造成的空氣汙染，對中國人民的健康恐怕不是很有利。可是當時地方上的領導說了一句話，使我現在都不能忘記，他說：「我們現在顧不得，我們現在先要工業化、先要現代化，一切東西搞成現代化以後，我們才能考慮到所謂空氣汙染的問題。」

這個答案尤其表現出共產黨的一種心態，就是根本不考慮人的幸福問題、人的存在問題、人要如何才能活得健康的問題，這些在它的意識中根本不存在。它要的就是一種強大的國家，好像全世界都怕它，就是它今天走的這條路。從經濟上說，大家叫它國富民貧，也是如此。因為現在所有大企業都掌握在國家手上，國營企業現在已經超過十四萬人，其中少數控制了整個中國。在這種情況下，老百姓的幸福就完全不在他們的考慮之中。所以北京的空氣汙染，我們必須看成是一個信號，這個信號代表的就是共產黨的統治方式和它的基本心態。

「政治加緊」與「經濟收網」

二〇一〇年九月一日錄音
二〇一〇年九月十日刊登

中國經濟持續發展非常引人注目，這是事實。所以中國現在已經一步跳到世界第二大的經濟體了，剛剛超過日本。這是它的成績，有目共睹，沒有人能否認。

不過現在問題就是，中國經濟到底是怎樣一種經濟？它跟政治的關係是什麼樣的？這始終沒有人搞得很清楚。我過去曾經講過一個理論，這個理論是說，中共是要黨的長期執政，這是它最高的目標。黨絕不能崩潰、黨絕對不能垮台，永遠占住中國，那是一世、二世、三世，傳之萬世的。所以這是他們最基本的東西，如果黨垮了，對他們來講跟宇宙毀滅是完全一樣的。

所以鄧小平改變毛澤東的辦法，主要就在這一點上。他在經濟上放鬆，讓私人可以發揮其力量，把中國先搞富起來，就是讓一部分人富起來。可以說，這個政策一直維持到一九九〇年代、上個世紀末都是如此的，到了最近幾年發生了很大變化。

從前我一直認為它是用「政治加緊、經濟放鬆」來概括它的趨向，但是，今天因為我看到這個重要的報導，我不能再繼續保持我那個說法，要修正。

基本上理論是不錯的，就是共產黨要以執政為主，政府不能從它手上垮掉，它永遠要執政，這是不成問題的。但現在不需要經濟放鬆了，現在可以改變另外一個策略了，所以我可以叫它「政治加緊，經濟收網」。這個網要收起來，從前是放給私人企業，現在慢慢要收了。

這個收，當然也不是收光，總有一部分要留給私人企業的活動。但基本上，最重要的一些經濟發展專案，都必須由政府、由黨來控制。這個「政府」跟「黨」，在他們是一回事，沒什麼分別，黨政一家。

照最近世界銀行發表的資料，中國在最近經濟危機中，也投資了很多錢刺激經濟發展。這個刺激的費用、預算，差不多近六千億美元。六千億美元是極大的數目，這六千億美元是給哪些企業、幫助哪些企業發展成長呢？主要都是國營企業，是國家的企業。

照世界銀行的統計跟專家的分析，現在最大的國家企業有一百二十九家。這一百二十九家包括中國最重要的一些大企業，還有財政方面。所以財政本身、國防企業、能源企業、交通、電信（telecommunication、就是電話、電網這些東西），然後鐵路、港口，還有其他許多鋼鐵、煤礦，這些都是在政府控制下的大企業。

私人企業也還存在，當然許多是外國投資，比如日本的、台商的、港商的，或是國內的，但不夠重視了。所以我們看中國，要完全從另外一個眼光來看了。

這就是說，它不是普通的所謂市場經濟，更不是一般私人企業，就是趙紫陽時代和他晚年所說的「權貴資本主義」也不對，因為這個資本主義慢慢就變成了「國家資本主義」，或者說「黨的資本主義」。

也不光是權貴，如果講「權貴資本主義」，還重視在個人方面，黨政高官、重要領導人的子弟在這上面占有絕對優勢，那是不成問題的。不過從體制方面講，黨也控制經濟。黨把經濟控制在手上、政治又在手上，這樣他們就覺得非常安全了。這樣就可以永遠霸占中國這塊土地，不讓位了。

所以這是最大的趨勢，這個趨勢我想一時不會停止的。西方的觀察家多少還有一點不相信，他們以為將來私人企業還可以發展過來，現在推動國家企業，不過是過渡時期的事情。

我們知道在前幾年、就是二十世紀末的那些年，許多國營企業都解體了、都解散掉了；然後又賣掉，甚至於賣給外國的公司了；有些是解體了，又造成許多下崗工人的問題。現在他們反過來，把這些經濟大企業都抓在他們手上，由於在世界經濟上投資的錢多了，所以黨愈來愈富，這樣它就可以把國營企業辦成製造財富的地方。

這個財富從私人立場來講，是他們的子弟控制的，所以高幹子弟回到中國，多半走企業的路子。這是經濟和政治合而為一了，「政治加緊」跟「經濟收網」互相配合，這樣更合乎它原來的目標，所以這是我們不能忽視的一個重要現象。

中國模式的實質

二〇一一年七月十四日錄音
二〇一一年七月二十五日刊登

什麼叫做「中國模式」？就是共產黨在一黨專政下，能夠發展中國的經濟，而且發展得那麼好、那麼快、規模那麼大，從未見過的一種方式，現在他們就叫它「中國模式」。

我們還有一個發現，就是這幾年來，所謂新左派的人，講這些新馬克思主義名詞的文章，或是後現代理論的文章，暗示著毛澤東之所以值得歌頌，毛澤東的領導就連文化大革命都值得回顧，就是因為用它這種政治的活動方式，把中國真正的主權緊緊建立起來了；在這個主權基礎上，就可以發展現在的經濟，所以這也是講所謂中國模式的另一種方式。

中國模式如果照共產黨的解釋，當然就是一黨專政。這個黨又正確、又光明、又偉大，所以它今天能夠把經濟搞起來。用鄧小平的話「讓一部分人先富起來」，而且現在中國在經濟方面，好像幾乎是世界上跑得最快的。今年的成長率降低了，官方也稱之為「軟著陸」，這不但幫助中國，也幫助全世界，這是共產黨現在在報紙上吹牛吹得很多的東西。

事實上，如果用另外一種語言說的話，這個模式一點都不新。《紐約時報》文章討論中國做法，稱為「市場的列寧主義」。事實上列寧主義就是一黨專政，我們記得在中國，從一九四九年共產黨建立它的政權開始，就是史達林模式，所以中國一切所作所為都是仿效蘇聯模式，這是大家今天已經公認的了，這個模式到今天其實還是存在的。

毛澤東死後，鄧小平倒是做了一件好事，就是要在經濟上放鬆。所以我始終認為，經濟放鬆就是他所說的「讓一部分人先富起來」，「不管是白貓、黑貓，捉到耗子就是好貓」。那「捉到耗子」現在就變成發財，怎麼賺到錢，怎麼使國家富起來，或者是老百姓富起來，這個就是鄧小平的口號。

可是事實上，我已經一再講過，共產黨在政治上從來沒有放鬆過、沒有自由過，使得列寧主義或史達林主義還繼續存在。另一方面就是經濟放鬆也有限度，放鬆是放鬆了，但沒有放手，共產黨還是抓在手上。

所以今天可以看出共產黨的中國模式，因為它的黨把整個經濟控制在手。最近大家報導的中國有一百二十九家最大的國營企業，無論鋼鐵、還是什麼別的都不相干，主要是這一百二十九家企業就控制了所有市場。所以我們叫它「權貴資本主義」，趙紫陽生前看到了這個名詞、也同意了。

可見這是一個特殊人群把中國抓在手上，這個組織就是它的黨，這個黨控制了所有的資源在手。它為什麼能發達起來，確實是跟它一黨專政有關。這個一黨專政，不是普通的一黨專政，也不只限於政治，這是叫做集權、全權、極權主義（totalitarianism）的控制。

所謂全權、集權，就是把全中國的所有資源、包括土地，都抓在它自己黨的手上。所以老百姓因為它發展占了他（她）農村的土地，把農村的土地變成工廠；工廠又破壞了自然環境，又損害人的健康，種種罪惡，都是因為各地方的黨都要發展自己的經濟。

發展，誰來發財？當然是黨員。黨員在這裡面，就變成大公司的員工、董事了。所以，事實上最富起來的一部分人，就是共產黨員跟他（她）的家屬、親戚之類的，都參加在這裡面。你可以看現在高幹家庭，無論是他的夫人，還是他的子女，都是做生意的，手頭上都有生意的名義。所以這些人把中國財產全部抓在手上，跟外國人做生意、引誘外國人來投資，他不可能不發財。這是從前沒有走過的路，也可說是一個新的現象，但不能成其為模式，因為沒有一個國家能夠照這個模式去做。

最主要的就是一黨專政，最後一定是跟全國自己的老百姓為敵，這已經擺在眼前了。中國抗議的事件，集體抗議、跟地方軍警起衝突的，每年都是十幾萬起以上、甚至更多，這個數字我們沒辦法完全了解，不過從官方報導看到的都是十幾萬起以上。

有個說法就是「國富民窮」，確實如此。這個「國」也不是真正全國的「國」，而是由一黨控制的。從個人方面說，就是許多掌握大權的黨員，個個都富起來、個個都有機會掌握國營企業。真正的富人，靠自由市場競爭而起來的私人企業家，就是我們所說的真正中產階級，反而不見。所以在共產黨這個制度下，光有錢而沒有權，是不能夠成為安全保障的；錢在後面還有一個權支持你，你才可以站得住。

所以這樣一個情況、一個模式，事實上就等於一群強盜把中國抓在手上，他們都發財了。可是我們要看它是不是建立一個秩序，這個秩序指的就恰恰相反了。我們所看到的，事實上是老百姓反抗意識非常明顯。尤其最近兩年，劉曉波得諾貝爾獎緊張起來，然後又是茉莉花革命，北非、中東專制政權一個個都倒塌；本來也是模式，現在這個模式成問題了。所以共產黨的模式，顯然也是岌岌可危，維穩經費因此才超過國防經費。在這種情況下，共產黨是非常恐懼的。

總而言之，絕大多數的人不但不好，而且沒有希望改善。我們看四川的地震，老百姓到現在還是在那裡叫苦連天、受到鎮壓。在這個情況下，要談中國模式，我覺得是非常可笑的一件事。

重慶模式的唱紅打黑

二〇一一年一月十八日錄音
二〇一一年二月一日刊登

中國正在討論的一個改革模式，又叫做「重慶模式」，由薄一波的兒子薄熙來領導，在重慶發展出來。

但四川位處內陸，經濟發展還是趕不上廣東、上海這一帶地方。薄熙來之所以變得非常出風頭，最主要的原因就是他提倡「打黑」運動，鎮壓黑社會。

黑社會本來跟警察局之類都互相溝通，所以「打黑」運動據說很成功。因為「打黑」這個本錢，他就想在這個本錢上打造更大勢力。第五代接班人是習近平跟李克強，他沒有選上。可是他顯然在高幹子弟、高級領導人的子弟中間，也是非常出風頭的一個人，也不會甘於寂寞的。

所以他用「打黑」做起點，在重慶創造一個叫做「唱紅打黑」的運動。「唱紅」就是要回到共產黨革命、毛澤東革命的那種精神價值上去。「打黑」完了以後要進行的是建立精神基礎，這就是他特殊之處，在外人看來是文革運動的復活。

去年十二月，上海召開了一個會議——重慶模式的高層研討會。值得注意的是，與會者除了左派以外，所謂右派也是支持共產黨的。比如說我認識的一位史學家蕭功秦，他是新權威主義者。他在上海師範大學教書，也參加了這個會議。

但他在會議上認為，重慶模式是有危險的。他認為它的文化資源都在強化政府力量，是一種特別的模式。他說，他雖然沒有去過重慶，但他感受到要把政府加強、把社會削弱的疑慮。

本來共產黨在毛澤東時代就只有政府、沒有社會；只有國家、沒有社會，公民社會更沒有。在這個情況之下，就愈走愈專制了。而且它的種種口號，都好像要回到文革。所以右派中間也有不贊成的，也有比較清醒的，像蕭功秦先生。

從另一方面講，這個會議還有個很大的特色，好像沒有自由派。你想中國現政治思想上分成三派，一派當然還是支持共產黨慢慢改革，就是屬於所謂右派，但反對文革這套東西；另外就是新左派，是把文革這套拿來做新的武器；但中間還有一個自由派、自由主義者。

自由主義在中國非常衰弱，至少沒有說話的空間，共產黨是有意地壓制自由派。目前為止，據說習近平也去過重慶，也要拉攏他們，大概希望建立自己的一種權力基礎吧。

但薄熙來到底將來扮演什麼角色，我們還不知道。不過我們可以看出來，就是像薄熙來這一群人，以及在上海開會的這許多人中間，還有一些香港大學的，本來在中國讀書、後來到美國留學、在美國也教過書、到中文大學教書的人，其中一位是我也認識的王先生，他也非常擁護薄熙來「唱紅」的運動。

在他的分析中，中國走了三個階段。第一個階段是毛時代，精神建立起來了，但還貧窮、匱乏；第二個階段是鄧小平領導的改革，走上小康之路；現在薄熙來正領導第三個階段的社會主義。

如果照這種說法，就是共產黨從毛澤東開始一直在發展。不過大家都認為毛澤東走的路線完全錯誤，鄧小平給他改正過來。

談薄熙來、王立軍事件

二〇一二年三月十五日錄音
二〇一二年三月二十六日刊登

薄熙來在三月九日記者招待會上，對於王立軍事件，只覺得用人不當、失察，沒有好好地認識人，出了問題很痛心；但還是強調「打黑」是一大成就，不能否定，至於王立軍在「打黑」中也只是人員之一。關於王立軍，中央已經正式宣布他的行為屬於叛國叛黨，正在嚴格調查；但關於薄熙來的事情，中央一直沒有說明白了當的話。

但兩會閉幕的記者招待會上，溫家寶的談話引起很大注意。第一點，他強調王立軍事件的嚴重性，中央是高度重視，而且重新在調查，委員會的負責人是習近平，他調查完了以後，還要嚴格依法處理。所以我想這件事跟我們所了解的，它是有道理的。文革時期有個年輕學者沈元，逃到非洲某國大使館，被抓回來以後，就槍斃了，所以這是共產黨絕對不能容忍的，何況王立軍在美國領事館又透露了不少國家機密，更是罪不容誅。

溫家寶第二點談話特別重要，他先說，重慶過去在建設上面也有一些成就，但說到最後，說現任的市委和市政府必須反思，這是很重要的話，而且照記者的報導，他說到這裡，聲音忽然提高了，換句話說，他被認為就這件事情明顯針對了薄熙來。現在溫家寶特別強調這一點，否定的是他「唱紅」的問題了。

溫家寶特別提到，從一九七八年，那是胡耀邦當總書記，第十一屆三中全會，黨做出最重大決定的時候，對文革做了最徹底的否定。所以溫家寶這次談話中提到，最後這個決定是中央現在依然堅持、絕不能放棄的。這話言外之意就是說，絕不能再有任何想回到文革時代意識形態的企圖，指的是現在的「唱紅」。關於「打黑」，最初雖然得到一般老百姓的支持，但變成了報私仇，像是對李莊進行的迫害，習近平在這點上曾經批評過他。所以現在薄熙來雖然還肯定「打黑」過去的成績，但不是他主要的宣傳了，後來主要的宣傳就是講他要回到毛時代，那就是「唱紅」，就是要回到文革，新左派的人在重慶給他做意識形態上的工作。這一點現在由溫家寶直接否定，這很重要。中央對於薄熙來是什麼態度，這是最明確信號。

薄熙來處理王立軍這件事非常不當，顯示出他心中沒有中央。據我們從別的地方得到的消息，薄熙來去年年底曾找過美國的季辛吉（Henry Kissinger），給他「唱紅」，而且給他建議，要他拿出勇氣，做一個新時代的領袖。因此薄熙來得到鼓勵，也得到靈感，最大目標就是進了十八大以後，能把現在的主席跟總書記分開（這點黨內早就有人反對，包括喬石這類人），他想在這上面打主意，然後他就可以做國家主席了。像六四以前的情況，由他來做國家主席，爭取更大權力。

　　這是他目前被報導的一個野心，因此我們可以看出，將來秋天要召開的十八大，因為王立軍事件、薄熙來事件，把內部鬥爭的激烈狀態顯示出來了。這裡還牽涉到一點——軍隊的力量。所以薄熙來在王立軍事件以後，跑到昆明見加拿大總理，他後面就有軍隊。軍隊將來怎麼動向，這是很嚴重的問題。這就是今後我們要注意中共的權力鬥爭，一定要把眼光放到它在軍事上怎麼處理的問題。因為對於如何處理軍事問題，共產黨內部現在已經有很大的分歧了，主要原因就是軍隊有不同想法，將來軍隊的動向，會影響到中共是否還能繼續控制地方上的軍隊。

薄熙來事件暴露了共產黨的全部缺點

二〇一二年四月十九日錄音
二〇一二年五月三日刊登

記得幾天前，美國《紐約時報》有兩位記者在北京得到許多消息，寫了一篇文章，我覺得很有意思。這篇文章內容大致是說，在這件事情上，不但薄熙來全部失敗、一家全部垮光，共產黨領導階層也是損失極大。換句話說，沒一個贏家，大家都是輸家。

這個說法非常對，因為它也符合最近我聽到的一些觀念，就是說薄熙來事件權力鬥爭還是次要的，最重要的是它暴露了真相。就是說共產黨和它一向宣傳的強烈道德意識完全背道而馳。「唱紅打黑」的執行者，像是王立軍，生死關頭要投靠美國領事館；薄熙來跟他太太谷開來被抓以後，谷開來怕死，就供出一切都由周永康在背後指使，他們不過是跟他配合，所以你可以看出來，他們完全沒有道德意識，就是赤裸裸的錢跟權。

這件事情發生在「唱紅打黑」的頭面人物身上，特別值得悲哀。因為許多老百姓確實有一度寄望於薄熙來，認為他可以回到毛澤東原來的想法，要社會上貧富可以平均，可以平等，可以有社會正義，所以他代表的是道德力量。道德力量就使得他在今年秋天權力轉換中淩駕於習近平之上，可以取得政權，大致是這樣一個情況。

從這裡可以看出共產黨的為難之處，共產黨也覺得這件事像林彪事件、也像四人幫事件，把共產黨的內幕全都抖出來了。這次更可以看出，共產黨對貧富不均毫不在意，薄熙來也只是以此為口號奪權，並沒有任何欲望為窮人著想。所以我們可以說，共產黨的道德已經到了全面破產的狀態了。

之所以如此，我們還可以看到，溫家寶跟胡錦濤最近的表態也很值得注意。溫家寶在《求是》雜誌上剛剛發表一篇文章（《求是》月刊就是從前的《紅旗》雜誌），說我們權力一定要用的光明正大，不能暗箱作業，不能再有貪汙的舉動；如果再有貪汙，亡黨的可能性就非常高了。

此外還有胡錦濤最近對軍方的訓話，也刊登出來了，他警告軍人必須停止貪汙，才能夠維持紀律，這是非常重要的警告，可見軍中貪汙情況也是非常嚴重的。

還有第三個信號，就是《新華社》也發表了一篇重要評論。這個評論是告誡所有中共高官，一定要約束妻子跟兒女，不讓他們胡作非為，還有親戚依賴他們發財、橫行霸道，也都必須停止。如果不停止的話，很快就會有亡黨的可能。

所以現在亡黨之憂，在共產黨裡面顯然是很嚴重的問題。可是我們知道，我剛才說的《紐約時報》兩位記者所發表的內幕，其中就暴露了所有高官都在貪汙、都在不正當的搞錢，利用權力來發財。包括溫家寶，形象好像很清廉，事實上《紐約時報》已經報導，我們也都知道，他的夫人就是珠寶商，非常賺錢；此外像李鵬，就占據了電力和山西的煤礦，所有能源都在他手上。

這類事情可說舉不勝舉，每個共產黨高級官僚都有大企業在手。這些企業在手，主要是為私人牟利。英國人海伍德（Neil Heywood）跟他們爭利，居然被謀殺了；而這個謀殺案共產黨完全知道，美國和英國也都知道了，所以這個案子已經舉世皆知。

這種情況下我們可以想像，共產黨一朝權在手，所有的錢都可以在他們手上玩弄，他們不會有半點心思放在窮苦的老百姓身上，不過是拿老百姓受苦受難做個幌子，來進行號召。

同樣情況下，撇開共產黨本身不談，所謂左派知識分子（就是新左派）也一個個暴露他們道德上的寡廉鮮恥。知識界所謂新左派，是文化上的一大勢力，這個勢力今天也完全解體了，再也不會有人相信他們抱有什麼道德理想，來為支持薄熙來而努力工作。

而且農民、城市工人、各處遊民，簡直生活得困苦不堪。事實上卻沒有一個人真正努力、真正改革、真正政治開放，來幫助他們改善生活，這一點完全沒有人做，只是利用這個口號繼續奪權。

所以在這個情況下，共產黨這次事件，損失的不只是薄熙來夫婦，他兒子現在也經常出現在報紙上。這裡又可以看出，共產黨在道德上不但不是有愛心的人，更是非常殘酷的一種鬥爭心理，要把他一家徹底整垮。而下一個大問題是周永康怎樣處理，這裡還牽涉到軍隊的問題。這樣的話就更嚴重了。

總之，這件事情是共產黨暴露了它全部的缺點，這是很值得注意的。

從谷開來的審判看法律在中國的地位

二〇一二年八月十六日錄音
二〇一三年一月七日刊登

從對谷開來的審判，可以看出法律在中國的地位。換句話說，法律在共產黨心裡面是什麼樣的東西？更值得注意的是，這關係到全中國人民的生活問題。

有一位法國專家鮑佳佳（Stephanie Balme），她研究中國法律制度，在巴黎教書做研究。她表示的意見是，毛澤東死後，中國走上所謂改革開放之路，法律恢復了運作。因為在整個文革十年，我們都知道，毛澤東是無法無天的，根本沒有法律可言。今天我們所看到關於文革的紀載也都是沒有法律，任何時候都可以殺害任何人，根本沒有人權這個概念。所以一九七八年以後，尤其一九八〇年以後，慢慢恢復了幾百個法院，到處都有法院了。特別是中級法院，每個地方、每個城市都有，可以審一些案子，可以說法律恢復到了某種程度。

可是鮑佳佳也說，這對一般老百姓小的民事案是有幫助的，法官有一定客觀的判決，解決問題不是太武斷，不是幹部一句話，所以稍微有點作用。可是對於刑事案，特別牽涉到政治，這位專家也說完全沒有用了，一切是靠黨做政治的決定，所以那方面的制度是沒有的。我覺得這位法國專家的看法基本上不錯，同時對於谷案來講，也是很適合的。

換句話說，中國現在有了法律，法律牽涉到民事的部分，可以說法律起到了作用。可是整個中國還處在共產黨統治之下。你知道重大案子，特別是對異議分子的審判，一判十幾二十年，並沒有任何真正的法律根據，是黨內先決定的。比如說劉曉波，沒有做什麼事，就可以判十一年之多，這是很荒謬的。還有艾未未也用法律來制裁他，最後用稅制來制裁他，要罰他二百萬美元以上的罰款，這更是荒謬，也沒有真正的法律根據。根據就是黨的內部決定，通過表面上的法律來執行而已。

谷開來案也是如此，之所以如此，我們還可以看到許多蛛絲馬跡。這個案子還沒有開審，《新華社》好多天之前就已經報導，說她的罪狀非常確實，而且無可辯駁。這在新聞上發表，那就表示罪狀已經定了。只是定罪用什麼樣的語言、用什麼樣的法律條文，現在還沒有最後決定。現在她的故意殺人罪已經成立了。現在只是說，故意殺人案應該判死刑呢？還是判死緩呢？還是判無期徒刑？現在還沒有決定。照一般推測，大概是以死緩為目標。換句話說，她這個情況大概就跟江青差不多。所以毛澤東無法無天在中國統治了二十八年，特別是最後十年，把法律全部推翻，是有他的根據，就是中國人沒有嚴格的法律觀念，現在只剩下什麼觀念？就是傳統的包公案、施公案之類的想法，很荒唐的。而且我們可以看出來，中國共產黨內部的法律知識也是等於零，也是完全沒有觀念的。

我記得谷開來本身也是個有名的律師，她還有她的律師事務所，也在美國給中國公司辯護過，而且勝利了，也寫過一本英文書，在書中還譏笑美國的法律不成樣子，而且瑣碎無聊、玩弄字眼；而中國法律直截了當、就事論事，你要是殺了人，只要判處有罪就要執行死刑。所以現在她在法庭上公開認罪故意殺人了，那就應該死而無怨。無論如何，中間的曲折是要怎樣處理她的案子？這個案子現在還沒有判，問題就是它給共產黨提出許多難題。如果像她這樣故意殺人又自己認罪，還有一個張曉軍幫她做幫兇，兩個人都承認殺人，而且是故意殺人，然後不判死刑，那以後其他的案子怎麼辦？如果判死刑，還會在政治上引起其他的糾紛。所以共產黨最後的判決，到現在為止還沒有下來，我想這中間還是有困難。也許他們已經決定了先判死刑，然後給她一個緩刑。

這是依照原來給江青的辦法，江青後來自殺了，但谷開來現在神情還不錯，還有笑容，而且人也胖了。各方面看來，已經得到一種內部協定。從這個內部協定我們可以看出，它這個法律實際上是事先做些安排，然後在法庭上做個表演，如此而已。所以這是中國人在法律上的大倒退。照官方的宣布，檢察官在法庭上說，谷開來認罪之所以值得同情，是因為英國商人海伍德要把她的兒子薄瓜瓜關起來，還有意加以傷害，因此她就動了殺心。實際上這很荒唐，這件事情是不是發生過、是不是威脅過？那是過去的事情。海伍德明明在中國國內，薄瓜瓜在哈佛大學念書，不可能有任何威脅情況，所以造假造得很荒謬，如此的牛頭不對馬嘴。我覺得共產黨在這方面，不僅法律知識完全是零，連一般的常識都沒有，根本不能自圓其說。

從法律和政治角度解讀薄熙來案

二〇一三年八月二十二日錄音
二〇一三年九月十一日刊登

今天我要談一下對於薄熙來案的觀察，有兩個方面：一方面是法律，另一方面是政治。什麼叫做法律方面的薄熙來案？那就是現在已經很清楚，共產黨已經宣布，薄案已經變成一個普通的高級官員貪腐案，完全不涉及政治。他太太谷開來的謀殺案，也沒有牽涉到薄熙來。所以薄熙來一案控制在貪汙這方面，事實上這是他最輕的一種罪。如果僅僅是貪汙，本來說是受賄七千多萬，境外資產有十五億或者更多，現在把它降低為五百萬人民幣以下，八、九十萬美元的樣子，如果僅僅八、九十萬美元就判重罪，事實上也說不過去。不過這個好像他們在法律上已經內定了。

我們知道中共沒有真正的法律，是無法無天的社會，所以中共高層領導事先已經做了決定，要他再出庭走個形式，接受公訴、接受判罪。這是一個最簡單的辦法，可以把這件事情開脫。不過內部已經傳來，有兩種量刑的可能性，目前我們聽說的一種說是他會判處死刑，死緩二年，跟他的太太谷開來一樣；另一種就是無期徒刑或者二十年徒刑。這都是推測，這就把薄熙來案解決了。但裡面有個問題，就是薄熙來跟他的太太谷開來和王立軍不一樣，谷和王兩人事先大概安排好了，接受審判，一定是死緩。但薄熙來不是這樣一個簡單的人，他有不可預測性，他在庭上翻案，另外提出別的問題來，那就相當麻煩，因為習近平一定要經過法律手續，要證明他的政權合法性，把這件事情由黨內處理，法庭的判決程序和結果是大家都能接受的，就是被告完全接受，要在這個條件之下。現在被告完全接受這個條件至少有疑點，是可以發生爭辯、發生反指控，這是習近平和中央所不能允許的。

提到政治的一面，實際上薄熙來的案子，我們都知道是他唱紅打黑，樹立了自己的政治形象，而這個政治形象直接接受毛澤東的路線，唱紅就是要搞文化大革命那一套，不一定是整個文化大革命搬過來，因為那是搬不過來的，可是他有號召力，因為毛澤東時代大家都窮，可以說是平等的觀念非常流行，而且非常強烈，大家都接受。貧富不均是今天鄧小平改革以來發生的最大問題，因為中國的貧富不均可能已經到了世界前一、二名的地步了。

薄熙來所提倡的唱紅打黑，儘管他自己也貪汙、也賄賂，但在政治上他還是利用這個口號，因為他假定，他的貪汙腐敗、受賄種種，外人無法知道，沒想到他出事以後才知道，如果本來沒有出事，我們事實上根本只能推測，不能有確實的證據。現在他的貪汙案已經這樣擺出來了，為什麼從上億的貪汙案變成只有幾百萬美元的貪汙案？我看主要的原因，還是共產黨也考慮到自己的形象，所以基本上薄熙來是個政治案。中國有許多人對現有的國家資本主義方式，高層幹部和他們的家屬掌握了中國的主要資源，而且為個人牟利，每個人都變成大富翁，對這樣一個制度，貪汙變成中國共產黨統治的必然一部分，對這樣的情況大家不能接受。因為不能接受，雖然薄熙來自己也是一個貪官，可是他提出這個口號，以及唱紅打黑這套東西，有號召力、影響力，因此還是得到許多人支持。

而薄熙來本人是不是真的為了毛澤東的共產主義而努力，那是大可懷疑的，基本上是奪權。從內部講，共產黨內部有兩個奪權運動，一個運動是習近平他們所占領的，這是從鄧小平以後，經過江澤民到胡錦濤，到現在的習近平，這是他們內部正統的統治方式，這個方式就是走國家資本主義的路，因此就造成許多窮人，而富人簡直窮奢極侈，不可想像。所以他有另一面，就是毛的左派在這種情況下自然還有市場，甚至還有人到江青的墳上去祭祀，可見這是一個重大分歧。這是內部分歧，所以薄熙來就利用這個分歧想奪權。而幫他奪權的對手，又是個很可怕的人物，就是周永康。周永康現在下台了，但他現在被起訴。

所以我們看到兩個不同形象，一個從法律上看，薄熙來案只是一位高級領導人的貪汙案，這個貪汙案只要沒有過分的影響力，把它壓得好像很輕微，希望人們不大注意，就把他關二十年或者是長期監禁，做為他的下場；另一方面，政治上的薄熙來案正在水漲船高，不但沒有結束，還不知道如何結束。因為這裡牽涉到群眾問題，群眾問題就是將來窮人會接受毛澤東的平均主義號召，起來抗議，處處跟政府為難。所以薄熙來案，法律方面的發展可能控制得住，不會有很大意外。可是在政治上，薄熙來仍有可能受到某些中國左派，甚至於許多貧困的城市老百姓支持，認為他是被迫害的，不是貪官，這種情況就會增加共產黨內部的不穩情緒。

所以我們對薄熙來案，一定要從政治和法律兩方面分別看，而且分別看以後還要配合著看，這樣才能得到比較平衡的觀察。

輯四

中國的對外關係

中國特色的「外交關係」？

二〇一〇年四月二十一日錄音
二〇一〇年四月二十九日刊登

二〇一〇年三月二十六日，美國《華盛頓郵報》登了一篇馬拉比（Sebastian Mallaby）的文章，這文章我覺得很有趣。他在中國待了九天，跟中國許多知識界的人交換了意見，覺得中國知識分子都在尋找一個新的國家或民族認同，不甘心跟著西方走，要有自己特殊的表現。對西方所建立的外交秩序，或者叫做世界秩序，都要挑戰，這是很有趣的一件事。

因為這件事情在作者馬拉比的理解上，很像日本二十年前的情況。要尋找一條跟西方不同的路，應該說是合理的想法，可是到底要怎樣跟西方不同，這就牽涉到中國有沒有自己對外關係的傳統。

中國的一個特色，就是很多人都研究過的朝貢制度。中國如果說有國家與國家之間的關係，那就是在春秋戰國這個時代。春秋戰國的中國內部，分成許多小國，所以那時在中國內部有一種國際關係，我們聽過的是縱橫之術，比如說合縱連橫。可是秦漢統一以後，局面就變了。

中國不大懂得其他國家可以跟自己平起平坐。中國也不是帝國主義，但好像就是個很大的文明整體，當時以為自己就是全世界。所以中國當時的國際觀念，就是所謂天下觀念，以中國為中心的天下慢慢推廣出去，外面就是比較不文明的蠻夷戎狄小國，好像都沒有開化，或開化程度不足。

在這種情況下，一直到清朝跟西方打交道時，中國傳統上都沒有真正的所謂平等關係。這就是中國到現代以後，沒法應付西方勢力進入，怎樣從朝貢制度改變出來，進入所謂國際大家庭的關係。

當然過去都在共產黨的意識形態下，只有一個關係，就是帝國主義侵略我們、我們必須反抗。但這個反抗也不是以平等身分，孫中山說，要聯合平等待我的國家共同奮鬥。平等待我的國家事實上幾乎是空話，因為找不到幾個平等待我的。

所以共產黨根據另一個考慮，要以社會主義革命代替資本主義。在這個意義上，中國的舊制度就代表封建、代表半殖民地、代表帝國主義侵略下的反抗。但這個反抗又不以自己為主，是以蘇聯老大哥為主。在這個情況下，又變成依附於蘇聯。

這個情況一直到史達林死後，慢慢開始起變化。等到毛死後，中國跟蘇聯已經是敵對關係了。毛臨死前幾年跟美國建立了關係，只是希望利用美國打擊蘇聯。這也是以夷制夷的傳統老辦法，用一個蠻夷的外國來遏制另一個蠻夷的外國，這是中國的一種方式。

但有一點很清楚，就是中國跟西方國家的關係弄得非常不好。跟美國是因為貿易關係，跟歐洲也有貿易關係，人民幣不貶值是一個問題，總之關係愈來愈壞。尤其壞的是，西方最怕的一些沒有原則的國家，像伊朗、北韓等，都變成了中共的追隨者。中共保護他們，跟西方作對。在這個情況下，就變成了很奇怪的局面，中國說是不稱霸，但事實上到處都是霸道行徑，引起許多國家不滿。

最近馬拉比到中國看到一種議論，這種議論的代表人物是清華大學教授，專門研究國際關係，名叫閻學通，他寫了一本英文書，即將出版，好像還受到季辛吉的讚揚。

他在這本書裡說，中國要走的路線叫做儒家的外交關係，從馬拉比引述的幾段話看來，我覺得問題很多。第一，他好像認為人不一定都是平等的，沒有開化的野蠻人，就沒有很高的生命價值，不如文明人的生命價值。所以中國不願意幫助非洲得愛滋病的人。如果真是那樣說的話，那是很驚人的。因為中國從來沒有這樣的觀念，儒家絕對不是這樣的觀念。

儒家講人都可以成堯舜，這是中國很明顯的一個態度，把人都看成是平等的。而且對於蠻夷國家，要去教化它、改變它、讓它進入文明狀態。而這位閻先生好像持相反意見，認為中國人根本就不值得去為外國人和蠻夷費心思，我想這是跟儒家傳統完全背道而馳的。

中共的對外政策及壟斷部門的所作所為

二〇一一年九月二十二日錄音
二〇一一年九月三十日刊登

從國際關係上來講，共產黨、中共這個政權，跟一切沒有價值的惡劣政權、流氓政權，關係都非常好，包括格達費（Muammar Gaddafi）政權，或如今還在進行的伊朗政權，這些都是它的好朋友。而這些人最不具備我們一般文明的道德價值標準。另一方面，跟文明社會的進步國家，像英國、法國或者美國，尤其是美國，它都發生各種摩擦，摩擦得非常厲害。

我們都知道，從鄧小平跟美國建交以後，美國幫助中國經濟發展是無所不用其極，當然美國也是貪圖中國的大市場，希望打開這個市場。但總是想到有一些共同遵守的文明原則，一些在市場上正常運作的規範，大家總要遵守的，這是美國當初對中共的錯誤估計。

因為中國本來是一個文明社會，應該不成問題，它沒有想到共產黨完全把從前舊的道德標準完全放棄了，新的沒有，只有一個損人利己。

在這種情況下，經濟上就愈來愈困難。我說這句話，並不是我自己編造的，而是最近看到美國駐華大使駱家輝，在北京對美國商會人員的演講，這個演講當然也公開發表了。他就是警告美國人，說在中國做生意、在華投資有各種困難、各種阻礙。這都是因為政府故意設置各種障礙，讓美國人在中國沒辦法直接賺到錢，除非跟他們合作、聽他們的。

這就是一個很大的困難，其中包括美國的一些智慧財產權，也被他們無所不用其極地偷、搶，政府表面上好像要查，事實上根本就是打馬虎眼。在這種情況下，美國在大陸是賺不到錢的，或者賺錢賺得非常少，或者少數個人、公司賺了錢，整個美國在中國是一籌莫展。

而駱家輝從前做過商務部長，對商業方面非常了解。所以他指出，過去歐巴馬（Barack Obama）上台以後，一直想為中國打進美國市場提供各種便利，同時也盡量地減少美國高科技（除了軍事方面）運到中國去，都是幫忙的。這樣幫忙的結果是，照駱家輝的統計數字，這兩年多來中國商人在美國投資增加了百分之四百；但在另一方面，美國在中國還是一籌莫展，一切阻礙還是照舊；不僅如此，還有新的困難，就是它現在對網路壓迫得太緊，所以美國在那裡做生意也很困難了；不但對自己不好，對美國也不利。

所以從這方面看，美國人認為這是不能忍受的。如果不能改進，那就只對一方面有利，美國被壓倒、歐洲也被壓倒。溫家寶最近表示要對歐洲貸款，提供經濟援助，可是馬上提出條件，要歐洲人承認中國市場是可以預測的市場、是正常的市場；換句話說，就是中國的貨物到歐洲絕不能再受任何限制。這完全是一副有己無人的作風，這個作風就表示它在國際上已經沒有什麼價值標準可言了。像利比亞的事情就可以看出來，它是唯利是圖的。

另一方面，要從國內看，最近也有一個很重要的報導，就是鐵道部幾乎變成了一個獨立的封建王國，誰也管不到它。它有自己的法庭，有自己的警察，可以橫行無阻。因為鐵道部有兩個身分。身分之一是做生意的，各種國有的大公司都在它手上，它的人員超過二百萬；換句話說，這已經到了世界第四大公司的人口了，二百萬的員工。

另一方面，它又是國家的一個部，所以又有官方身分，它就用官方身分來掩護它做生意、幫助自己做生意，那就更有利了。像這次溫州車禍，就充分顯露出來。最近有篇新的報導在《紐約時報》上，我們可以看到鐵道警察隨便抓人、打人，而且法庭隨便判人刑。有一個顧客大概因為衝動，打了車上的人，警察馬上把他抓起來，由它的法庭判刑，判了坐牢三年，你可以想像一個被害人反而受到這樣的待遇。

讓我們再看看異議分子，大家都知道異議分子最近被抓，尤其是一些律師、作家；一抓就不明不白地關很久，從前還顧及到多少天內必須要起訴、不起訴就不行；現在也不管了，抓起來就是無限制的，有的長、有的短，有的放掉、有的暫時不放。但內部情況最近我們才清楚，是最近出來的人告訴我們的。他們現在對異議分子不但毒打，而且威脅他們的妻子、兒女：說你要是再如何、如何，我們就對付你的妻子、兒女。這些人挨打現在也有更具體的描述，都是親自說出來的。

（本篇網路無錄音檔）

從微軟在中國的遭遇看中共對西方的態度

二〇一四年八月十三日錄音
二〇一四年九月五日刊登

關於科技公司微軟在中國遭遇的困難，不要只從科技方面看。主要是現在中共對西方採取全面排斥的態度，要把西方的影響力從中國消除。具體就是微軟（Microsoft）公司在中國遭到很大的困難。這個困難是由於中共從二〇〇八年推行反托拉斯的、就是反壟斷的新法律，這個法律不讓一個公司獨占市場上的利益，就是為了保障消費者、用戶，保障他們能夠得到公平待遇、可以公平競爭。但中共並不是為了反托拉斯，而是為了維護中共的政權著想。

這話怎麼說呢？那就是說它要控制一切。因為市場自由在中國根本沒有施行。如今有一個誤解，一般人都以為中共自從一九八〇年代改革開放以後，慢慢也走上市場控制。但黨的力量隨時可以干預自由市場，只有黨控制下的市場。這個市場它有時可以放鬆一點，因為無關大計。但一到緊要關頭，黨的力量就出來了，所以它就想用這個方式控制外國高科技公司。我們知道，美國、英國的高科技公司對於中國非常重要。改革開放剛剛開始的時候，像一九八〇年代、一九九〇年代，中國求之不得，非常討好它們，提供各種在中國設廠的便利。像微軟在中國有四個大的地區公司，一個在北京、一個在上海、一個在成都、一個在廣州，這四大公司控制著微軟一切運作。最近八月初的最新報導，語言非常嚴厲，這次特別提出對微軟的主要調查，這裡有兩個動機，一個動機就是要打擊微軟。微軟現在軟體的運作系統，不准在中國商業和國家機構的電腦上運用了，這是一大打擊，因為微軟最近發明了新系統 Windows 8，但現在中國整個普遍禁止，微軟的調查現在還沒有完全結束，而困難已經擺在眼前了。

另一個原因就是共產黨利用反托拉斯法律，特意培養它自己的公司，希望把外國公司的高科技產品取而代之。不僅是美國的微軟，其他還有英國的葛蘭素史克（GSK）等大公司，中國現在控訴葛蘭素行賄罪名，另一個就是美國大公司高通（Qualcomm），現在也受到很嚴重的威脅。所以我們可以看出一個傾向，就是共產黨覺得他們自己的科技公司似乎也慢慢掌握了高科技（其實是從美國偷來的，沒什麼發明權屬於誰的問題），慢慢就可以取美國而代之，就對美國高通加以打擊。可是八月初這個警告非常嚴厲，是針對美國政府說話。

現在的問題是，共產黨又是一黨專政的國家，對於西方，尤其是英美為主體的西方，採取了全面的仇外活動（xenophobia）。這是指他們對外國人本來就一向仇視，因為外國人有各種影響力。可以說，這個影響力在商業方面固然很具體，精神方面也是如此。共產黨最怕的就是在它的黨組織之外，還有別的勢力可以不通過黨而單獨運作，所以現在打擊基督教，像溫州最好的教堂，幾百年歷史的老教堂要完全拆掉，最近另一個運動，就是拆除所有大城市教堂的十字架，特別在南方江蘇、浙江一帶，現在已經開始了，教堂上的十字架一個個都被共產黨的地方當局用吊車拉下來，這是很恐怖的現象，因為破壞到十字架本身去了。這不是很簡單的事情，我想這種仇外心理，跟我剛才說的對付工商業、對付高科技公司實際上有共同點。這個共同點就是希望外國勢力不要到中國來。它現在反美反到一種程度，包括像美國電影《超人》（Superman）或《蜘蛛人》（Spider-Man）這種給小孩看的娛樂，它也認為這是美國有意用超人和蜘蛛人，來摧毀中國在民間樹立的雷鋒之類道德英雄。之所以如此，這跟習近平上台所揭示的目標有一定關係，他的目標就是要讓現在的中國回到毛主席的時代，回到毛主席要我們進行全盤道德改造的時代，廢除任何外國勢力在中國的影響，事實上它當然做不到，但這是它的目標，之所以有此目標，就是因為它現在愈來愈擔心國內的反對勢力。

總而言之，中共內部有許多危機，老百姓不滿，貧苦的人上街示威時有所聞，它要挽救這些危機，就想把外國當成對象，把所有仇恨、情緒都向外國集中。

評胡錦濤攻擊西方文化的演講

二〇一二年一月五日錄音
二〇一二年一月十八日刊登

胡錦濤公開攻擊西方文化，這是一個很大的題目，而且涉及國家政策問題。這好像是去年十月共產黨開會決定的一個重要項目，就是在文化上打倒西方、取西方而代之，要消除西方在中國的任何影響。胡的這篇演講也是去年十月講的，最近才寫成文章，由他自己簽名，在共產黨的官方雜誌《求是》上面發表。

《求是》雜誌不但發表他的文章，還有其他一些相關文章，都是關於文化討論的。這個文化討論是在共產黨估計中，如果照胡錦濤的說法，中國跟西方現在正在戰爭中，戰爭狀態正在提高。他認為西方一直有一種「國際的敵對勢力」，這是在中國加強進行西化和分裂中國的一種文化策略。

針對西方這種西化和分裂中國的策略，中共要提高警惕，要在思想領域中進行嚴肅鬥爭。他認為西方國際敵對勢力有計畫地想要毀滅中國體制，滲透在中國為時已久。所以這是很嚴肅的思想鬥爭，他要中國人必須隨時警覺，同時要隨時提出警告，做出適當的文化防衛和反應。

但這些話具體的內容是什麼呢？具體的內容就是說，我們現在必須發展中國的文化產品，這些中國的文化產品，包括電影或娛樂在內，必須是中國的、又能引起中國人興趣。他認為現在中國人一天天在精神與文化上有新的需要，這個精神與文化的新需要，目前還沒有得到滿足，所以西方就乘虛而入，在中國造成很大影響，這是他的一個具體說法。

這個說法表現了什麼呢？表示共產黨控制不了文化界了，它也提不出什麼東西能夠滿足，所以現在有這種號召，想用錢或其他方式，挽回中國在文化上的劣勢。

所以根據他的這個說法，現在中央已經開始對電視上的一些娛樂節目加以消滅，有些不讓它進行了，好像要找中國式娛樂取而代之。這是不是有效？我們還不知道。因為它有兩種方式，一種是提倡中國的內容，這些一時半刻還不能出現；另一種就是嚴格限制外國娛樂片或音樂片進入中國。比如說電影，每年只能讓二十部外國電影進入中國，得經過嚴格的檢查。這個方式行不行得通、中國人是不是普遍接受，甚至會不會造成地下電影的劇場，我們都不知道。

總而言之，共產黨現在感受到一種文化方面的危機。因為共產黨有了錢，所以好像到處都能受到人家笑臉相迎。但唯有在文化方面，好像在國際上始終占不到任何地位。所以胡錦濤常常在文章中強調一點，就是中國文化的國際影響力，遠遠不能跟中國今天的國際地位匹配，差得太遠。現在就是說要怎樣才能在文化上把中國也變成大國，而不僅僅是經濟大國。

事實上在我們外面看來，這就是一種暴發戶，樣樣都有了，有錢可以買到一切，什麼都可以買到，但精神上空虛且貧乏，一時也造不出什麼貨色讓人家接受。但這個願望愈來愈強烈，這是共產黨目前一個很大的矛盾，也是很大的心病。所以怎樣醫治這個心病呢？我們要看它將來怎麼發展了。

但是在國內來講，許多人都開始評論胡錦濤的新政策。胡錦濤快要下台了，他想把文化政策變成他的重要遺產，大概是西方所謂可以流傳下來的 legacy。事實上今年要換屆了，他要下台了，如果能夠把文化提升為中國共產黨最重要的一種政策而加以實行，他在歷史上就能求得一個永久的、不朽的地位，至少在他看來是如此。

但事實上恐怕不是如此。因為文化不是說有就能有的，最重要的是，中國藝術家、作家都提出一個問題，就是文化創作必須要有自由；如果沒有自由，根本就什麼都談不上。

最後還有一點，就是借用胡適的話，主張「非留學」、不要到外國去留學。這是胡適一九一四年在康乃爾大學做大三學生時寫的文章，現在被他們撿來，做為一種民族主義。他們基本上是用民族情緒來反抗西方一切文化，最大的主題就是反啟蒙。所以由此可見，如果連啟蒙都要反對，那五四以來我們的文化都要整個消滅，然後才能重新建立共產黨所喜歡的中國文化。

呼應胡錦濤攻擊西方文化的雅俗兩派

二〇一二年二月二日錄音
二〇一二年二月十六日刊登

胡錦濤在共產黨黨刊《求是》發表一篇文章，專門攻擊西方文化，主張中國人要趕快加緊自己的文化生產，對抗西方文化跟意識形態對中國的進攻，很明顯地要反對西方普世價值，就怕民主、人權這些觀念，使中國發生茉莉花革命之類動態，那是他最恐懼的。

反響有兩種，一種是雅的、高層的，另一種是很通俗的，是雅跟俗兩種版本。通俗的版本最近才在網上出現。

所謂雅的傳統，主要是指二〇一一年十二月三十日這天，北京大學跟北京三聯書店有一個新書發布會，書名叫做《國家·文明·大學》，這三樣是三個題目。作者是甘陽，主張有三個「統」要打通。一個「統」是中國的文化傳統，第二個「統」大概就是西方的文化傳統，還有第三個大概是馬克思主義、就是社會主義傳統。所以嚴格講起來，現在大家簡稱他這「三統」是「中統」、「西統」、和「馬統」。這「三統」打成一片，就變成他所謂的儒家社會主義，不是普通社會主義。

這裡面本身有個矛盾，他本來是反對西方一切名詞、概念的，這社會主義根本就不是中國的、又是西方的，而且也不源於馬克思。從這方面看來，這本書出版製造了一個機會，有名的、無名的左派，都集中在北京大學討論他這本書。其間發出了各種言論，我所看到的是一篇綜合報導，它說這篇報導是今天我們如何理解中國知識左翼，所以這是對甘陽《文明·國家·大學》新書發布會和研討會的一次綜觀。從頭到尾看了這篇綜合報導，我只能說不知所云。

第二個，它的邏輯完全混亂，只讓你懂得到底是什麼意思，但基本的主張很明確，就是否定普世價值。講民主、講自由、講人權，這都是西方的價值；而這個西方價值，在他看來把整個社會搞混亂了；而西方文化已經衰落不堪、經濟現在更是搖搖欲墜，在這種情況下，還想用西方文化統一全世界，是很荒唐的。

事實上，我在美國生活幾十年，我也沒有看到有一種趨勢，或者某一個政府，或者某些社會團體，有意識地要把西方文化推行到全世界。事實上，是各個非西方國家或社群，自己要求吸收西方文化的某些內容，最明顯當然是科學。

我們講代表西方文化的兩件事，一個就是人文價值，民主、自由、平等、人權種種，自從法國大革命以來，就喊得非常響亮；另一個就是科學，西方的科學跟後來發展出來的科技、科學性的技術，也是源於西方，然後傳遍全世界。這裡包括醫學在內，像中國的中醫就慢慢被西醫取而代之，雖然還可以有一個小角落自己存在，但基本上接受的是西方醫學，這是沒有辦法的事。

嚴格講起來，說排斥西方、由中國取而代之是不可能的事情；而社會主義、講平等，這也都是西方的概念。當然中國不能說沒有平等的想法，不過不是這兩個字，也不可能把社會主義套用在中國歷史上，我們在近代以前的中國歷史，沒有看過這樣一個名詞。所以這整本書、跟支持它發言的人、推動它的人，我想思想都是一片混亂的。在胡錦濤這篇文章發表以後，還有一個通俗的、就是走民粹主義路線，大聲叫嚷，全是情緒性語言，而且以謾罵方式出現。美國出版的《世界日報》華文報紙上，我看到一篇社論使我大吃一驚。這個社論是說「孔慶東為何大肆攻擊港台？」，這件事變成社論了。

我從前聽過孔慶東這個名字，是北京大學中文系的一個教授，是不是教授我也不知道，無論如何，這個人好像也沒什麼大道理。我可能在《明報》月刊上看到過文章，好像也是流氣十足的一種人。這次可不同了，他的網頁、電視節目上發表了很大的、震動港台的言論，罵香港人是「狗」。認為香港的法治要靠法律來維持秩序，就證明香港人沒有素質；而他這個亂罵人、罵人是狗、王八蛋，好像不會說普通話就是王八蛋，他這種態度好像素質很高的樣子，這也是我們完全不能了解的。

他另一個攻擊的對象就是台灣，因為台灣剛剛舉行過民主選舉，許多中國大陸人在台灣都看過，回去在網路上歌頌民主選舉的非常多，希望有一天，中國大陸也能採取民主的、直接選舉的方式，來選擇它的領導人、選舉它的領導集團，但這一點，我想讓官方非常不滿。不過，官方當時是怕民進黨搞獨立，所以拚命在背後支持國民黨，這是另外一回事，它對台灣民主選舉，也並沒有像從前那樣防止，它沒想到大家的反應是如此。所以，這個孔慶東就借此機會痛罵台灣，認為台灣完全是假民主，這樣建立起來的秩序不可靠。他用許多不堪想像的下流語言，你不告訴我他是北京大學的教授，我們完全就不知道。

現在這樣一來，北京大學也受到很大的損害，它的聲名也受到損害。我們一向都認為北大是中國第一大學，從蔡元培以來是現代最好的大學，是五四的發源地，是新文化起源的地方。怎麼在這個地方，現在出現一個教授，用這樣粗鄙、下流的語言，隨便一罵就是一群人，而且一罵就是幾百萬人、幾千萬人？這是很奇怪的現象。但他的目的也是一樣，就是要反對西方價值、提倡中國價值。他對中國價值是很自負的，因為他號稱是孔子七十多代的後人。

總而言之，他這樣一個水準，居然能在中國取得那麼大的聲名、那麼多的追隨者，許多網友都跟著他叫喊，無論從雅的觀點看，或者從俗的觀點看，這兩方面在思想跟文化上的表現，可以說都沒有達到最起碼的水準。雅派當然在名詞上用許多看似高深的觀念、讓人莫測高低，可是事實上空洞無內容；俗的一派就更可怕了。所以從這雅、俗兩方面看，我是很為中國思想跟文化前途擔心的。

美中關係並無根本轉變

二〇〇一年八月四日

我今天想講的是美中關係的轉變，這個轉變是最近一個多星期之內發生的。美國國務卿鮑爾（Colin Powell）訪問北京以前，他已經在越南和中國外交部長唐家璇討論過一次，討論的關鍵就是人權問題，具體方面就是李少民、高瞻，還有另一位美國的永久居民，除了李少民沒判刑以外，另外兩人都判了十年，鮑爾在越南跟唐家璇說得很明白，如果這三個人不放，他不能去北京，在這個條件下，唐家璇大概也得到江澤民和其他人指示，承諾等他去的時候，一定會放，鮑爾去了北京以後發現，中共什麼問題都好像願意開始談了，所以他覺得雙方的意見雖然很分歧，但可以把問題放上談判桌來討論，總是一個進步，所以鮑爾在澳洲的談話，就表示美中關係是向上進展，他當然沒有說基本好轉，但至少目前有很大的變化，相較於幾個月前偵察機事件那時的一片反美情緒，可說是兩個世界了。

為什麼會有這樣一個轉機呢？我想，我們要討論到中共的特點，中共現在很想借用奧運這件事情來對外開放，又想進入世界貿易組織，美中關係好像沒進展，小布希（George W. Bush）表示強硬態度。中共也理解，在小布希十月到中國以前，他們想把這個關係恢復得更好，轉變小布希的態度。另一個實質問題是美中貿易，我想這是更大的考量，而這些特別考量，使得中美關係目前得以走向解凍。不過我想，美中關係有基本衝突的問題沒有改變，因為鮑爾也表明了，雙方的問題不是放哪一個人，而是基本上要對人權尊重，我想，中共對這點還是不會讓步。中共現在的策略，只是抓一些人來做人質、籌碼，談判完以後再抓一批，然後再進行另外的談判，所以在上述三人的案件結束後，《紐約時報》報導，吳建明在深圳被起訴，罪名也是洩露國家機密，據說他和天安門文件外流有關，這是另外一個籌碼，他似乎也是美國公民。可能等到小布希去的時候，再當成一種談判籌碼，再以放人表明它尊重人權，這是中共一貫的策略，不過最近用得更為露骨、毫不掩飾。

這就是中國的極權體制。專制政體關心的是政權存續，而不是全國人民的利益和將來長遠的社會安定，不是對多數人有利的一種自由體制。美國基本上以自由為主體，要它放棄這個主體是很難的，所以雙方的基本性質是不會改變的，未來還會發生衝突。目前，中共因為二〇〇八年要舉行奧運，它在興奮之餘也可以做些出格之舉，反正抓幾個人、驅逐幾個人都沒什麼關係，但這個問題如果不能解決，我覺得將來的衝突還是不能避免的，所以我們不能認為中美關係已經有了真正的轉機。

（本篇網路無錄音檔）

中美之交，同床異夢

二〇〇二年三月一日

二〇〇二年二月二十日，是美國小布希總統到達北京的日子。整整三十年前，一九七二年二月，也是這個星期之內，尼克森訪華，第一次突破了中美幾十年的不相往來，他到北京打開了中國的門戶。所以小布希總統這次去北京，雖然沒有提尼克森（Richard Nixon）的事情，但心中也有一個腹案，就是中美關係解凍三十周年紀念。所以我們從這個意義上，看看小布希訪華的一些可能發展，也就是說，可能是一種新的起點。

我們知道，小布希總統剛剛上台的時候，跟中國的關係非常緊張。當時因為海南島撞機事件，雙方劍拔弩張，幾乎好像要進入敵對狀態了，但現在似乎慢慢緩和下來了。特別是「九一一」以後，儘管中共內心怎麼想是另一回事，可是表面上，也不能不跟著反對恐怖主義這個大政策走。目前看來，好像中美關係沒什麼過分緊張之處，包括台灣問題在內，只是會提到出售武器和一個中國的問題，但我相信這不會是最重要的點。布希的態度也很明顯，不肯過分讓步。中美關係只是一種同床異夢的關係，所謂同床，兩個人睡一張床，床如果很小，雙方就要起衝突，可是床如果大的話，那就可能有一種空間，讓雙方不至於太過緊張。現在這張床可說是擴大了，最早的床僅限於市場，美國需要在中國市場上爭取主要的活動空間，中國也需要向美國輸出它的產品，而且這個貿易永遠是對中國有利的。現在，這張床擴大為反恐，所以就差不多大了一倍，這時候雙方大概就可以在空間上，暫時表現出一種統一和諧的關係。

但其中隱藏著一種緊張，這就是我所說的異夢。因為雙方雖然有一張共同的床，但在這張床上所作的夢卻不同。從美國現在來說，除了中國市場，更重要的是要在反恐上取得中國的合作。美國的勢力從來沒有進入中亞，因為阿富汗反恐戰爭讓美國跑到阿富汗，中共很害怕。極端民族主義者向神學士（Taliban）報到，新疆許多維吾爾人為了爭取獨立，或為了高度的自治而到阿富汗受訓練，許多人都回到中國活動。所以中共也願意加入反恐。從中國方面來說，異夢有很多方面。第一是它想利用反恐加強控制。中共基本上走經濟放鬆、政治加緊的老路。另一方面，中共為了要展現新的面貌，參加了世貿組織，同時又爭取到二〇〇八年奧運。這次中共不能不以比較和平、溫和的姿態出現於世界，慢慢就不講兇狠的話了。甚至對於台灣問題也比較鬆口，它心裡怎麼想，我們不能確定，但無論如何，它現在不談武力收復台灣這些話了，至少沒有明確訂出時間表。所以這次小布希訪華，雙方都有一張很大的床，我想是雙方結合的一個要點，但大家在這張床上做的夢是不一樣的。

（本篇網路無錄音檔）

為什麼美國派兩位高官訪問中國？

二〇一〇年九月八日錄音
二〇一〇年九月二十三日刊登

美國白宮派了兩位高級官員到中國，一個管經濟、一個管國家安全。這兩位官員，一個是美國經濟會議主席，一度做過哈佛大學校長的薩默斯（Lawrence Summers）；另一個是副國家安全顧問唐尼倫（Tom Donilon），他是管安全的。

從白宮派出這兩人的身分，就可以看到其重要性。一個是經濟問題，這是中美關係摩擦很重要的原因之一，其關鍵就在於人民幣的升值問題。第二個就是軍事方面的摩擦，主要的當然是北韓擊沉南韓的軍艦（天安艦），造成緊張。美國為了支持南韓，就在黃海舉行了海軍演習。中共抗議之後，就轉移到另一邊去了，沒有在朝鮮半島的黃海海岸。這是對北韓的一種警告，但中共認為也是對它的威脅，所以雙方非常緊張。

同時還不止如此。去年冬天因為美國白宮決定要把武器賣給台灣，這樣又引起中共憤怒，尤其軍方表示「非常憤怒」。中共軍方說不好就要對台灣動武，不過也可能嚇唬嚇唬。無論如何，軍方表示非常不愉快，就停止了跟美國一切的交往、互相訪問、合作種種，完全斷絕了關係。

而且軍方表示更嚴肅的態度，尤其海軍方面說，我們現在不是光在沿海、中國海岸保護自己，還要伸展到麻六甲海峽附近保護中國的海疆。因為海上領土怎麼劃界，現在許多問題都很嚴重，跟越南和菲律賓等其他國家，都為了海上疆界發生爭執，所以中共準備派海軍到更遠的地方了，這是沿海方面。

同時因為波斯灣跟伊朗的關係，中共軍方宣布，它的海軍也準備開到波斯，所以從這裡可以看出中共在海上的野心愈來愈大，這都是衝突的主要原因。

就在這兩人到北京的時候，前總統卡特（Jimmy Carter）到了北韓去交涉，要把美國的俘虜從監牢裡放出來。

中美關係是經濟上的緊張。中國經濟是國家控制的，中共現在對於重要經濟，重心放在國家的企業上面。國家企業有一百二十九個，都是極大的企業，是由黨直接控制、國家直接控制的。但也是高層黨員、幹部私人分贓的。他們用這個方式，使政治和經濟力量合而為一了。

另一些關於食品、衣服製造這些次要的，它讓給私人，私人可以發展。但主要的經濟動脈在國家手上。現在它把政治、經濟合而為一，它就要保護自己的經濟。保護自己經濟，它就不肯讓步。因為人民幣原來價值不是現在這樣。三年以來，共產黨都是把人民幣和美金掛鉤、放在一起，所以永遠升不上去。美國人就沒法跟中國競爭，它東西賣得很便宜、很廉價。人民幣不值錢，美金價格高，所以人家都不買美國貨，都買它的。貿易逆差很大，美國老是吃虧，這樣下來已經很多年了。

在這個情況下，薩默斯就擔負起到中國交涉的任務。今年六月十九日，中國官方大概為了緩和一點氣氛，同時表示人民幣可以升值到某種程度，不跟美國緊緊掛鉤了。但事實上，到現在為止，經濟增加指數、人民幣所謂升值不過到百分之一左右，那一點用都沒有，只是象徵意義。表面上安撫美國，實際上完全沒有變動。因為這樣子，中國的人民幣和貨物就保持了競爭能力。

所以在這個情況下，它的經濟動脈也不是老百姓私人市場，而是政府整個控制的國家企業。這要跟人家競爭起來，美國的私人企業是一個自由市場，是沒辦法比的。一個自由市場跟一個專制政府直接控制的經濟市場，是完全兩回事。

軍事方面主要就是北韓的問題。北韓是中共一手造成的，它賣武器、買各種奢侈品、汽車種種，買這些東西的不是老百姓，而是金正日。金正日有個私人帳戶，叫做三十九號辦公室，這個三十九號辦公室就是給他私人辦貨的。他買這些東西幹什麼呢？就是拉攏一些主要幹部，他要幹部對他忠心。

為什麼要幹部對他忠心呢？現在正在發生一個問題，他自己身體不好，要把他的王位給第三代，他的第三個兒子（金正恩）繼承。一個號稱工人階級專政的政府，弄起三代世襲來。他儘管擊沉南韓的軍艦、殺害四十多個南韓的水手，卻一點事也沒有，中國共產黨完全在庇護它。聯合國通過的經濟制裁也完全無用，因為中共完全不支持。

他最近到中國去訪問，也是為了繼承人問題，所以胡錦濤還是跟他在長春見面。卡特到北韓去談判，要求釋放被囚美國人的時候，照說金正日應該在平壤跟他見面，不知為何他不能改變行程、留在中國沒有回來，所以卡特撲了個空。

無論如何，人是放出來了，所以卡特緊接著又到了北京、跟中共進行談判。現在北韓很顯然是中共的走狗，在這方面講，中共要利用北韓做一些它不好出面做的事情，所以這個政權還要永遠維持下去。

從習近平訪美談中美關係

二〇一二年二月十六日錄音
二〇一二年二月二十四日刊登

中美關係在各方面看來，都愈走愈遠。比如說軍事方面，中共是北韓的後台，同時又支持伊朗、又支持敘利亞，這些都在國際關係上跟美國引發直接衝突。尤其敘利亞，中共在聯合國安全理事會跟俄國一樣，使用否決權，不要國際干涉，也引起很壞的影響。不但在西方，就是在阿拉伯世界中也有很壞的作用，至少敘利亞反抗專制政權這方面，中共對老百姓實在是太不友好了，問題非常嚴重。

經濟方面，像中共近期要求美國公司交出所有技術機密，然後才允許它們在中國運作，這也引起很大的反感。至於人民幣不肯升值，從各方面來看，習近平遇到的問題非常多，包括人權問題。另外在太平洋，美國好像要重新跟越南、日本合作，重新回到太平洋，這也引起中共不滿，但一時之間也沒有辦法很快得到解決。

所有這些問題都是習近平一時不能解答的，所以雙方交換了意見，我想美國提出的真正為難問題都是在背後，沒有公開說出來。習近平在白宮講話，表面上也都是些冠冕堂皇的話，強調的是希望雙方合作、雙方是夥伴關係、雙方是朋友關係這一方面。

習近平到底能不能像大家所推測，當上下一個十年中國的第一把手，我覺得不是那麼簡單。我覺得他跟胡錦濤最大的不同，就是胡錦濤還是鄧小平選定、指名的，但習近平就不是了。習近平的背景到底如何，我們也不很清楚，有人說是江澤民，有人說是別的，他能不能穩穩地接下未來的十年，就很有問題了。

最近像薄熙來案出現，在中國轟動一時。這個薄熙來案就是一輪權力鬥爭的開始。薄熙來一定不會服氣習近平接手，所以他要自己打造勢力。重慶有他的大本營，他有新左派思想家的支持，又發動「唱紅打黑」。現在「唱紅打黑」、尤其「打黑」方面他最親信的人（王立軍），反而跑到美國領事館待了一整天，美國白宮不肯給他庇護，他就自願投降到中央、而不是回到重慶，這就可以看出中央跟重慶之間是有衝突、有鬥爭的。

我總覺得中國的政治局面、社會的發展形態，都沒有取得定向，而是成為亂向，是在舊秩序崩潰的過程中，新秩序如何建立還沒有看到頭緒。所以在未來十年之間，我相信中國真是從一個舊的體制、就是共產黨一黨專政的體制，共產黨變成最大資本主義集團、籠罩所有經濟利益，而中間又分成各個小的政治集團，各有利益，彼此衝突，在這樣一個極為複雜的情況下，我想習近平就算十月份能夠坐上這個位置，恐怕也不是很安穩。據西方估計，他第一個五年大概不能做什麼事情，而是要安撫各方；第二個五年才可能開始改革。

我們不否認中國共產黨黨內，尤其像胡耀邦的兒子胡德平，據說還有劉少奇的兒子，現在在軍中做後勤工作的劉源，都希望進行某種程度的改革，甚至還有人認為，習近平也可能成為一股改革力量，這些都是推測，我們不敢做任何斷言。

但是我總覺得，未來要改革不是很簡單的事情，這裡面涉及許多人的既得利益問題。現在共產黨內部有許多既得利益互相衝突的集團。這裡面情形之複雜，是無法想像的。更重要的是，我們對軍方的動態掌握不到任何可靠的知識，只有推測；可以說完全不知道軍方有沒有人具有左右政治的勢力；或者內部是不是統一、還是各自分裂的；各地軍區是不是有人能夠一聲召喚、就可以起而採取一致行動；習近平就算做到軍委主席，能不能統一軍隊的行動，這都在未定之天。

所以在種種情況下，習近平訪美只能說是為他的上台作個布置。但他能不能上台，第一，還沒有定；第二，上台以後能不能有所作為，也不能確定。這一次的權力鬥爭，一定比從前江澤民時代或胡錦濤時代的任何一次都要嚴重。因為那時還有最後強人鄧小平的說話，但第五代沒有鄧小平的背書。那就是中國所謂「秦失其鹿，天下共逐之」，也就是漢朝打天下的時候，是群雄並起的局面。

中國的情況還有更複雜的一面，不像過去傳統的朝代，因為這裡有國際性的問題。所以共產黨到底選擇跟誰做朋友，跟美國、跟西方？還是跟西方為敵？到目前我們所見，共產黨的國際朋友都是西歐跟美國的敵人，在這個情況之下，它選擇的似乎是跟美國對抗的一條路。這條路我想一時不容易改變過來，這是我對中國特別擔心的一個方面。

關於習近平這次訪問，我認為只有一個聯絡感情的作用。就是大家彼此交換一點意見，沒有能夠解決問題，但知道彼此要求對方的是什麼，我想唯一能夠做到的是這一點。

中美兩國在亞太博弈的歷史與現實

二〇一三年五月十六日刊登

四月十六日，中共國防部發表了一份四十頁的國防白皮書，國防白皮書基本上講的就是最近亞洲太平洋的緊張局面，完全是美國一手造成的，它重視的是美國重新回到亞太地區，對中共採取一種圍堵（containment）政策。從前美國對蘇聯也採取圍堵政策。美國重返亞太地區，對中國進行圍堵，事實上並不錯，原因就是中共不但在經濟、軍事、外交、科技、太空等等方面崛起，而且對外在威脅採取非常強烈的態度，最近跟日本（關於釣魚台）、越南、菲律賓都發生島嶼主權衝突。表現得非常強勢，不惜一戰，要保衛自己的領土主權，這就影響到太平洋的安定，而最重要的當然就是北韓了。

共產黨在亞太最要緊的棋子就是北韓，北韓最近公開宣布，它可以打到韓國、甚至打到日本、關島，以至於打到美國本土，進行種種威脅，一再實驗原子彈。本來聯合國已經作出決定，不能在朝鮮半島進行原子核子試驗，可是它一再違反規定，不顧一切，最近準備發射飛彈。美國現在對北韓跟日本，都有很明確的決定，就是如果北韓敢於動武，他們要採取反擊，那麼戰爭就可以立刻爆發，所以美國最近在軍事方面加強對亞太地區的部署，在這種局勢下，緊張局面是無法避免的。中共最近發表新的國防白皮書，可是基本的態度很清楚，就是把最近太平洋的所有緊張局勢都算在美國人的帳上。美國人布置軍力包圍亞太地區、包圍中共，是造成緊張的基本原因，我想關鍵還是中共想把美國從亞太地區趕出去。

我們要記得，一九七〇年代末和一九八〇年代初，那時中共跟越南關係很壞，後來打了一場戰爭。那時蘇聯還存在，對於亞太地區也是一種威脅。鄧小平在那時就非常強調美國應該重回太平洋，歡迎美國在太平洋占據勢力，這樣可以對抗蘇聯。此一時彼一時，當時希望美國重回太平洋，現在因為北韓的關係，美國準備真正重回太平洋的時候，他們又緊張了。最近美國國務卿凱瑞到北京，跟習近平、李克強都談過話，好像表示願意恢復談判，但美國談判有條件，就是由凱瑞直接宣布，中國也同意了，北韓必須以取消原子計畫為先決條件，不放棄原子武器計畫，這個談判就無從開始。

中共在這個問題上，現在出了一個差錯。問題在於北韓年輕的小夥子（金正恩）忽然間要強調自己的主動性，對中國也不願意以小國聽命的姿態出現，而有自己的主張。在這種情況下，中共玩弄北韓這枚棋子就不順手了。所以中共到底怎麼處理這個問題，我們不知道。很大的一個可能性，就是中共跟北韓勞動黨的關係很深，中共很可能在其中做了點手腳，將來要扶植一個他信任的勢力，取代年輕的金正恩也說不定。這是我的推測，但我覺得這個可能性非常高。由朝鮮勞動黨內部取而代之，推翻金正恩以後，搞成一個民主運動，那對中國講是好得多。就是南韓不能插手，北韓還是在共產黨控制之下，我想這是共產黨的如意算盤。

中共對於北韓，表面上是譴責，表面上也參加所謂經濟制裁。實際上它一再宣布，經濟制裁是沒有用的。唯一一個辦法就是談判，在它的指導下談判。這種有利的談判，恐怕對於美國已經不起作用了，因為美國從前也跟國民黨時代一樣，以為共產黨打打談談，就是一九四六至一九四七年，美國調停中共跟國民黨的時候，也認為共產黨可以談判，結果發現共產黨只在對自己有利的時候才談判，對自己不利的時候絕不談判，武力占上風的時候更不願談判。所以在這種情況下，美國在中國調解失敗。這次在北韓問題上，中共又採取同一個策略，雖然對象不同，基本策略卻是一樣的。就是在有利情況下，在共產黨主宰的情況下雙方談判，但要是不如它的意，這個談判就可以破裂，破裂不需要共產黨自己出面，可以由北韓政權自己做出一種強硬的姿態。

所以我認為，整個太平洋局勢的緊張，是由於中共對於北韓的利用，現在要怎樣解開這個局面，我們實在看不出來，除非年輕的金正恩突然出爾反爾，說我自己現在不要發展原子彈了，那是很難出口的，這樣一出口，他在國內的聲望恐怕顯然要降低，我不相信金正恩在他政權內得到百分之百的擁護，其中一定有不同意的人，但北韓因為沒有任何輿論，沒有任何不同意見能夠發表，所以外界永遠不知道。總而言之，我覺得太平洋的緊張局勢，歸根結柢是由於中共對於北韓過分的利用。中共如果慢慢走向一條真正和平、和解的路，那麼或許可以避免現在的危機，否則的話，我想太平洋的局勢，包括中國內部的不穩定，都將有增無減。

談談「歐習會」

二〇一三年六月十日刊登

這次會談有著特殊意義。習近平跟歐巴馬的會談，是六月七日到八日，週末兩天，這兩個人要談兩天六小時，然後準備在黃昏時散步，在這種輕鬆的氣氛下交換意見。但我現在要講的這個時機是很妙的。一方面是六四，本來習近平上台以後，中國異議分子當然期待不高，但一般人都期待他在政治上有些改變，也許會放鬆一點。尤其現在當政的人，包括像王岐山、李克強，還有其他有關的人像李源潮，在六四的時候好像都還同情過學生運動。無論如何，他們期待過習近平在這個時期上台，可以有些政治改革，但這個期待，我看現在當然已經完全落空了。

另一方面就是藉著毛澤東建立強大的中華人民共和國這種方式，來宣揚民族主義、激起民族熱情。所以任何的普世價值，現在在國內都被禁止了，根本不能談了。現在許多共產黨的人都出來說，根本沒有所謂普世價值。中國的價值在他們看來就是最高的了，也就是最普世的了，所以不必把民主、自由、人權這些東西放在嘴上。所以這種方式是習近平所同意的，叫做「七個不准」，不准談七件事情。我不能一一列舉這七件事情是什麼，但我知道普世價值是其中之一。在這個情況下，我想任何對習近平有所期待的人都會失望了。所以習近平要自己找新的出路。他在國內的政治方面，他自己是共產黨高幹的第二代、第三代，高級幹部的子弟，這些人是靠共產黨起家的，也是集體世襲了共產黨權力的。這些人絕對不能動搖毛的權威。所以毛的權威現在不但沒有下降，反而是上升的。但另一方面，習近平因為他父親的關係，好像跟軍方關係相當密切，至少給人的印象是如此。在這種關係密切的情況下，他就希望樹立自己的權威。

這次他要求跟歐巴馬私人會談就是一個很好的例子，因為這件事情變成個人的外交完全是習近平發動的，並不是歐巴馬要如此，因為歐巴馬派代表到北京跟他商談。在西安會談的時候，他表示不要談外交事務，而希望廣泛地認識，在比較輕鬆、寬鬆的氣氛下，讓他跟歐巴馬兩個人會談，當然會涉及許多問題。同時這件事情也可以幫助他樹立國內的專政權威。因為他現在採取的方式，是過去十年來胡錦濤所不能做，也不敢做的。胡錦濤對任何事情，尤其跟外國元首談話都是表面，一兩句話而止，從來不敢負責地談任何問題，都是避而不談。

這次習近平給人的印象是他可以代表中國、他可以代表共產黨。我想也是受到毛澤東的啟示，也受到了鄧小平的啟示。這次很明顯地，習近平是要借這個機會，表示他在共產黨當權以後，他的地位不像胡錦濤那樣窩窩囊囊；也不像江澤民只說些漂亮話，但沒有實質發展。他希望在他手上，能夠把中美關係基本上確定下來，所以他叫做「個人外交」。這個個人外交，當然他只跟歐巴馬談。我們也沒辦法知道他們到底要談些什麼。不過我相信他基本的意思有兩個：一個是對美國方面，還要摸摸美國人的底；第二個，我認為周恩來的外交手段也是習近平的模範，他把太太也帶來做表演。這方面歐巴馬並不配合，他的第一夫人並沒有到場，所以這體現出中共在宣傳上恐怕還有些缺陷。

習近平和中共的反美運動

二〇一四年十二月三日刊登

我們知道，歐巴馬也去中國參加所謂亞太經合會，也受到習近平歡迎。但是嚴格地說，美國並沒有取得它所需要的中共方面合作，唯一的成就也可以說在環境改善這一點上，好像雙方同意準備簽訂一個協議。當然這要在美國國會通過，共和黨贊不贊成也不知道。

無論如何，這件事情跟我現在要談的沒有關係。我認為歐巴馬最初想讓中國跟它合作的方式，大概不會有什麼很大的成就，一個原因就是最近這幾個月來，中共有一種明顯的反美運動，是有規模、有系統的。這個運動雖然不是習近平親自指導，可是他有這個意思。他顯然在後面發動了一些說法，或者引起了大家的反美情緒。這個反美當然是以黨為主。歐巴馬還沒前往中國之前，中國官方的《環球時報》英文版已經有社論了，就是譏笑歐巴馬，說他六年以來好像一事無成，美國的老百姓對他不滿意。他做的事情沒有哪一件可以顯出成績來。所以大家對他已經厭棄了，民主黨在期中選舉大敗於共和黨之手。《環球時報》英文版做這樣一篇社論，很顯然是對付歐巴馬的，在歐巴馬還沒到以前，先給他一種侮辱性的歡迎或侮辱性的介紹。

第二個我們看到的現象，就是習近平不久以前，在網上稱讚一個在網上反美的年輕人，這個人好像叫做周小平。這個周小平經常用最尖銳刻薄的話和言辭來罵美國。他說美國文化把中國的道德和中國人民的信心種種都摧毀了，說一切壞事都是美國來的。而且美國是有意這樣做，目的就是要摧毀中國共產黨的領導。習近平最近居然對這樣一個網民表示稱讚，這當然是鼓勵。這種鼓勵當然會引起很大的反應，會有許多人趁機而上，希望能得到官方的寵愛。所以這是第二個現象。

第三個現象我們就看到，從官方到民間都興起了一種新的說法，就是中國一切的毛病來自什麼地方？都不是黨有什麼錯誤，而是國外敵對勢力的陰謀來摧毀共產黨的領導。尤其香港方面，美國出錢在後面鼓動。共產黨在香港的《大公報》還寫了一篇報導，說它手上已經有鐵證，說是美國給錢讓學生抗議的。這些東西只是說說，所謂鐵證也沒有發表出來。

第四個現象就是兩個多月以前，習近平在上海的一次談話中間，說了一句很露骨的話，他說美國應該讓出它在亞洲的所有權力，只有亞洲人才配管亞洲的事。換句話說，美國是帝國主義。它根本不應該到亞洲來張牙舞爪，這當然對反美煽動也有很大的幫助。

第五點我們知道，解放軍製作一個影片，也是反美的。這個反美的影片時間很長，差不多有一百分鐘。在這一百分鐘之內，強調的是美國非政府組織在華的種種活動，都以推翻黨為目的，這個影片流傳得很廣。我相信《解放軍報》是代表官方的。如果習近平或他的部下不同意的話，不會有這樣的影片出現。

第六點現象是今年到十月為止，據《紐約時報》統計，《人民日報》反美的文章已經有四十二篇了，比起去年一月到十月已經多了三倍，去年大概只有十一、二篇，今年是到了四十二篇之多。《人民日報》是代表黨的官方報紙，所以這也是官方的意思。換句話說，反美的文章在報紙上大量增加，也是運動的一部分。

第七點我還想講的是，他還鼓動外國反美。習近平七月在巴西開會的時候，在國會裡公開放言，說發展中國家必須在網上挑戰美國的霸權，這是明擺著叫巴西反美，這是習近平自己說的話。

最後一點現象是在經濟上，美國的公司在大陸受到很大的壓迫。這個壓迫就是進行調查。所謂調查有好多理由，其中一個說，你是不是向官方行賄？第二個是說，你是不是有獨占傾向？第三個是說，有沒有逃稅？所以在賄賂、獨占、逃稅這三個名義之下，它就對各公司進行長期調查，而且罰款極重，到了各公司已經不太能承擔的地步。所以這是另外一方面，外資在某些工業的投資、運用，或者市場上的流通，都受到很大的限制，換句話說，它通過這種方式保護中國自己的工業，而讓外國人沒有競爭的餘地。這當然違背了國際貿易最基本的原則。

何以出現了這樣一種現象？我們當然說，中共在一九四九年以前已經是反美的，反美一直沒有斷過。只有在中間，鄧小平那時想要取得美國經濟上的幫助，所以有了所謂開放，那時候就是中共的開放期，毛澤東死後他想改弦更張，想在經濟上讓中國扭轉過來，這個時候，他和美國的關係可以說進入到蜜月階段，那是在一九八〇年左右，鄧小平到美國訪問，在白宮受到卡特的特別招待。這個關係只有這一段是很甜蜜的，但很快就有問題了，因為美國到底還是有人權的問題。比如說卡特，照說是他們的恩人，可是最近卡特到中國去，本來有一次要在大學講學的計畫，都被共產黨壓制了。共產黨口口聲聲說它是不忘本的，任何人對它有好處，跟它做朋友，它是永遠尊重的。所以這就是習近平的基本觀念，要一個人獨裁，在這個獨裁之下用各種強硬手段，對內對外都要壓迫。壓迫引起反抗、引起內部的不滿。為了把這個情緒從內部轉移向外，就製造各種反美活動，讓老百姓把各種憤怒集中到美國人身上，他就可以從此逃避任何責任。所以這是習近平的個人獨裁，這是一個新的發展，這個新發展就是反美的主要根源之一。

中美關係的惡化

二〇一五年六月二十二日刊登

我們知道，中美關係開始的時候是很令人興奮的，一九七一年，尼克森總統派季辛吉到中國，找周恩來總理和毛澤東談判。這好像表示尼克森要訪華，所以那時候雙方都很興奮。雖然開始表現得很冷淡，但有一段時期非常熱烈。從一九七一年到毛澤東死後，到一九七七年鄧小平上台，中美關係可以說是進入了很高潮的階段。因為在毛澤東死前，由於文化大革命的關係，中國國內還不敢對美國表現得太友好，周恩來也只是保持一段距離，要看毛澤東怎麼說，而毛澤東當時病著。鄧小平上台以後，卡特當總統建立了中美關係，並請鄧小平在一九七八年訪問美國，白宮有盛大招待，而且鄧小平在美國到處訪問，都引起了人們很大的興奮。所以那段時期是中美關係的高潮。中國留學生、中國學者不斷到美國來訪問，美國也有許多學者不斷到中國訪問。那時候中美關係非常好。

由於欣賞美國的民主自由、言論自由種種的中國知識界人士愈來愈多，引起黨的恐慌，所以才有一九八九年的六四。六四是另一個轉變，這就使得中美關係開始惡化。但那時美國還占優勢，共產黨的經濟還差得很遠，許多地方要靠美國幫忙，所以獲得美國的最惠國待遇是很重要的事。美國對許多事情施加壓力，共產黨抓了人有時候還要放一放，然後再抓。抓了以後如果美國抗議就放掉，等到以後再說。這是鄧小平採取的一個路線，叫做一手硬、一手軟。軟的就是關於人權、自由思想等這些東西，要採取軟的方式不能硬來，可是國內控制是需要硬的，某些地方是不能讓步的。所以在這個情況下，一直演變到了後來的狀態。這個演變結果，當然是美國幫忙讓中國經濟發展起來了。

現在進入二十一世紀以後，尤其是過去幾年之內，中國的經濟由於外國的投資很多，美國幫忙很大，忽然間發展到了驚人的程度。共產黨在這個情況下，慢慢對美國的態度就開始轉變了，在江澤民時代還對美國傾向於友好一點，到胡錦濤時代就已經比較麻木了，但還沒有到敵視狀態。到了習近平上台，因為中國經濟已經強起來了，對美國處處針鋒相對，而且愈來愈厲害。所以，中美關係惡化是這幾年來很重大的事件。

大體來說，有許多跡象可以看出中美關係的危機。第一個就是在南海，共產黨現在造各種人工島做空軍機場，顯然有軍事目的，雖然它總是說一套很漂亮的話，說人人都可以借用，事實上它是造島來擴張它的勢力、擴張它的海域。所以引起菲律賓還有鄰近各國的不安，這就造成美國對共產黨中共的領導不放心，因此就和日本發展更好的關係，甚至於貌似建立起一種軍事同盟，這就使雙方關係愈來愈壞了。

雙方關係壞當然不是共產黨單方面的，美國也有責任。這個責任就是美國對共產黨愈來愈不信任了，另一個就是中共又跟俄國發展很密切的關係。中美關係固然惡化，但是中國跟俄國的關係，也變成以中國為主要力量，取代了俄國的地位，所以俄國在這方面也不是很滿意，但也沒辦法。雙方合作之下，跟美國領導的西方對立，幾乎回到了冷戰狀態，這是雙方關係愈來愈壞的重要原因之一；另一個就是最近共產黨發展了多彈頭的原子飛彈。從前共產黨的原子彈政策不是特意發展，只是要準備受到別人攻擊可以還手、反擊、報復，但不是主動攻擊，所以就沒有發展多彈頭的飛彈。這也是習近平統治下的一個新發展，使得美國非常不安。另外在經濟上面，我們還可以看到，比如最近李克強到拉丁美洲訪問，特別是訪問巴西，跟巴西簽訂了好幾十億的經濟關係，比方說幫它發展鐵路種種。為什麼這時候到巴西？因為巴西的女總統羅賽芙（Dilma Rousseff）準備在六月到華盛頓，跟歐巴馬政權調整美國與巴西的關係，就在這時候，共產黨插進來要扯美國的後腿，讓美國跟拉丁美洲各國距離愈來愈遠，跟它的關係愈來愈近，這等於是在經濟上向西方進攻，尤其向美國進攻。這是非常明顯的。

我們還有一個情況，就是最近中國有六個教授和工程師到美國開會，其中有個教授叫張浩，三十六歲，是天津大學的，過去在美國把美國的技術偷去給中國政府使用。這個人一直在中國，美國沒有辦法，後來他假借開會的名義跑到美國來，一下飛機就被抓住，不但抓住他一個人，還有另外五個人都是中國公民，所以這裡就有六個人剛剛被逮捕，這也是一個象徵，表示美國對於共產黨愈來愈不信任。這六個人中間就有張浩、龐慰、陳津平等等，罪名是合謀從事經濟間諜，這就是中美關係愈來愈差的另一個象徵，所以說是多方面的。

剛才舉了這麼多例子，都說明一個基本原因，就是中美關係愈來愈壞。雖然說雙方想調和，可是習近平對於在南海造島的運動絕不肯放棄，而且非常強硬，對美國跟中國雙方來講都不是好事。可是要怎樣來防止它？基本上我看中共的態度是非常重要的，中共現在是否決定要利用民族主義的力量向全世界發展，走過去希特勒或日本軍國主義的路，那就不知道了。如果真有這樣的企圖，想來壯大自己、想藉這種力量穩固自己的政權，我想這是一條很危險的路。美國在雙方關係惡化中主動的力量不及中共，因為美國顯然不會對外國有侵略行動，這是我們可以保證的，可是對中共，大家就沒有這個把握。所以今後中美關係是我們非常關注的一個問題。

中美政治新格局

二〇一六年十二月七日刊登

最近中美兩國的發展，中國的重大發展就是六中全會以後，已經確定了習近平成為核心領袖。從這件事情可以看出我們先前提過的，習近平走向個人專制，要改變原來九個常委或七個常委集體決定的方式，而且七上八下的規矩也可能改變，這是很大的一個布局，可以說是習近平追求繼毛澤東、鄧小平之後，成為共產黨獨裁領袖的一個大布局。至於美國方面，大選剛過，而且出人意表，新當選的總統是大家沒想到的。

在這個情況下，我們要談中美關係也不能不注意。我現在先講核心問題，我覺得核心問題是很重要的。這是第一步，隨之而來的就是集體領導到底還存不存在？所謂核心領袖，在中國共產黨歷史上只有三、四個人。所謂三、四個人就是前面的毛澤東是核心無誤。所謂核心，用共產黨的話說，就是一個人說了算，任何人不能反抗、不能改變、也不能懷疑。「說話算話」這句話是鄧小平說的，鄧小平自己當然也是核心領袖，六四以後他就指定江澤民做總書記，代替了趙紫陽。最近六中全會能正式提出以習為核心，是一件大事，不是小事，而他這個核心是他自己努力爭取來的。習近平必須做到兩件事情，第一個做到核心領袖，在黨內沒有人能反對他，第二必須有軍權。在這種情形之下，習近平的核心領袖充滿了不確定因素，將來到底能不能完成他理想中的最後一個毛澤東？那是很大的問題。

現在聯繫到世界的情況，美國又發生變化。美國新總統當選以後，首先表示要對共產黨加以制裁，至少在經濟上，中國來的貨物要加稅，要用種種方式跟共產黨採取對立態度，而不是完全聽共產黨的話。因為過去美國的政策，一向是把共產黨帶大，對共產黨不但沒有什麼制裁方式，而且往往受它影響，慢慢軟化，對人權種種問題都不再提了。新總統將來是不是走這條路？我們現在還不知道，不過看來他一定要有所作為，他要對選民要有所交代。

在這個情況之下，目前世界兩股最大的勢力（至少在經濟上，第一是美國，第二就是中國）中美兩國要開始較勁了，這一較勁的話中國就不得不小心。中國經濟能不能維持繼續成長？目前看來，很多方面都很有問題。如果經濟發展遲緩了，人民幣不斷貶值，將來會造成很大的問題。這個問題不是習近平號稱核心就能解決的。我覺得這裡面有一個很大的危險，換句話說，這兩個世界上最大的勢力，一個美國、一個中國，內部面臨很大的變化。當然美國的變化不可能和中國比，因為美國的總統到底是人民選出來的，而且還有國會控制，雖然現在共和黨控制了國會，可是到底也不能為所欲為。總統不能說了算，他想變成獨裁的總統是不可能的。不過有某種程度的集權，建立起某種強硬態度是有可能的，所以在這個情況之下，我覺得中國應該要好好考慮一下，面臨新的局面是怎樣一個情況？最要緊的是，下一任的共和黨政權走哪條路，我們現在還不清楚。新總統雖然說了許多很強硬的話，屆時到底能不能實踐、實踐到什麼程度，現在也在未定之天。不過可以肯定的就是，美國一定要發生某些變化，而且是相當根本的變化。變化並不影響民主制度。民主制度我想美國是不可能放棄的。有許多人認為美國這次選舉兩黨鬧得很分裂，可能證明了民主在其他國家不應該看得那麼重要，對民主制度有損害。美國選舉結束到現在這個情況來看，歐巴馬表示要跟新總統好好談一談，大家要團結一致。當選總統也承諾要團結起來。所以由此可見，美國的民主體制並不能因為這次選舉特別激烈、帶有分裂性，而造成任何危機。我覺得民主的危機在美國並不存在，美國民主的體制基本上還是能繼續下去，不過民主體制下也可以有很重大的變化發生。這是這件事情所顯示的意義。

所以從這方面看，中共形成一個新的核心制度，走向專制的共產黨領導制度，跟美國一個要求變化的新政治局面之間，是有許多複雜問題的。我們應該拭目以待，看看未來一兩年，中美內部發生什麼變化？互相之間發生什麼變化？這都是值得觀察的。

川普上任後美中關係分析

二〇一七年三月二十五日刊登

川普在國會的演說相當複雜，他集中在國內的問題，但他對敵人、對友好的國家到底要採取怎樣的態度，完全不知道，完全在模糊之中，所以我想我們應該就這個問題來談一談。

剛好在川普國會演講的前一天，二月二十七日，中共派國務委員楊潔篪代表習近平到美國來，特別去訪問白宮，想就中國跟美國的關係進一步協商和確定。最後川普安排了五到十分鐘時間，跟他匆匆打了個招呼，可見中國對川普跟他的政權將來對中國政策走哪條路非常關心，而且非常不安，有一種惶恐狀態。

之所以如此，我想跟川普在當選前，會見台灣的蔡英文總統有關。因為蔡英文是幾十年來第一個跟美國官方有接觸的台灣總統。這個情況引起很大的波動。中共當然非常憤怒，希望川普澄清。川普始終認為一中問題是幾十年前的，現在情況變了，應該重新檢討。他也沒有說廢止，只是說要重新檢討到底應該怎樣，而且很明顯地表示對台灣的關心，是一種友善的態度，川普這個表現在以往幾個總統中都很少見。

中共這次的表現有幾點非常值得注意，最有趣的就是中共的發言人對這次楊潔篪訪問白宮非常小心謹慎，唯恐得罪川普，說得非常委婉曲折，也相當柔性，不像以往一副兇狠的樣子。共產黨官方的新聞稿裡面，報導了川普過去跟習近平通過一次電話，那是美國非常重視中國跟美國的合作關係，希望加強高層交往，在各個領域都密切合作，這是官方非常友善的表示。這次楊潔篪來訪問，跟他的談話內容，還有其他種種表現，讓我們看到中共對美國有各種示好，表示軟弱。

第一個，我們可以看到，中共法院最近判了川普在中國的商標官司，打了十年了，一直打不贏，最近突然判勝訴了，這當然就是討好川普，希望通過這個關係得到川普的同情跟支持。

第二個，比如說楊在白宮的發言，是一副戰戰兢兢的樣子，能不能見川普總統他也沒有把握，到處試探，希望一見，最後見面得到了滿足，可是沒什麼談話。這就可以看出他柔軟的態度。

第三個，我們還看到一個跡象，就是中共在南海耀武揚威，派了海軍去做各種演習，還表示任何人來侵犯我們的主權，我們就不惜一戰。結果這次美國派了航空母艦到南海去，到達以前，共產黨就把海軍全部撤退了，這也是一種柔軟的表示，不要跟美國起軍事上的衝突。

第四個，我們還可以看到，習近平為什麼對川普到中國去訪問，五月去參加他的會議那麼急迫？原因就是川普一直表示跟俄國交好，對普丁（Vladimir Putin）很欣賞，雖然習近平也表示佩服普丁，可是俄國跟中國的關係，到底有非常難過的一面，那就是從前的蘇聯老大哥現在變成小老弟，遠遠跟中國不能比，其實普丁對這一點始終不服氣。儘管他們在經濟上有許多交易，可是俄國的民族意識也很強，最近在搶占烏克蘭的土地。不光是經濟上落後、政治上也落後於中共，這是他們不服氣的地方，因此他們非常不願意普丁跟川普聯合起來對付中共，所以他十分迫切地請求川普到中國去見面，因為普丁跟川普也可能在五月參加一次共同的會議，會議在芬蘭召開，而這個會議是習近平不參加的。

從這幾點可以看出，中共現在對於美國的態度，又回到有求於美國的時代了，就像以前江澤民時代，就怕美國不給貿易最惠國待遇，所以就不斷地釋放被抓的異議人士，放到美國來，或者釋放出獄，後來就不幹了，覺得我已經強大了，用不著聽你的話，現在好像又慢慢回到有求於美國的一種姿態。

同時，美國將來對台灣到底採取什麼態度，中共也沒有把握。從前可說是許多總統都一面倒傾向於中共，對台灣根本不當回事。雖然有《台灣關係法》，如果中共侵略的話，美國一定有所支援，同時也要賣武器，但是賣武器不會賣最好的，所以從這方面看，美國在川普時代對台灣的地位可能有所提升，不一定會改變一中，改變一中也可能引起很大的糾紛，就是台灣也維持現狀，可是美國對台灣比較看重，這一點是已經確定的。

我們從這裡可以看出共產黨的本質，換句話說，共產黨是恃強欺弱的，只要自己處在相對弱勢，它表現得非常客氣，比如說毛澤東在重慶談判時，首先站起來喊蔣主席和蔣委員長萬歲，但他心裡怎麼可能佩服蔣介石，恨不得馬上就殺掉他；可是就要忍耐，等到回去以後，我們再慢慢想辦法。對美國也一樣，過去有蘇聯支持，它對美國兇狠，等到跟蘇聯鬧翻以後，怕蘇聯打它，又趕快向美國討好，所以文革以後中美關係才會開始改善，這就是共產黨在弱勢時的一種表現，可是等到它覺得力量已經夠強大的時候，立刻就換一副面孔。川普沒上台以前，它在南海、東海所表現的強硬態度，都是真面目的表露。

我們覺得，從中美關係轉變三十年來，到川普上台會有一個根本性的變化，跟從前完全不一樣了，現在川普的顧問中間，反對中國的、對中國抱否定態度的相當多，一時之間不能化解。今後的變化雖然還沒有正式出現，可是我們看大的趨勢是不會比從前更熱烈，而是比從前更冷淡，甚至會不會發生衝突，那就不敢說了。

我對二〇〇三年的展望和希望

二〇〇三年一月六日

據說江澤民在新年的時候發表了一篇談話，其中強調了中國的和平統一。我想，很少人會反對和平統一這個理想。但怎樣和平、怎樣統一，這是另一回事，基本上關鍵還是在中國自己。我想，中國現在的情況並不壞，經濟方面大家都看好它，跟美國的關係在改善，這都是很積極的成就。尤其跟美國的關係，自從前年「九一一」美國被恐怖分子轟炸以來，中美關係因為在反恐方面採取積極的步調，我想這是一個關鍵。在聯合國的幾次投票中，中共好像都是支持美國，連棄權都沒有，這當然是取得美國合作的重要原因之一。所以中美的軍事交流又重新開始了，過去的劍拔弩張都過去了，這是積極方面。同時美國國務院最近也發表了一種談話，說中國對人權方面也有改善。到底詳細改善情形如何，我們外面還不知道。不過大體上，美國人可能覺得中國政府與從前稍微有點不同。

我想今天最嚴重的問題，一個是外交，一個是中國內部的發展。從外交方面說，目前最大的危機，就是北韓的事件。北韓與中國關係特別深厚，尤其是中共參加韓戰以後，也就是毛澤東聽了史達林的督促，出兵參加韓戰，從那時候起，北韓好像就成了中國的一個附屬國。中國為它打仗，死了很多人，這是中朝關係密切的開始，同時也是中美關係惡化的開始。另一方面也可以說，沒有韓戰，美國第七艦隊也不會到台灣海峽巡弋，台灣問題也可能已經有了不同發展，都很難說。總而言之，中國為了北韓付出了很大的代價。

今天我們看北韓的情況，可以說確實感到很失望，就是說北韓即使不能說是世界上最壞的政治單位，也已經相去不遠了，尤其是新的統治者金正日，在我們看來一個傻子，因為父親的關係，居然就被捧成皇帝般的人物、重要的統帥、偉大領袖之類的。我們最近在新聞中看到他跟江澤民擁抱的樣子，我們不但為他難過，也為江澤民難過。這樣子還值得中國如此為它出力，這是不可想像的。人民的生活完全不顧，所以才有那麼多北韓人要逃到中國，再從中國的各國使館逃到南韓，非常清楚地說明了，北韓並不能夠給老百姓任何福利。事實上，許多兒童饑餓，都跟這個政權有很大的關係。現在又用核子彈來作威脅，想來訛詐西方給它供應援助，包括汽油在內，這都是相當荒唐的行動。這種威脅不但威脅到南韓，同時也威脅到日本。

今天中國已經走上新的階段了，在政府裡服務的人，多數也來過外國，也見過世面，也不可能再走文革時代那種愚昧的道路，這跟北韓當然是愈來愈分離的。

不過今天美國正為伊拉克傷腦筋的時候，北韓在後面藉機趁火打劫，中共是有責任對北韓施加一定程度的壓力，中國能夠對北韓起多大作用，嚴格來說，我們現在也不很清楚。不過我想，中共還是有某種程度的影響力，這應該不成問題，如果沒有中共撐腰，北韓不可能這樣氣焰囂張、有恃無恐。

如何處理這樣一個大問題，我想值得中共考慮，中共對此應該很明確地表達立場，如果能阻止北韓的問題，不致發展到劍拔弩張的程度，那中國就對遠東的和平、東方的和平、東亞的和平有了貢獻，也就是對世界和平發生了積極作用，這是我對二〇〇三年表現的最大展望和希望。

（本篇網路無錄音檔）

多邊會談並不意味危機過去

二〇〇三年八月十三日

金正日突然態度軟化，要接受多邊會談，這是一個重大的轉變，他從前要求只跟美國單獨會談，美國拒絕，因此僵持在那裡。這個發展當然跟中國有很大的關係，說句很不客氣的話，北韓之所以有今天，原因全在中共。中共改革開放以前，在國際上不負責任，希望西方愈亂愈好、美國愈麻煩愈好。但今天情況變了，中共需要迎接經濟全球化，而希望經濟發展，就不能有戰爭在東亞發生，再來一次韓戰是不可想像的。所以中共最近的努力，我相信是使金正日軟化的一個重要原因。

然而我覺得，朝鮮半島危機並沒有過去，雖然多邊會談已經宣布，馬上要召開了，可是到底會談出什麼結果來，誰也不敢說。北韓這個政權是不可理喻的，看起來好像沒有任何章法，要怎樣就怎樣，為所欲為。它的唯一目標很清楚，就是絕不能讓政權崩潰。它鑑於蘇聯的崩潰，鑑於中共改革以後，政權就不能為所欲為的經驗，認為這是它所不願看到的。人民生活困難還在其次，最重要的是政府必須要有足夠收入，必須要保證這一點。所以它希望美國能夠給它一些經濟援助；而在另一方面，它又不願意放鬆對老百姓的統治，比如像北韓逃到中國的難民被遣送回去以後，據報導，多數人受到嚴重迫害，甚至被處以死刑。像這樣一個殘暴政權居然能夠存在，可說是二十一世紀的奇蹟。所以只要北韓政權存在一天，性質不變，朝鮮危機就一天也不會過去。

現在美國各方面的報導，好像有這樣一個想法，希望一方面阻止它繼續發展核武器和生化武器，另一方面希望保證社會逐漸走向開放，就是加入市場經濟，給它某些程度的支援，但要逼它就範，逼它走向開放，或者走向中共的那條路。但金正日肯不肯接受這樣的條件，現在誰也沒有把握，所以這個預測現在還嫌過早，只有等到將來看看多邊會談能得出什麼結果來。我想，我們作為中國人，應該好好地注意北韓的發展，如果能夠起到健康的作用，朝鮮危機就會減輕。

（本篇網路無錄音檔）

北韓和中共微妙的關係

二〇〇六年十月六日

北京的外交部好像是第一次對北韓用「悍然」兩字。說「悍然不顧一切地」，「悍然」這兩個字在共產黨的語言裡，特別是在外交語言裡，幾乎永遠是對敵人用的，不會對自已的兄弟國家（像北韓）用「悍然」兩字。

現在美國記者也發現，北京外交部已經正式把「悍然」兩字用在北韓試核這件事情上。對這次核子試驗，我相信中共也是非常憤怒、非常失望。我們本來以為全是姿態，但現在看來不完全是姿態。但中共內部到底要對北韓採取什麼樣的制裁手段，至少目前中國駐聯合國代表也表示，要採取比較強硬的措施。從前是反對制裁的，但現在到底採取什麼樣的制裁，就很難說了。美國的態度當然比較強硬，中共方面我想不會跟著美國走，這點我可以斷言。

另一方面，北韓對於中共，一方面是對美國辦外交的一個資本，一方面也是一個負擔，現在可能負擔更重了。

關於北韓這次試爆核子彈，有許多不同報導。最新報導認為是假的，因為它試爆的核子力非常小，有人認為是假造的。假造大概也不至於，可能有某種核子彈，但力量可能不太大，威力似乎還不及美國用在長崎和廣島那樣大。所以美國有些電視台、報紙認為這件事沒什麼了不起，不值得太關注。不過無論如何，核試驗還是引起了很強烈的反應。最主要的原因不是北韓能對其他國家造成什麼樣的危害，因為它的輸送系統能不能有效應用也很難說，到底有多少核子彈也不知道。但最怕的就是它把這些東西賣給中東恐怖分子的國家，像伊朗、敘利亞，這是大家憂慮的。

中共在這方面可能關心不夠強烈，覺得美國和西方在中東受到阻力和困難，對它有好處。但如果真是這樣考慮的話，恐怕也是一種誤算，弄不好會引起很大的糾紛，甚至可能改變國際軍事目前無戰事的均衡狀態。所以從這方面看，首先要注意中共和北韓到底有什麼關係？這點非常不清楚。

如果從歷史上看，毛澤東支持韓戰，當然是北韓變得與中國非常親密的原因之一。但即使在韓戰期間，中國和北韓的金日成也有糾紛。比如說毛澤東的兒子（毛岸英）戰死以後，當時的中國志願軍司令彭德懷就打過金日成一個耳光。這是現在已經報導得很可信的事實了。這就是說，雙方還是有緊張的。

另外就是我們最近看到，大陸已經去世的人留下日記，像《吳宓日記》記載：中共在文革期間發出很多文件，討論北韓跟蘇修的關係，說「北韓已經背叛中國，完全跟蘇修了」，而且把中國志願軍在北韓的墳墓都鏟平了。這件事令中共極為憤怒，說北韓「忘恩負義」。

總而言之，北韓和中國的關係也不是一直都那麼水乳交融，但蘇聯崩潰以後情況又變了。就是說，中共需要的社會主義陣營國家已經不多了，只有北韓，越南當時是有衝突的，另外就是古巴了，只有這幾個社會主義兄弟國家了。在這個情況下，北韓和中共的關係就變得密切起來了，主要是因為中國對北韓的幫助。因為北韓難民不斷逃到中國東北，造成很大的問題。中共也不能讓北韓崩潰，這樣中共就不得不支援北韓，據說中國支援北韓的糧食和汽油，占了北韓總消費量的百分之七十。如果中國不給予支援，那麼北韓根本就要經濟崩潰、社會也要崩潰，如果北韓社會崩潰、政權垮台，造成很大的混亂，對中共是非常不利的。

中共現在非常希望中國和北韓的邊界保持和平狀態，尤其希望東亞不至於失去平衡。所以從它自己的利益上講，它必須支持北韓。但北韓又不完全聽話，在某方面這就成了它的負擔。儘管胡錦濤曾表示過要向北韓學習，學習它的政治方法，讓黨內沒有不同意見，把新聞控制好，這點胡錦濤還在學習中。所以胡錦濤在加強控制國內新聞這方面，大概跟北韓、古巴都學習過了。不過這只是一部分，整體來說，它恐怕沒辦法把北韓當成模式，只是羨慕它某些方面可以控制反對言論、不讓異議分子出現，但這是很有限的一點，中共不可能全面學北韓，但北韓也不想全面學中共經濟開放，因為經濟開放可能就使得它的政權站不住腳。在這種情況下，北韓和中共的關係非常微妙。

（本篇網路無錄音檔）

談中國和北韓的關係

二〇一〇年六月十六日錄音
二〇一〇年六月二十四日刊登

今年三月二十六日，南韓一艘軍艦在自己的邊境上發生爆炸，四十六名船員死亡，在南韓引起極大的悲痛。這是什麼原因呢？所以就進行調查。這個調查結合了美國跟澳洲的專家來檢查爆炸原因，結果斷定是一種水底飛彈把它擊沉。擊破以後，水底飛彈本身還剩下碎片。在碎片中就找到了一種原來製造的序號，是北韓把南韓的軍艦打沉的。

這艘南韓軍艦並沒有侵入北韓海域，北韓到現在也沒有這樣說，可見它是無緣無故、忽然不知為何要來示威，還是發瘋。這件事情引起南韓政府極大憤怒，南韓就要求聯合國採取行動。所以聯合國一直都在醞釀中，美國跟日本都在推動提案，要在安全理事會通過。通過的話，就要加以懲罰和譴責。

所以這件事情本身已經引起國際轟動。問題在中共，中共一直是北韓的保護國，可以說，從一九五〇年六月二十五日北韓發動韓戰開始，蘇聯史達林當時表面支持，口頭答應用空軍支持，事實上讓中共一個人打，於是中共捲入韓戰。

韓戰結束，從蘇聯運來的所有軍火都要中國償還。中國一直為這個事情償還了好多年，直到大躍進以後中國大饑荒、沒有東西可還的時候，蘇聯還在逼債。北韓今天變成這樣一個怪物，完全是中共一手造成的。

後來中共自己在經濟上突飛猛進、忽然變成了暴發戶，要對付美國、對付西方，它就剛好用北韓做它的棋子，這個棋子就是增加它在國際上的份量，所以北韓動不動就做出一些非常殘暴的無理行動。

金正日在他自己的國家還被捧成天才，可是在我看來，完全是個沒有理性，而且既沒有、也不在乎任何國際知識的人，所以現在他自己身體要垮了，就把自己的兒子捧為太子。像這樣的世襲，從金日成到金正日、從金正日再到小兒子，簡直過分得不像話了。扶持他的人顯然都是一些最落後的人員，對世界局勢、民主自由的趨向，根本就沒有任何了解，以為北韓就可以掌握在他們手上。

尤其可恨的是，他們完全不顧老百姓的死活，餓死多少人也不管。他只是把一切資源用來培養他的黨政軍人員。所以他們的統治階層生活得非常好。目前我們覺得最大的問題，就是中共現在利用它，動不動就出來咬人幾下。咬了以後，中共的份量就更為增加。

中共這個瘋狗策略，已經不只是在北韓問題上表現得非常清楚，在伊朗也是如此。所以它有兩隻瘋狗，一個是伊朗、一個是北韓。這兩個國家做出了非常多國際上不能容忍的錯事，聯合國的譴責始終不能達到任何有效程度，原因何在？主要就是中共的阻攔。

中共拚命維護這兩個國家。它到現在為止，還沒有一句話承認南韓的軍艦是北韓炸的，而其他國家幾乎都一致承認了。

我們要注意的是，將來北韓會走到怎樣一個程度。我剛才說的是北韓、伊朗是兩隻最大的瘋狗，另外還有別的瘋狗，像緬甸軍政府，它的力量也是靠中共，而且中共有意無意都在扶持它。總而言之，只要是跟西方為難的這些國家、還包括古巴，中共都一概支持。照這種情況發展下去，將來的中國必為北韓所拖累。

朝鮮半島是否引發戰爭　關鍵看中國

二〇一〇年十二月一日錄音
二〇一〇年十二月三日刊登

過去的韓戰是一九五〇年開始的，一九五三、一九五四年才結束，現在北韓又動武了，有沒有可能造成第二次韓戰？

據報導，中共跟北韓之間似乎有矛盾。但中共支持北韓，怕南韓統一半島以後直接變成中國的鄰居，這是它很恐懼的事，所以它一定要支持北韓到底。

所以北韓第三代兒子即位，中國派了最高級的人員去參加，表示願意支持。不過好像要它就範，就是我們支持你、但也希望你解決某些問題，像經濟開放種種。否則北韓的難民逃向中國，中國也有點受不了。

這就是說，北韓跟中國有矛盾不成問題，但我覺得更重要的是，北韓是中國國際遊戲中最重要的一個棋子。這個棋子可以制裁美國、制裁日本、制裁南韓。儘管有些動作不一定都得到中共同意，但中共恐怕也有同意的部分。

還有一種說法，就是關於十二月十日，劉曉波的諾貝爾和平獎頒獎典禮，南韓還沒有表態。中共威脅所有國家不能參加——你要是參加、就是我們的敵人，南韓還在猶豫中，還沒有表態。我想，如果中共在背後，就是拿這個做要脅，要南韓就範、要南韓不敢不聽它的話，不參加奧斯陸給劉曉波的頒獎典禮。

這是一個可能，所以我認為，經濟制裁既然沒用、中共又一意保護北朝鮮，現在這個情況下，它顯然是中共的一個棋子。它給中共搞出一些很小的麻煩，時而有之；但大體上它還是得聽話的，因為如果沒有中共支持，他們早就崩潰了。

這個控制是絕對的，所以在這個控制下，北韓不可能過分違背中共的意思。在這個情況下，我想最後的問題還是中共問題。因為中共最近在國際上表現得非常強悍，一直以最可怕的帝國主義模樣出現，因為取代了一切帝國主義的角色。

現在對於南韓、北韓的關係，北韓就是它的附庸，這個附庸是很有用的棋子，可以跳出來制裁美國、讓美國不敢動，而六方會談永遠談不出任何結果。種種情況加起來看，我覺得北韓的問題不在北韓，不是對北韓如何。

除非美國跟南韓可以下決心，跟北韓再打一戰，不再打一戰的話，那就只有跟中共打半交戰。如果中共的態度永遠模棱兩可、永遠是利用北韓給它爭取各種利益的話，或者不僅利用北韓來制裁美國，也制裁南韓、制裁日本，因為日本也在北韓原子彈射程之內，這種情況下，我想中共既然不肯放棄北韓，也就不會不支持北韓核武運動。所以這種種糾結在一起，我們大家要特別注意這個問題。

北韓發射導彈對中朝關係的影響

二〇一二年十二月十九日錄音
二〇一二年十二月二十四日刊登

這件事情本身是很重大的發展。原因就是大家最初好像對北韓不大看得起。尤其在今年四月，它公開想發射飛彈（rocket）或者導彈（missile），不管是哪一種，都失敗了，而且敗得很慘，幾秒鐘就墜落了，這是很丟人的事。

年輕的新領袖想掙回這個面子。所以最後決定還是要把飛彈發射上去。因為這次北韓的內部控制很有問題。金正恩上台以後，在他的姑父和姑母協助下，已經在軍方做了很多手術，革除了很多老人，提升了很多新的軍人。這裡面就成了一個問題，革除老軍人是不是福氣，現在還不知道。飛彈成功發射必須是金正恩的重要手段，經過這個手段，內部權力才能掌握得住。憑他上台才一個月，又加上很年輕，事實上也不知道他有什麼本事。在我們看起來好像是個笑話，二十一世紀還有祖傳父、父傳子、子傳孫這種事情出現。飛彈是他父親一手創造的新遺產，他如果不把父親這件事情辦好，他就好像沒有資格做北韓的領袖，所以從內部的需要上講，他非得讓它成功不可。

照外界推測來說，這次的飛彈發射基本上相當成功。有人說得很好，有人說得稍微差一些，大體來說，技術層面還是比較粗淺。這些飛彈現在目前還不能直接威脅到美國，也不能威脅日本和南韓到什麼程度，不過已經有相當的威脅性了，因為它還不是原子彈。至於有沒有原子彈，我們現在還不能確定，但這個可能性是存在的。不過問題不在這裡，問題在於它有可能、而且確實會發瘋，說不定一顆飛彈就打到韓國的首爾。甚至於威脅到日本都有可能，許多人就不得不讓步。這就是朝鮮的威脅戰略，就是說我可以跟你一拚。在這個情況下，許多文明國家就不敢跟它硬拚。這又牽涉到另外一件事，聯合國明明有過兩次決議，試射飛彈這件事情，絕對違反了聯合國安理會所通過關於禁止飛彈實驗的兩次決議。北韓現在明明違反了聯合國決議，但在聯合國安全理事會裡面，中共代表的中國跟俄國，基本上都傾向於支持北韓。中共對這個問題到底怎麼辦？中共發言人到現在為止，只是把聯合國安全理事會的決議，解釋成讓北韓可以安全和平地發展它的原子能，事實上已經是替北韓圓謊了，但這樣的說法就表示共產黨並不譴責北韓，引起的後果就是美國必須繼續加強它在太平洋海上的防衛。由此可見，北韓這種做法好像在給共產黨幫忙，讓共產黨提高中共的籌碼。中共跟西方打交道的籌碼，重要的根據地之一就是北韓。在這情況之下，中共就全力去維護、全力去幫助北韓。可是一幫助它，它就不受控制，有時共產黨需要它緩和一點，它又不肯緩和。

這一次試射飛彈，我們感覺共產黨可能事先希望它不要做這件事情。北韓一度也表示它有技術上的困難，準備延遲。可是北韓忽然間在人家不知道的時候，不知不覺地發射了飛彈，而且事先沒有任何徵兆。這就表示它是偷偷摸摸做這件事，恐怕連中國也未必知道。這也可以看出它不完全聽中共的話，中共遇到這樣一個燙手山芋是很麻煩的，放手也不行，脫手當然會造成災難。可是要真正把這個山芋再加熱它也受不了。所以兩邊看來，共產黨都不能運用自如，這就是北韓對中共造成的一大困擾。

現在白宮已經直接警告中國，要如何限制北韓在這方面的胡作非為，可是我想，中共絕不可能有任何明顯的表示。私下怎麼跟白宮談判，我們不知道。我相信在公開場合，它還要表示支持朝鮮。因為胡錦濤一度還認為北韓是非常值得學習的模範，因為它內部的思想控制完全沒問題，新聞自由也完全被掐死。這就是共產黨對北韓非常欣賞的地方。

我看中國的對朝政策

二〇一三年四月十六日刊登

我們知道，北韓現在對世界造成很大的混亂。就是它愈來愈強烈地要求西方對它讓步，否則它就要用核子武器不斷攻擊南韓的首都首爾，還可以打日本、打美國，甚至打到太平洋的關島、美國本土，更荒謬的說法，還要打到美國總統住的地方，這簡直可以說是荒謬絕倫。所以這個政權荒唐幼稚萬分，對世界毫無知識。

在一個髮型像馬桶蓋一樣的年輕人手上胡作非為，他大概想建立他在國內的絕對權威，因為他不像他的祖父和父親，還有幾十年的工作經驗。他什麼都沒有就上來了。也許是這個原因，他好像想要表現得對外強硬，要獲得國內軍隊和老百姓的擁護。現在軍隊一天到晚就是把美國軍隊畫成槍靶子給他練槍，還有把握說打美國是輕而易舉之事。這樣一個荒唐政權居然還受到中共繼續支持，更叫人不可想像。

北京中央黨校機關報《求是》雜誌副總編輯鄧聿文，今年二月在英國的《金融時報》發表一篇文章，反對中共過去對北韓的政策，他認為這個政策完全過時。之所以過時，因為北韓是個隨時可以崩潰的國家，又被一群毫無道理的人統治，做事也全無章法，對中國更沒有任何情感。中國為它死了那麼多人，它根本毫不在意。而且隨時違背中國的意志，到處胡作非為，可以引起災難連累中國。所以他主張，對北韓的戰略關係要重新考慮，中國不要再為了北韓與世界為敵。

為了避免這一點，他就認為甚至要放棄北韓。他的意思是說，北韓本來是中共跟美國打交道的緩衝力量，現在這個緩衝力量完全不可靠了。而且北韓對中共的態度並不順從也不聽話，把原子、核子武器用到中國都有可能。既然這是個毫不講理、毫不顧忌後果的政權，那絕對不值得中國再繼續支持。這篇文章發表了以後，在歐洲跟美國華盛頓都引起重視。

為什麼引起重視呢？第一因為作者是中央黨校的；第二，他是《求是》雜誌（前身是黨最重要的《紅旗》雜誌）副主編，這樣的人說話一定是代表黨內某種政派。所以許多人就懷疑，這可能出於習近平的暗示，習近平希望能對朝鮮採取不同政策。中共對朝鮮的政策並沒有任何改變意圖，也沒有任何新動向，也不代表習近平或李克強有什麼新想法。習、李的新政跟外交都要有改變，這其實是大家另一個錯誤的感覺，事實上不是如此。

中共為什麼對北韓如此？其實說穿了很簡單，它基本上最怕的就是北韓崩潰之後被南韓統一了。南韓就算不想統一，也沒有辦法推卸這個責任，就等於東德崩潰以後，西德不得不收拾這個爛攤子。如果收拾以後，那就變成民主制度統一整個朝鮮半島了，這對中共非常不利，美國跟南韓的勢力即刻就到了鴨綠江對岸，這是中國共產黨絕對不願意看到的一種局面。

我們知道，最近中共居然也在安理會投票，因為北韓第三次試射飛彈，中共迫於世界輿論，也不能不跟著大家一塊兒走，舉手投票贊成經濟制裁，可是經濟制裁始終是共產黨一個空虛的口號，從來沒有實行過。如果金正恩沒有一點點覺悟的話，他就弄得自己下不了台。但中共沒有辦法不支持他。所以在經濟制裁方面，中國共產黨從來沒有實行過。

而且據中共官方報導，北韓對外貿易實際上百分之七十八以上都是跟中共的關係。換句話說，它需要的糧食、汽油、煤氣種種都是從中國來的。外界對北韓的制裁，根本就影響不到它，因為中共一過鴨綠江就什麼都運來了，而且中國共產黨實際上也不掩飾，也表示自己是在支持北韓。它支援北韓的原因，可說是從它的內政推出來的。

共產黨在內政方面，現在以維穩為首要，同樣的原則就實行在北韓。它希望北韓無論如何不能讓金正恩的政權崩潰。因為北韓幾十年來關閉門戶，思想上一點活躍都沒有，半點民主自由觀念也沒有。老百姓沒有辦法，只有聽話，餓得不得了，就逃向南韓、逃向中國。他們在思想上沒有辦法跟金正恩的共產黨對抗。

所以我認為，我們要看中共對北韓的關係，應該看成共產黨事實上是把它維穩的政策推展到國際上來。這個國際上當然主要是限於北韓，卻也不盡然，對敘利亞政權也要維穩，非洲一些腐敗的專制國家，它也要維穩。了解這點以後，我們才能夠懂得中國共產黨為什麼對

北韓如此情深意重？

從東海防空識別區設立看習近平

二〇一三年十二月五日錄音
二〇一三年十二月十一日刊登

中共最近劃定了一個「東海防空識別區」，就是劃定它的領空。這就引起了很大的糾紛。為什麼呢？因為共產黨最初是由軍方宣布這件事情，宣布以後還要表示，包括民航機在內，所有飛行器經過它的領空，原來是自由通過，現在就必須事先通知中國，否則就可能發生意外。所謂意外，就是有可能被它擊落。而美國和日本並不承認，認為這是片面劃線。隨便你怎麼劃，將來整個東海、南海就都有可能是你的了，那還了得。所以美國的B－52幾次飛過並不通知中國。中共也沒有採取任何行動，並不像它嘴上說的那麼凶，日本也同樣有軍機飛過。但現在共產黨也經常用戰鬥機在新的識別區上空飛行，好像是監察各國飛機往來。這種容易擦槍走火的情況，是大家都很擔心的。

美國非常關心，因為美國和日本簽訂了協防條約。美國的副總統現在在日本、韓國、中國訪問，本來是要談別的事情，談合作和對付北韓的問題。但現在討論顯然轉移了目標。最重要的討論是如何讓中日雙方降低敵對意識，避免武裝衝突。日本原先提出的條件是要中共取消這項宣布，中共是不大可能接受的。因為共產黨只要公開宣布一件事情，你要叫它當眾撤銷，它是絕對不肯做的，但它可能有模糊蒙混過去的可能性。除了戰鬥機在上空飛行以外，共產黨也沒有真正威脅到日本飛機或其他國家飛機的其他舉動。南韓也抗議，因為防空識別區把南韓一部分領空也劃進去了，雖然南韓跟中共關係好像拉得很近，中共拉攏南韓也是為了對付日本。

東海防空識別區是一個非常不明智的舉動，建立這個識別區最後是由習近平拍板的，並不是軍方單方面行動。但有沒有受到軍方威脅或壓力，不能不接受，還是他另有打算，這就不知道了。因為這裡牽涉到習近平執政以後，似乎想慢慢以強人姿態出現。從前在胡錦濤的十年是一事不做，基本上避開一切，除了經濟發展以外，其他事情不談也不做。大家都認為他是無為而治，至少是無為，是不是治就另當別論。

但習近平到處做出各種舉動，習近平可能藉著他的紅二代背景，想在這方面有所作為，至少有可能步上毛澤東的後塵。如果真有這個可能，想在外面示威，而劃出新的識別區來，當真如此就更麻煩了。他可能並不是要跟日本人打仗，但要向國內表現他在國際上也吃得開，他要怎樣就怎樣。

我們要討論中共對釣魚台的問題，又不得不從歷史上看。要從歷史上看，我認為日本最初在一九七〇年左右，尤其一九七一年美國跟中共建立往來以後，馬上轉向。日本很快就第一個放棄了台灣的中華民國，承認中華人民共和國。田中角榮首相首先到大陸去跟毛澤東談話，其實是道歉，對中國的抗日戰爭表示非常大的歉意。但話還沒有說完，毛澤東就說你們不用道歉，是我們要向你們道謝，要是沒有日本皇軍打到中國，我們中國革命一時還不會成功。

所以在這種情況下，共產黨的政策一向是要建立它極權的權威，鄧小平時代其實也是如此，他所說的韜光養晦，就是我的力量夠了以後，我就要在這個地區占據領導地位。我想現在釣魚台的事情，還有新的防空識別區，也是為此而設立的。它希望在防空識別區設立之後，能夠一步步減弱美國在太平洋地區的勢力，最後完全將美國排除，這是它可以獨霸東亞和東南亞的一個很好的構想。能不能成功，能不能如它所願，那就不是我們目前所能知道的。

談釣魚台事件引發中日關係惡化

二〇一二年九月二十日錄音
二〇一二年十二月六日刊登

中國因為跟日本的關係愈來愈壞，現在發展成了全國規模的反日遊行，而且砸毀日本的許多飯店、公司、市場等等，只要是日本名字都要被砸毀，日本車也被砸毀。當然這中間中國人也有倒楣的，因為有些中國人，開飯店的也罷、開什麼的也罷，只要跟日本人合作，甚至主要股東之一是中國人的也要被砸。日本車在中國很流行，駕駛未必是日本人也要砸。這種毀滅性的遊行非常可怕，可是我們同時也知道，這個遊行不是老百姓自動自發的。

中國人恨日本人由來已久，這是日本人造的孽，是日本人承受的報應。但是中國人如果是文明大國，應不應該在這時候採取這種手段對付日本人？這就是一個問題。問題嚴重到什麼程度呢?日本NHK電台報導,中國一百多個城市都有抗議遊行。而這些抗議都控制得很好。雖然打砸東西,那是官方允許的,是故意要給日本人難堪,但基本上還沒走到文革那種暴力行動。但這是共產黨官方直接參加的,至少其中一部分是直接參加的。而且最近網上也有人拍下照片,現在參加遊行的,好些是換了便裝的警察。另外我們還知道,在河北的滄州有個交通警察支隊長說組織人,所以換句話說,這些都是官方指使的。

我打電給我的朋友,無論是北京、廣州還是上海,得到的消息都是一樣。實際上在網上已經有這種聲音,就說政府自己不出面,讓老百姓出面,自己不肯動手,不肯靠武力拿下釣魚台,要老百姓開幾百條漁船去做這種工作,這是很不應該的。所以這種反對聲音也有。少數恨日本人的參加者大概也有之,不過極少。大多數城市都是有秩序的,而且,如果不是共產黨有計畫的全面批准,不可能在一百多個城市都發生抗日遊行。

中國對任何示威遊行都非常敏感,特別是從天安門以後。現在這個遊行是反抗日本,那就更嚴重了,因為已經不光是反抗日本,同時也要打倒美帝了。我最近看到網上的消息,也看到圖片,聲音很清楚是「打倒美帝國主義」,那是在美國駐北京大使館前,而且把駱家輝的座車擋了有十幾分鐘不能動。群眾在那裡威脅、包圍,警察站在旁邊根本完全不管,直到最後才出來。

從駱家輝的座車被包圍攻擊而且受損來看,共產黨的計畫是不簡單的。共產黨是不是真的要動武拿下釣魚台?那是很簡單的事情,如果真的非拿不可,只有動武一途,那就趕快動手。現在許多人的討論都集中在這一點上,就是為什麼共產黨現在有這種舉動?而這個舉動是否代表整個共產黨的意思？因為共產黨內部那麼多分歧，十八大在即，權力分配還在激烈鬥爭中。有人就認為，第一個是胡錦濤可能要掌握軍權，不肯放掉軍委會，就採取這個辦法；另一派就是說，可能是薄熙來的毛派支持者仍然有勢力，要讓習近平為難。

反日運動波及到美國，附加成反美運動了。這中間不能孤立地看，一定要跟它的十八大、跟它的權力鬥爭、跟下面的權力怎麼分配聯合起來看。要聯合起來看就很不簡單了。反日遊行下一步到底應該往哪兒去？現在美國跟中國，以及日本跟中國的關係，來到了難得一見的，至少是這幾十年來僅見的最低點了。

下面就牽涉到兩國的合作問題了，日本有些公司已經準備撤退了，如果真的發生的話，經濟上就會發生極大的影響。當然雙方都會損失，但中國恐怕更吃不消，因為中國需要的外資還是絲毫未減，而且還在增加。由於現在中國對外國公司另案處理，不適用相同法律，已經引起很多抱怨。如果這次事情鬧得不好，也會發生很大的問題。同時這個事情將來怎麼解決？現在誰也沒有把握。釣魚台這個問題又引起了其他的爭執。釣魚台的爭執是什麼呢？那就是中共一九五〇年代在《人民日報》公開發表的文章說：「尖閣諸島（就是現在所謂的釣魚島）屬於琉球群島中的一部分。」一尖閣群島跟琉球群島都屬於日本，這是共產黨報紙《人民日報》一九五三年一月八日的一個資料，這個資料的題目是〈琉球群島人民反對美國占領的鬥爭〉。當時共產黨怕琉球群島被美國占領，所以拚命講琉球群島屬於日本人，不屬於美國。在這個情況下，它就把尖閣群島也在琉球群島中的一部分，說都屬於日本人，這是見於白紙黑字的。同時在八月十八日，也是《人民日報》的另一篇文章〈無恥的捏造〉，引述周恩來的話，也認為琉球群島、小笠原群島等等，從過去到現在都沒有脫離日本。這句話要配上前面的「尖閣群島屬於琉球群島的一部分」，那麼共產黨將來討論這件事，會有很大的問題。

我們可以看出來，像韓寒的微博就認為，示威遊行對當權派有利，對老百姓並沒有利。另外還有一個微博是北京居民對話，他說「反對外國人，別以為北京人都在反對日本人，都在反對美國」，他說「你們只能說有一部分大腦麻木的人做這些事情，不是整個的北京居民，不能一竹竿打翻一船人」。如果照這個看法，國內也有不同的意見。這個意見是一個基本現象。不是說不愛國，也不是說不要釣魚台，而是說要用理性方式解決這個問題。所以這是唯一的出路，而且影響到將來中國換屆以後，還能不能維持穩定的秩序，關鍵就在此一舉，這件事情我認為是非常嚴重的，不能夠掉以輕心。

反日遊行暴力的反思

二〇一二年十月十一日錄音
二〇一三年一月二十三日刊登

最近看到香港的報紙跟刊物，登載了許多新的消息，是我從前不知道的。這次反日遊行不但由官方背後指使，這已是毫無疑問，而且遊行的人想法非常不理性，還趁火打劫。我對這些事情做一個反思：第一個是廣州在九月十六日這一天的廣播，參加電視台有關釣魚台問題討論的人很多。這一天，全國有五、六十個大城市都有反日活動，背後都是政府指派，因為上街遊行自六四後就不准了，我確切知道後面是政府指派的。

這還在其次，最重要的就是在電視台討論的時候，有個中學生的意見非常受到網路上的重視。這個中學生說的是什麼呢？「我們現在要抵制日貨，並不是在我們國家的日貨，我們應該在各行各業都比日本人做的好。我們的官員比它清廉，我們的街道比它乾淨，我們的橋也比它結實，還有我們的年輕人比他們的未來更有希望。這樣才能夠真正地反日、有效地反日，而且給中國爭面子。這不光是上街趁火打劫就可以到達目的。」我看了這一段非常感動，尤其我想到，今年日本人在生物研究和醫學研究方面又得了獎，這個得獎的人是山中伸彌，他是東京大學教授，在研究生物學方面，和西方的一位專家約翰．蓋登（John Gurdon）兩人共同獲得諾貝爾獎。諾貝爾科學獎無論是物理還是生物，日本獲獎已經多少次了。這位得獎者今年才五十歲，可見日本人在自己國內的研究，已經能達到世界最高水準，而且每隔幾年就拿一個獎。而中國到現在為止，那些諾貝爾獎得主都是美國籍，回去以後才變成中國人，像楊振寧之類。但在中國本土，可以說沒有產生一個科學方面真正的諾貝爾獎人才。這跟共產黨大吹大擂說文化上要超越西方，簡直適得其反。現在共產黨能在文化方面表現的是所謂孔子學院，就是教漢語，藉著教漢語滲透到各地大學，已經好幾百家，那可以說跟文化毫無關係，還給大量的錢，一給就是幾百萬。所以現在美國學校貪錢的人，也往往接受它的條件，條件是幾百萬給你一個講座，你不能請任何一個反共的人。這種文化輸出不但很可笑，而且適得其反，使人發現中國是一個完全以政治取向作主的國家。只要在政治上對共產黨有利，那就可以得到好處，否則就吃不了兜著走。通過年輕人這種宣稱，可見很多人都有這種想法。

另外在廣州，有一個高中學生遊行的時候，標語和旗號跟人家不一樣，他有八個大字「理性愛國，反對暴力」。跟共產黨的主張相反，共產黨主張用石頭、鐵棍砸掉日本的商店種種，甚至於打傷日本人，表示憤怒。但這個高中生貼出這個標語，一上街就被其他學生把他的標語毀掉了，甚至要打他，罵他是東洋鬼子。可見這種不理性到了何等程度。可是這些所謂的愛國青年，是政府組織出來的，動機非常不純，除了腦子非常糊塗或情感衝動之外，動機不純的人非常多。其中有個例子，我看的這一期香港《明報月刊》，葉國威先生的報導很有意思，他說就在強打的時候，長沙發生了一件事情，長沙示威抗議以後，「小日本鬼子，釣魚島是中國的」這樣亂喊一通，最爽快的這個人說他搶到了一塊勞力士錶，更加得意洋洋。從這個事情可以看出，抗議的這些人動機非常不純。所以這樣的中國人做出所謂遊行示威，中國人可以說是丟臉丟到家了，難以想像一個文明古國會墮落到這個地步。

而且共產黨還有其他的用途，其中之一就是把台灣捲進去，逼台灣就範，要台灣跟它合作。所以台灣也發生了數百人遊行，馬英九本來的想法是希望雙方和平解決，他創立「東海和平倡議」，就是台灣跟日本對釣魚台都不駐軍、不開發島上資源、也不開發海底資源，這三不主義是要跟日本協商的，日本大概也還沒有完全承認。但無論如何，台灣本來的目標不是要跟日本對立，台灣也不可能跟日本人完全對立，因為其中還牽涉到台灣、日本跟美國的關係。不過我想馬英九一定是受到壓力，所以在大陸的釣魚台示威之後，台灣也派了成百上千的漁船接近釣魚台，在釣魚台附近逗留很久，不僅如此，還有海軍和空軍護航。如果光是漁民去試探，那還可以說跟政府無關，但動用了海軍和空軍，那就非政府參與不可了。換句話說，台灣的國民黨政權受到共產黨極大壓力，不能不在釣魚台問題上表示屈服。就是在台灣遊行的這幾百人中，我在電視上看到也有一種標語，寫著「兩岸合作，對付小日本鬼子」，這種口號就跟台灣的中華民國做為獨立國家的政策完全不合。我覺得，台灣事實上根本不能對釣魚台起任何決定性作用，釣魚台衝突的關鍵在日本和大陸之間，台灣頂多只能保持旁觀態度，也不可能有力量拿下釣魚台。要拿只能由中國拿，中國現在不肯冒這個險，還有其他顧慮，因此就鼓動台灣做犧牲品，台灣居然也上鉤。可見國民黨政權現在已經一步步進入共產黨掌握之中，或者掉到它的陷阱裡去，這也是另一種很可怕的發展，這發展也是共產黨利用釣魚台事件而製造的。

這次釣魚台事件爆發，本來是香港民主派人士造出來的，他們是反共的，在香港要求民主、要求直選。可是他們想借用這個題目將共產黨一軍，所以因此就上了釣魚台，然後在船上還用了一幅中華民國國旗和兩幅共產黨五星旗，表示他是超乎政治以上的。可是事實上，共產黨為這個事情已經出了個難題，既然出了個難題，就不能不表示態度。所以在表示態度的時候，共產黨現在就採取這種方式逼日本人就範，它的一切威懾、打砸搶，都是要讓日本人知道，你要不聽我的話，你要不就範，你就沒有好日子可過。同時中共也暴露出，當它自己的極權統治利用聽話的群眾之時，依然遵照從前文革時代的做法，並沒有改變。所以在共產黨文化裡面，文革的餘風仍在深層隱藏著。所以中國人為了日本汽車而被打死的往往還不止一個，也不止一個地方。從這裡可以看出來，釣魚台事件在中國造成非常大的震盪，而這個震盪並沒有結束，我們還要靜觀其變。因為現在共產黨對日本人全面抵制，你開會請我，我也不去，表示抗議。所以要怎樣下台，現在還看不出來。我想這是值得我們注意的。

中日關係向何處去？

二〇一三年十月九日錄音
二〇一三年十月十八日刊登

最近幾個月來，日本首相安倍晉三非常活躍，很受到日本民意的支持，所以他在選舉中也掌握了上議院，有可能修改憲法，把和平不涉武裝的憲法改成武裝憲法。同時在中日關係上，他也表現出非常強硬的態度，但似乎也得到多數日本老百姓的支持。可見日本人對中國共產黨領導下軍力強化的國家，愈來愈感到威脅。雙方可能因為對彼此感受到威脅，因此就愈來愈緊張。

這個問題要從今年七月初講起。七月初日本防衛部發表了防衛白皮書。根據這份白皮書，他說中國對日本島嶼的威脅，似乎愈來愈擴大。這主要講的就是釣魚台（日本稱為尖閣列島），現在真的變成非常強化了。中國方面固然咬定這是中國領土，而日本人一直認為早就是它的領土。最近好像還有人問安倍能不能談釣魚台問題，但他說不能有前提，不能懷疑這個島是不是日本的，如果有這樣的懷疑他就不參加。這個態度是很強硬的。所以事情就僵在那裡了。同時，中國國防部也在日本發表白皮書之後，大概在七月十二日，由發言人耿雁生公開評論，說日本要顛覆海上的穩定，特別指出釣魚台問題。釣魚台問題我們都很熟悉，就不必談。我們現在要談的是，中日關係自從七月中旬以來，已經到了表面化的地步，相當危險，確有戰爭一觸即發之勢。日本跟美國又有同盟關係，美國實在不願意捲入這個案子，所以一再聲明對這個島屬於哪一國完全不表態，由雙方自己解決，或訴諸其他國際方式來解決問題。無論如何，美國不願意增加中日之間的緊張，因為日本和美國有某種同盟關係，雖然美國不願意捲入，但在某些情況下，包括日本遭到攻擊，美國大概不可避免要提供武器，這樣美國無形中就捲入了，所以這是美國極力想撇開這個案子的原因之一。可是這個事情不在美國人手上，關鍵還是在日本跟中國到底怎麼解決這個問題？所以現在國際上專家的估計認為有戰爭危險，形勢很急迫。

最近，我在十月二日的《紐約時報》看到一篇報導，使我很吃驚，報導說中國最近逮捕了一個在日本做教研工作、研究中日關係的人，叫做朱建榮，這位朱建榮是中國專家，但在一九八〇年代跟日本一個同行女專家結婚了，所以一九八六年就到了日本，在東京附近一個大學教書。他一直研究中日關係，在日本電視上常常出現，討論中日關係問題。而且他的基本立場還是幫中國說話。比如說關於釣魚台，他就一再聲明中國的所有權不可懷疑，認為日本人應該在這方面讓步。他一直以為自己是中日之間的橋樑，給兩方搭橋，希望能避免戰爭。中國官方不喜歡他的言論，就對他有所懷疑，他今年七月十七日回到上海，以後就沒有消息。我們現在知道的都是靠日本的消息。日本的《日本時報》九月二十九日的社論，把朱被逮捕的事情披露了，情況就變得非常緊張。這個緊張還不僅限於朱本人，所有研究中日關係的中國在日本學者，或者日本在中國學者都很緊張，因為這種情況之下，變成人人自危，人人都可能因為研究中日關係而被逮捕。因為罪名是可以隨時捏造的。中國的外交部對此事也發表了聲明，就是說中國是一個法治國家，凡是中國公民都受到中國法律保障，他們正當的人權都要受到保護。但發言下面還加了一句，說朱建榮暫時還是中國公民，因此任何中國公民都必須守法，如果中國人不守法，他就會失去法律的保障。這個聲明沒有說朱是不是被正式逮捕、正在審問，但大家都認為他確實被捕並且在審問中。所以外交部的這個發言也可說證實了這個說法，暗示朱建榮犯了中國的法，所以要在中國審問他。到底結果會怎樣，我們現在還不知道。不過這件事情鬧得非常大，中日之間已經在紛紛討論了。但朱建榮本身發表的言論，從來沒有不利於中國，我們剛剛已經說過，他在電視上的一再討論都是幫中國說話的，所以他在日本有相當的影響力。或許這個影響力也是他受到重視、受到懷疑的重要原因之一。

香港大學有一位教授就指出，現在中日兩國人員來往已經很警惕，不敢隨便溝通了。朱建榮的案子怎麼解決？我想跟中日關係緊張或放鬆有很密切的交涉。如果中國跟日本關係愈來愈緊張，我想這個案子就可能變成大案。我們非常不希望太平洋再起戰爭，尤其不希望戰爭不但引起中國跟日本的武裝衝突，還把美國也捲進去，那可是對任何一個國家都不利的，對中國也非常不利。

中印關係發展不可忽視文化上的交流

二〇〇六年十二月十五日

不久前，胡錦濤訪問了印度，主要談的是經濟上的合作，因為這兩個國家代表兩種不同的經濟發展。我們要相信（一九九八年）諾貝爾（經濟學）獎得主阿瑪蒂亞．森（Amartya Sen）的一個說法：印度的現代化有許多特長是中國需要學習的，印度也有需要向中國學習的地方。

現在我要講的不是經濟方面的問題，而是兩個國家的文化背景問題。中國以前一向認為，自己無論政治上、思想上、文化上都是中心國家。自從與印度接觸以後，特別是印度佛教傳入中國以後，這個觀念就改變了。中國最早知道印度的是漢朝的張騫。中國和印度最早的關係，也可說是一種貿易關係，這種貿易關係基本上是間接的，而不是直接的，是經過其他許多國家的。東漢末年，也就是三、四百年以後的西元二世紀，佛教已經很明顯地傳到中國來了。這些都說明中印文化關係慢慢變得愈來愈重要，比經濟交往還重要。

中國有好幾人直接去了印度，回來寫了遊記：最早的比如法顯，更有名的就是玄奘。他們都寫遊記述說自己是怎麼到印度的。過程非常曲折。這些人到了印度以後，就把印度的文化（不光是佛教）作為真經取了回來。我們現在的小說像《西遊記》，就是以玄奘去西天取經為背景。玄奘是中國最有造詣的梵文學家，也是佛教的經典學家。他在唐太宗時代，就是七世紀中葉，一個人到印度去學梵文，前後住了十九年之久。他對梵文非常精通，不但能把梵文譯成漢文，還能把漢文著述如《老子》譯成梵文。他的梵文好到可以在印度參加任何公開辯論的程度。

在佛教交往過程中，我們特別要注意的是科學觀念、數學、天文、醫學在中印雙方的傳授：中國的部分傳到印度，印度的部分也傳到中國來。所以我們講中印關係，除了要注重目前現實的貿易、石油種種問題以外，還要注重科學上的、觀念上的溝通。像是佛教傳入，使得中國文化愈來愈廣博了。

照阿瑪蒂亞·森的說法，現在中國改革開放以後，印度可以從中國學習很多，而印度也有很多是中國可以學習的。印度的這些東西都是有歷史背景的：如佛教的公開大辯論，這是印度很重要的一個傳統。這種辯論必須要以邏輯、以理服人，不能用力量服人。這種公開辯論也就是康德講的要理性、要公開，這就是民主的一種基礎。阿瑪蒂亞·森也認為，印度人能夠公開辯論，不壓制任何言論自由，是印度能夠走上民主的一個很重要的內在因素。他認為，這個因素也許對中國有啟示作用。如果照這種說法，我相信我們應該還有在文化上要向印度學習的地方。決不是說兩個國家元首談判怎麼作生意、怎麼賺錢、怎麼分工合作、怎麼讓中國人在印度開公司、怎樣讓印度人放心用中國人，不要歧視中國人……這些都是次要的。最主要的還是要有文化上的溝通和了解。這樣中印關係才會根本改善，這才是對世界和平的貢獻。如果只重視商業利益而忽略文化背景、忽略印度有很多精神資源能對中國有所增益，那我們對印度就不夠了解。

不要說佛教，不要說遠了。一九二〇、一九三〇年代，印度偉大詩人泰戈爾（Rabindranath Tagore）到中國來就曾轟動一時。這對中國精神世界有很大的刺激作用。這是很晚近的例子。

所以我認為，中印關係尤其應該回到文化的軌道，我想這樣雙方才有長久合作的可能。

（本篇網路無錄音檔）

中國與南亞鄰國關係的新動向

二〇〇九年九月九日錄音
二〇〇九年九月二十三日刊登

我要講一講中國在外交上遇到的許多問題，一個是跟印度的衝突，第二個就是跟緬甸軍政府的關係，現在也發生很微妙的分裂、甚至衝突。

我先簡單講講第一件事。印度跟中國早在一九六〇年代就打過仗。這個邊界問題，現在還沒有解決。因為印度根據英國的麥克馬洪線（McMahon Line）而劃了界，跟中國自己劃的邊界完全不一樣，兩者有衝突。衝突的其中一個地方，就是在距離中國西藏二十三英里的小地方，叫達旺（Tawang）。這個地方很小，是個佛教中心，同時也就在不丹王國的旁邊，現在雙方都在這裡部署重兵。

為了什麼原因呢？我想這跟達賴喇嘛有關。西藏人在這地方很多，而且影響非常大。那裡有非常多佛教徒，建了許多廟，在邊境還雕了佛像，後來被共產黨毀掉。而共產黨在近一兩年來，邊境侵犯行為好像多達二千多次。總之常有衝突。所以共產黨已經在附近加派大量兵力。印度也準備增兵，準備在幾年內增到五、六萬人。如果情況是這樣，一九六〇年代的軍事衝突，不是不可能重新上演。

但另一方面，印度和中國又有新發展的貿易關係。這個關係應該很好，可是目前因為邊境衝突、因為西藏的關係、因為達賴喇嘛也牽扯在內，所以愈搞愈壞。換句話說，政治影響經濟。今年三月，印度向亞洲發展銀行請求二十九億美元貸款，而中共是唯一反對的。但亞洲發展銀行到底不是中共能自行控制的，所以多數國家還是支持了印度。

它為什麼反對呢？它就是說這些發展的貸款，其中一省就包含了達旺那個地方。達旺是中國的地方，印度不能在那裡發展。這就造成雙方很大的衝突。在這個衝突下，我想將來會有很嚴重的問題發生。雙方的重兵都在邊界、又牽涉到達賴喇嘛的影響，其中問題愈來愈多。

第二個我要講的是中國跟緬甸軍政府的關係。中國可說是緬甸軍政府唯一有邦交的國家，而其他國家都反對緬甸軍政府的專制、反民主。這個軍政府因為明年是大選年，希望能夠抓住人心，因此要鎮壓、平定中國和緬甸邊境的一些造反集團，讓他們不能再喊獨立的口號。

但這些事也不容易做，因為這些造反集團，大部分是華裔。過去他們和緬共有關係，所以中共也支援過這些反叛組織。但今天因為利益開始衝突了，中國希望安定、希望邊界不要造成混亂。因為雙方交戰，許多難民就跑到中國來了，在中國邊境也造成不安，所以這是一個意料之外的新衝突。

我們知道，中國對緬甸好，原因當然就是看中它的天然氣種種資源，同時也看中它是通往印度洋的港口，中共非要不可。所以就不顧一切、不顧全世界輿論，全力支持軍政府鎮壓民主運動、鎮壓民主人士。但最近中共要求邊境避免衝突，希望和諧、希望不要對反抗集團（尤其包括華裔）採取鎮壓手段，這是中共的要求。

但緬甸政府為了要爭取自己的民心，讓人民將來選擇它的政治路線，它也顧不得了。不但沒有任何反應，甚至與中共的期望相反。最近緬甸政府的官方報紙二十年來第一次登載一個消息，就是達賴喇嘛最近訪台，這是北京的中共領導最不開心的一件事。但緬甸報紙居然大幅報導，引起中共官方極大不滿。所以這個衝突如何解決，現在也不知道。

而中共已經要求他們談判，緬甸政府也通過軍事代表團，到昆明跟中國談判怎麼解決問題，到目前為止還沒發生效力。所以由此可見，中共這樣不顧一切地唯一考慮政治利益而支持緬甸政府，是非常不智。

南中國海的危機

二〇一二年十二月六日錄音
二〇一二年十二月二十一日刊登

越南跟印度最近合作，要在越南金蘭灣附近，開發地下的石油跟天然氣，是很大的合作計畫。印度好像是占百分之四十五，有相當的利益在其中，對越南就更是重要。

所以現在越南在到處做探測水下的石油跟天然氣的工作。他們用了測振電纜偵查哪些地區可能有天然氣。但現在共產黨派了大批中國漁船，集中在它要開發的地區附近，這些漁船事實上不可能是民間的。照中國的說法，地下的石油跟天然氣都屬於中國，這就變成一個爭端。他們就派了大量漁船開到它附近，最近剛剛又把越南的測振電纜掐斷了。共產黨這樣的做法當然是官方行為，所以越南共產黨已經找中國大使進行抗議了。而這件事情還不只是現在，去年已經發生過，也是因為掐斷電纜之類的問題，引起越南人的憤怒，在河內有三天的反華遊行。所以這樣下去，中國跟沿海地區鄰居都有衝突的可能，不只是日本，跟北韓也有過衝突。北韓也把中國漁船和人抓起來，後來才放。

由此可見中國有一個趨向，就是把南海地區變成自己的，而且都說對方所指的島嶼其實都屬於中國。這種爭端一時當然不能搞得清楚，也沒有別人能判斷。總而言之，這件事情會引起很大的問題。因為菲律賓跟印尼，甚至新加坡都發出怨言，認為中國現在令人恐懼。

現在胡錦濤剛剛卸任，習近平掌握了軍權，據說會有些動作。習近平到底是為了應付軍方而不得不這樣做呢？還是他自己也有想擴張的意圖？現在還很難分辨。不過無論如何，中共的很多做法現在引起很多猜忌。最近突然在它發行的護照上印了一幅地圖，許多國家的島嶼，現在都被中共這幅地圖畫成屬於中國的了。引起的反感非常大，包括台灣在內，台灣的日月潭也被中共的護照地圖籠罩進去了。

至少目前為止，台灣中華民國還是擁有主權的，並不屬於中共，中共不可能在這個時候把日月潭變成它的一個部分，所以這些都是相當可笑、而且非常無聊的小動作。共產黨從前老罵別人搞小動作，實際上共產黨的小動作多到無可計算。這幅地圖尤其顯得非常小氣、非常可笑。說你們這些所謂島嶼都屬於中國，這是很荒唐的一種做法，外交部居然還出來公開為這種東西辯護。我覺得憑這點就能看出，共產黨絕不可能成為大國，也不可能有泱泱大國的風度，更不可能發展出世界性的文化為別人所尊敬。這些都是極為可笑之事。

我們知道，中國歷史上很少有大的擴張，除了在秦漢時代，那時越南、朝鮮都屬於中國。而中國在越南跟朝鮮都一樣，後來都因為種種原因而退出。之所以擴張，在我的研究當中已經發現，都是因為商人跑到那個地方去，然後鼓動國內去發展，跟現在西方的帝國主義實際上差不多。就是因為商業需要，然後擴展到武力、擴展到統治。但慢慢的，在中國變得太大、而中央政府愈來愈弱的時候，就不得不撤退了。最後到了宋朝已經從越南撤退，實際上漢朝末年已經不在了。但海上的擴張很少發生，因為中國對於海的運用跟操作是很後來的事情，南宋被金人趕到南方以後，才發現到海上貿易的重要。現在共產黨突然希望南海海底所有的石油和天然氣都歸它所有，這是主要原因，在這個情況下，它就跟海上所有的國家都發生衝突。這個衝突很可能變成局部的戰爭。

同時，中國人也已經有了一種想法，就是像南韓學者所提出的，好像覺得中國現在已經到了一個程度，可以恢復漢唐時代的威風，要周邊的國家即使不向它朝貢，至少要向它低頭，一切聽它的支配和安排。事實上這是做不到的。現在以國家為單位，說是小國，其實已經是不小的國家了。所以你想吞併、用武力征服這些國家是不可能的。如果武力不能征服這些獨立國家，那麼海上島嶼的爭奪就不可避免。不僅中國跟日本有爭端，南韓跟日本也有爭端，其他國家爭奪海上島嶼恐怕將來會層出不窮，我們現在還不知道。

看整個趨勢，習近平如果不能控制軍人，如果軍人想借此機會發展軍方的勢力，這都是非常可能的。所以現在這個問題已經不是中國跟台灣的問題了。

以前江澤民在位的時候講過一句話，說「遲早恐怕要跟美國人打一仗」，那時的說法我想是針對台灣。如果台灣不會向中共投降，美國又支持台灣的話，收復台灣、統一中國，一時是做不到的，這是江澤民當時說話的背景。現在江澤民看到的情況已經有變化了，這個變化就是美國跟日本，還有其他的東南亞國家都有聯繫，跟越南也有海軍聯合演習。同時，印度也為了越南的事情非常憤怒，因為印度已經投資百分之四十五探索海底的石油和天然氣，也許印度海軍也要出動。而越南準備下個月開始就用海軍、海上力量、海上警察把中國的漁船都驅逐，如果趕走中國漁船，中國不反應恐怕也說不過去。如果要反應，又要怎樣反應？這就是很大的問題了。

所以我們現在看到，環繞南中國海這一帶的危機非常嚴重。不要看目前還沒有發生什麼事情，如果發生的話，對任何一方恐怕都是多方面的衝突，這種多方面的衝突誰也不能隨便讓步，因為一讓步，它的政權就會在國內受到極大損害，中共也是如此。

談中國贈德國馬克思雕像

二〇一七年六月十五日刊登

今天我要講一個有趣的題目，馬克思出生地——德國特里爾市（Trier）有一個小房間是紀念他的，沒有什麼裝潢，就是一個空屋子。我在一九九四年訪問特里爾的時候還去看過，那時也有些中國大陸開會的人也去看，他們是朝拜的心理，我只是去看看馬克思出生的地方像什麼樣子。我們知道馬克思是一八一八年出生的，明年就是兩百周年，所以在明年兩百周年誕辰的時候，中國大陸的北京政權決定要送一個大的木雕像給特里爾市，讓他們放在一個顯著的地方紀念馬克思。

這件事情非常有趣，中共當然是為了政治宣傳，宣傳黨現在控制中國，要讓全世界知道，要讓德國人知道，所以就讓黨內一位專門做雕刻的、相當有名的雕刻家（這個人就是吳為山，雕刻過許多作品，在英國還得過獎）雕了差不多十八尺高的馬克思大雕像，準備送給特里爾市，但問題是，德國的反應非常奇怪，德國人首先就根本不欣賞馬克思，他們認為馬克思沒有用批判觀點去看待社會鬥爭的一方面，沒有看到社會是怎樣建立起來，看不到人與人之間互相支持的關係，所以他們認為馬克思批判性不足，而且發展了一套理論，最後導向一黨專政，這是最壞的事情，整個東德都受其害幾十年。

不只是特里爾市，整個德國的政治家跟歷史家，都懷疑為什麼要送這樣一個東西給我們？特里爾的市長因為去過中國訪問，大概中國又想把錢給特里爾市，特里爾的市長也不便拒絕，不過特里爾的市長也沒有完全接受中國的建議，市委員會開會，覺得這個像太大，十八尺太高了，大概要減掉若干尺，減小一點，第二，城市裡的人表示，我們對冠冕堂皇的馬克思雕像並無興趣，我們有興趣的是，也許把馬克思變成一個小孩時候的雕像。這樣可以放在公園或城市中心，這樣小孩子可以跟它一塊兒玩，可以坐一坐，所以他們很顯然對馬克思並沒有特別感興趣。

但中共既然要用錢來誘惑，特里爾市長也不便完全拒絕，最後就打了個折扣，讓它給一個小一點的雕像（剛才提過，雕像的作者是吳為山，但他不便發言，事實上就是要根據黨的意志歌頌中國，這不是吳個人的事情，而是黨內決定要表現與德國的特殊關係），既然德國人既然對馬克思沒有多大興趣，這件事情輕描淡寫就過去了，可是學術界跟政治界引起的爭論，仍在德國進行中。

另一方面，中國國內也引起很大的爭論，對馬克思也有不同的看法。就共產黨來講，共產黨本身實際上已經完全拋棄了馬克思，而且走到了跟馬克思相反的路線。馬克思對於共產黨最大的幫助，當初就是階級鬥爭說。毛澤東用造反來解釋階級鬥爭，把馬克思變成了他的意識形態正宗，換句話說，共產黨的合法性就建立在馬克思主義上。所以馬、恩、列、斯這四個大洋神，過去一直都掛在天安門上，最近才不見了。不過無論如何，毛澤東死後，鄧小平當政，從一九八〇年開始，馬克思主義在中國完全退潮，事實上等於沒有了。沒人相信階級鬥爭，也沒人認為要研究什麼馬克思主義，雖然馬克思主義的哲學刊物還存在，但那都是黨棍吃飯的地方，誰也不知道馬克思主義研究有什麼成績。從這個立場上講，中國已經沒有真正為馬克思說話的人了，包括習近平在內的共產黨人也不懂馬克思。習近平最近裝模作樣地說要尊重儒家，還手捧《論語》，表示他繼承了中國文化，以孔子為中國的聖人。吳為山也是如此，天安門旁邊一度樹立了吳為山雕塑的孔子像，後來受到黨內攻擊，又把這個塑像藏起來了，現在還在歷史博物館的一角。

無論如何，這是個笑話，共產黨現在還把馬克思當做它的第一大神，變成它的政權合法性的來源，這是非常可笑、非常虛偽的，可說到了不顧羞恥的地步。一切所作所為都是相反的。這是一個最兇惡的統治階級，把所有的人都放在自己的剝削下，黨員個個發財，現在變成以貪汙為主要運作方式。雖然說打貪汙，那是一部分貪汙的人不滿另一部分貪汙的人，是一種內鬥，真正打貪汙是不存在的。在這個情況下送馬克思像給特里爾市，是一件非常可笑的事情。

所以國內引起很大的爭論。一部分人認為，馬克思在中國根本已經沒有任何作用了。同濟大學的朱大可在網上就說，送馬克思像是一件很荒唐的事，因為我們不要的東西，現在退貨給德國，這對人家是不敬的，這是一種說法；另一種說法也是朱大可提出的，說中國受到階級鬥爭之害非常深遠，現在我們不能倒過來再去害德國，把階級鬥爭之說又送還給它，萬一他們用起來，又殺人無數的話，那是我們的罪惡了。還有各種不同的意見在中國鬧得紛紛擾擾，實在非常可笑。可是共產黨已經下定決心，要標舉馬克思主義在中國的成功，所謂成功就是在中國完全建立了極權政體，中國所有財富都在黨的控制之下，少數能夠發財的個人，最後也都要和黨取得密切關係。看看最近郭文貴宣布的內幕，就可以想到共產黨是一個什麼樣的社會、政治組織。在這種社會組織和政治組織下，還要談馬克思主義是相當荒唐的，可說是到了完全不顧自己顏面的程度，其可笑是超乎想像的。

所以我想，這件事情本身對於中共來講不但掙不到名譽，反而還會得到很壞的反應。其中之一就是國際漢學界的反應。按照《紐約時報》的報導，澳大利亞漢學家白傑明（Geremie Barmé）就指出，送馬克思像到德國特里爾只有一個意義，就是要表現共產黨的權力（party power）無所不至，說明中國已經無限地控制政權，黨不但控制政權，還控制所有經濟權，分給黨內有關係的、有地位的黨員，這就是中國現實狀態，與馬克思當初提出那些不切實際的理想，可說不但相距萬里、更是完全相反。白傑明在《紐約時報》訪問中，特別強調這件事情的荒謬絕倫，他說：「馬克思經過這樣一個共產黨的運用就更不值錢了。」

格達費與中共的鐵桿關係

二〇一一年九月八日錄音
二〇一一年九月十二日刊登

關於利比亞的格達費跟北京中共的關係，共產黨有一個金科玉律，這個「玉律」就是「敵人的敵人就是我們的朋友」。格達費是它非常看重的人，第一，格達費有石油，是他們非常需要的；第二，格達費要買武器，這是共產黨最樂意做的事情。

最近有一件很有趣的曝光事件，格達費逃亡以後，他附近的政府人員也都跑了，就丟出許多廢紙在街上。一個加拿大記者忽然發現有官方信封、官方用印的文件丟在地上，時間是七月十六日，中國有三個國營軍火公司，說好了供應格達費各種武器、軍火，共有二億美元的交易，從中國三個國家經營的軍工廠賣給格達費，文件非常確鑿、毫無疑問。

這份文件就被叛軍政府發現了，也被過渡政府得到了。利比亞政府就表示非常不滿，而且認為這是對利比亞不友好的表示。所以將來的問題如何，要看進一步的發展。

另一方面，聯合國早已通過決議，禁賣武器給格達費，讓他不能打自己的人民。中國共產黨雖然不是提議的人，但也附議了、同意了，而且它是安全理事會五個常任理事之一，這樣的做法就是違背了聯合國的決定，而且是它自己支持的決定。我們知道，這一點也不稀奇，它根本馬上就否認，所以你毫無辦法。

現在因為證據確鑿了，九月七日的《紐約時報》就登出中共的解釋。中共外交部發言人姜瑜聲明，他們遵守聯合國共同決定，對利比亞政府（也就是格達費政府）不賣武器，他們是簽了字同意的，但他們並不知道有三個公司私下簽訂合約，她不敢否定這些公司賣兩億美金的武器給格達費，因為這份文件確確實實地公布出來了。

照原來發現的文件，這二億的軍火至少有一部分已經到了格達費手上了，運送方式不是自己直接寄送，因為這樣會被聯合國查出來，而是從哪裡轉手，轉到格達費的利比亞政府手上。

現在爭端之一就是共產黨否認，它說雖然有簽約，但還沒有運出，這一點我們現在也不能討論，因為只有它有這個證據，我們現在也沒辦法查這個證據。

不過無論如何，共產黨一方面簽字、一方面違背，這個手法是值得注意的。

我們知道，這也不是共產黨發明的，我們要怎麼看，那就是共產黨要把所有跟美國敵對的國際勢力，都聯合起來對付美國，這是最兇狠的一招。我剛才說的像伊朗、敘利亞種種，現在它在中東、北非支持的政權，都已經發生民主運動了，就是所謂茉莉花革命。茉莉花革命對共產黨是很傷腦筋的事，利比亞就是其中之一個例子。

這個例子，據我所知，在國內引起很大反彈。許多人說利比亞能做的，我們將來也可以做。總而言之，雖然不能馬上實行，可是這個意念、念頭就有了。所以共產黨跟利比亞格達費做這種私下交易，最後是搬了石頭砸自己的腳，第一，暴露它自己在國際上全無信用可言；第二，暴露它的一黨專政是要堅持到底的。所以不要小看這件事，而且我們還可以看到過去雙方交往的一些情況。

我本來對利比亞格達費和中國的關係很不清楚，但在一九九〇年代，當我讀了杭亭頓（Samuel Huntington）有名的《文明衝突論》一書（首先是在《外交季刊》雜誌上發表的文章、後來變成專書），杭亭頓在這本專書中，就特別引述格達費要跟中國建交，聯合起來對付美國這樣一個聲明。

我現在根據中文譯本，把這個聲明簡單唸給大家聽一聽：

> 格達費說：「我們今天希望看到，以中國為首的儒家陣營（他認為共產黨代表儒家，他代表伊斯蘭），起而對抗以美國為首的基督教徒十字軍（他把美國打扮成西方中古的十字軍，專門侵略伊斯蘭東方民族），我們沒有正當理由，但有的是對這個十字軍的偏見，我們恨這個十字軍，我們要和儒家思想站在同一邊，和儒家陣營結盟（那就是共產黨），在國際陣營上並肩作戰，以消滅我們的共同敵人（共同敵人就是西歐、美國，所

以也就是整個西方文明）。」

所以由此可見，格達費跟中共的關係一定相當密切，因為他訪問中國很多次。杭亭頓如果不把這個聲明引出來、印在一九九六年出版的書上，我們就會忽略這件事情了。中共就像這樣，時時在與其他反西方勢力結盟，它對這些國家也並沒有什麼真正的情感，只要能利用、它就利用。

所以這次，利比亞的過渡政府聲明，今後誰還繼續支持格達費政府的話，我們就要重新考慮跟它的關係。